JOURNAL DE LA CRÉATION

Première édition :
Éditions du Seuil

ISBN 978-2-7427-3178-7

NANCY HUSTON

JOURNAL DE LA CRÉATION

BABEL

pour Jean-Etienne et Denise,
grâce à qui je dispose d'une chambre à moi

Je me demande si les pensées écrites à la suite dans un journal ne gagneraient pas à être imprimées telles quelles au lieu d'être réunies, d'après leur nature, en essais séparés. Elles sont ainsi liées à la vie et le lecteur ne se dit pas qu'on est allé les chercher loin [...]. Est-ce dans le bouquet que la fleur est belle, ou bien dans le pré où elle pousse, quand nous nous sommes mouillé les pieds pour aller la chercher ?

HENRY DAVID THOREAU,
Journal (janvier 1852).

Il faudra bien des années encore, je crois, avant qu'une femme ne puisse s'asseoir pour écrire un livre sans se trouver en face d'un fantôme à abattre, d'un rocher contre lequel se briser.

VIRGINIA WOOLF, "Des professions pour les femmes" (1931).

LE 12 FÉVRIER 1988

Aujourd'hui marque la fin du troisième mois. Je viens d'apprendre pourquoi c'est un tournant : c'est à trois mois que le placenta prend la relève des ovaires. Cela veut dire que l'embryon conçu il y a trois mois en Pologne s'est "accroché", et que maintenant – il y a tout lieu de l'espérer – il ne se décrochera pas avant de devenir un fœtus, puis un bébé, et de quitter mon corps l'été prochain, un être humain vivant.

C'est incroyable. Aussi incroyable la deuxième fois que la première.

L'autre jour, des amis rencontrés à Varsovie ont fait le récit de la naissance de leur dernier enfant. Comme la femme avait été alitée pendant une bonne partie de sa grossesse, l'hôpital l'avait convoquée quinze jours avant la date théorique de l'accouchement pour faire des exercices de musculation. Mais, une semaine plus tard, le pape Jean-Paul II devant arriver à Varsovie, et l'hôpital ayant besoin d'un maximum de lits pour accueillir d'éventuels manifestants blessés, fidèles évanouis ou passants piétinés, on lui a fait d'office une césarienne, fourré le bébé dans les bras, et intimé l'ordre de rentrer à la maison.

Cette histoire ne cesse de m'obséder, tant elle me paraît emblématique d'une certaine dichotomie violente... Combien de corps de femmes ont été ainsi charcutés – combien de ventres intempestivement ouverts au bistouri, combien d'enfants prématurément arrachés aux entrailles de leur mère – à cause d'*un seul homme vierge, chef spirituel de tous les catholiques* ?

LE 15 FÉVRIER 1988

J'ai envie de réfléchir ici sur le *mind-body problem* (voici quelques années, une Américaine avait publié un roman désopilant sous ce titre). Le moment est tout indiqué pour le faire ; il me semble que si j'espère y voir clair enfin, c'est pendant ma grossesse que j'y arriverai.

Je le vois partout, le *mind-body problem*. Chaque fois que j'écris la date, je suis consciente de commémorer un événement invraisemblable : la fécondation d'une femme vierge par l'esprit d'un homme invisible, et la naissance conséquente d'un homme immortel. C'est un scandale !

Ceci sera donc mon *Journal de la création*. Journal de bord de ma grossesse, mais réflexion aussi sur l'autre type de création – à savoir l'art – et sur les liens possibles ou impossibles entre les deux.

A vrai dire, il y a non pas deux mais trois manières distinctes de concevoir la création...

Création I

Au commencement Lumière
Dieu Eternel “Je suis” Voix Verbe
“Que la lumière soit” Eblouissement Illumination
Esprit Inspiration saintes Ecritures
divinité pureté beauté
paradis doigt de Dieu doigt d’Adam
Michel-Ange ange ange ange
Rilke-ange élévation âme
Johann Sebastian Bach musique des sphères célestes
génie poésie perfection absolue
William Shakespeare
cieux dieux pléiades panthéons
grands hommes noms pères ancêtres filiation
savoir écrit transmis d’homme en homme :
AINSI FUT CRÉÉ L’HOMME
en sept jours.

Création II

Au commencement Ténèbres
chaos confusion obscurité entrailles
viscères rouges glissants gluants
glaires muqueuses sanguinolences ordures
hurlements ignorance terreurs aveugles
faiblesse absolue dépendance
bête bête bête bête animale bête stupide
la chair le péché bouche d'Eve
béance passivité souffrance fragilité
mortalité finitude anonymat
répétition cycle ronde infernale
enfer gouffre rougeoyant
amnésie cordons coupés étranglement
savoir oral transmis de femme en femme :
AINSI FUT CRÉÉ L'HOMME
en neuf mois.

Création III

BANG !!!

AINSI FUT CRÉÉ L'HOMME
en quinze milliards d'années

(Moi, à l'âge de onze ans, dans un cours de catéchisme : "La Bible dit : «Au commencement, Dieu créa...» – mais alors, qui c'est qui a créé Dieu ?" Le curé, pas bête : "Pour que quelqu'un l'ait créé, il eût fallu que quelqu'un lui préexiste. Or, rien ni personne n'existait avant Dieu, puisque aussi bien c'est Dieu qui a créé le temps.")

EMPS LE TEMPS LE TEMPS LE TEMPS LE T

Il y a

Une Eternité Soixante-Dix Ans

Sept Jours Neuf Mois

Quinze Milliards d'Années...

Le TEMPS a commencé !

Seulement, bien sûr, le temps est inscrit dans le corps d'une femme comme il ne l'est pas dans le corps d'un homme : par ses règles (vingt-huit jours), ses grossesses (neuf mois), l'étendue limitée de sa fécondité (trente ans), la femme est l'horloge impitoyable de l'espèce. Elle mesure : elle *est*, de l'homme, la mortalité vivante.

Le journal est un genre littéraire qui *scande* le temps. Et si je décide de commencer ce journal-ci maintenant, ce n'est pas seulement parce que je franchis en ce moment une étape fatidique de la grossesse. C'est aussi parce que la mi-février est une date anniversaire importante.

15 février 1986 : le début d'une terrifiante maladie physique.

15 février 1987 : le début d'une terrifiante maladie psychique.

Ce que je voudrais faire dans ces pages – mais oserai-je seulement aller jusqu'au bout ? –, c'est déceler le sens de ces deux maladies, et le lien entre les deux… afin de comprendre pourquoi, depuis deux ans, je suis le siège d'une lutte sans merci entre mon corps et mon esprit. En utilisant tout ce que j'ai appris sur la question : dans ma vie avec M. et L. ; dans le cours que je donne chaque printemps à des étudiants américains, et qui s'appelle *Le Corps écrit* ; dans les émissions de radio que j'ai faites et les pièces de théâtre que je n'ai pas réussi à faire…

Prendre tout cela ensemble. *Com-prendre*. Enfin.

Ainsi. Voici deux ans très exactement, j'errais avec mon ami R. dans les rues du Marais à la recherche d'un café où fêter la fin de notre travail commun : une série d'émissions radiophoniques sur les couples d'écrivains intitulée *Scènes littéraires, scènes de ménage*. Où (nous étions-nous demandé) est-ce que l'homme met la femme – ou la femme, l'homme – afin de pouvoir écrire ?

Sur un piédestal ?

Dans son lit ?

A la porte ?

Devant un dictaphone ?

Dans la cuisine ?

Sur son dos ?

Dans l'abstrait ?

Dans l'impossibilité d'écrire ?

La série avait commencé par une citation de Flaubert (extraite d'une lettre à sa mère) : “L'artiste est une monstruosité, quelque chose hors nature. Il en souffre et il fait souffrir. Qu'on interroge là-dessus les femmes qui ont aimé des poètes." Notre projet était d'interroger des femmes qui, non contentes d'aimer des poètes, avaient voulu déserter les fonctions de muse, de modèle ou d'épouse maternante pour devenir elles-mêmes poètes. Au départ, j'avoue que mon intention était de démontrer comment, dans chacun des couples, la femme s'était fait avoir par l'homme. Mais, plus je lisais, plus je réfléchissais, et moins j'avais de certitudes... Maintenant je vois que tout mon être, corps et âme, avait été mis en branle par cette question et voulait, par des soubresauts invraisemblables, m'empêcher de lui apporter des réponses trop faciles. Peu à peu, j'ai dû me rendre à l'évidence : les couples d'écrivains ne faisaient que mettre en scène, sur le devant de la scène, ce qui, habituellement, se passait dans les coulisses. Le conflit entre l'art et la vie, la création et la procréation, l'esprit et le corps, débordait largement les anecdotes biographiques de tel ou tel ménage littéraire. Il me concernait, *moi*, comme il concerne aussi quiconque, homme ou femme, souhaite faire de l'art de nos jours sans faire trop de mal – ni aux autres ni à soi. Il concerne en fait toute la question du lien entre l'éthique et l'esthétique.

Restent les histoires de couples – histoires tantôt tragiques et tantôt comiques, le plus souvent mélange inextricable des deux ; histoires que je continue de trouver non seulement bouleversantes mais belles, et que je reraconterai ici, à mesure que se déroule un autre printemps, à mesure que se forme en moi une autre vie.

Nous n'étions pas nous-mêmes un couple, R. et moi, mais nous savions de quoi nous parlions : lui, grâce à sa sœur (une de mes amies), et moi, grâce à M., mon compagnon (un de ses collègues), nous avions fait tous deux l'expérience d'écrire en rapport avec (pour ? contre ? malgré ? sous ? sur ?) le désir d'écriture de quelqu'un d'autre. Bref.

Nous errions dans les rues du Marais, tout soulagés d'avoir mis le point final à l'émission Sartre / Beauvoir, la plus difficile de toutes (et par hasard la seule que nous ayons rédigée vraiment ensemble), et je lui ai dit, comme ça en passant :

— Tu sais, j'ai un symptôme bizarre, depuis hier soir…

— Ah ! oui ?

— Une espèce d'engourdissement. Mes pieds… et mon sexe… je ne les sens plus.

Et R. a ri.

Je ne lui en veux pas : au début, la réaction de bien des amis, et la mienne aussi, a été de rire.

Maintenant, je suis frappée par le fait que mes premières associations à ce symptôme avaient à voir avec le Canada, c'est-à-dire l'enfance. Me sont revenues en mémoire les longues après-midi passées à faire de la luge ou du patinage, quand les lacets fortement serrés des bottes ou des patins empêchaient de sentir la gelure des orteils avant qu'il ne soit trop tard. Après, on devait frotter tout doucement avec les mains pour les faire revenir à la vie ; un réchauffement brutal aurait été non seulement douloureux mais dangereux.

Là, je frottais mes pieds... mais sans effet.

Qu'y avait-il d'autre, en février quatre-vingt-six ? Je venais, grâce à un long échange de lettres avec une amie, de pratiquer l'autopsie de mon exil, établissant pour celui-ci un certificat de décès. Tout allait bien...

Rouvrant mon carnet intime de cette époque, je suis stupéfaite de voir que, non, tout n'allait pas bien ; et de tomber sur des passages qui, juste avant que la maladie ne se déclare, relient le *froid* et la *rigidité* à la *frigidité* : j'avais même forgé le mot de *figidité* pour décrire mon état. Nous étions à la campagne...

Le 11 février 1986

... varicelle et grippe de L., puis le chauffage qui cale, la maison qui caille, on a failli y mettre le feu en tripotant le système électrique [c'est exactement ce qui allait se détraquer dans mon propre corps], *dehors il faisait entre - 10° et - 5° et, peu à peu, tout s'est congelé en moi, tout élan de vie a disparu, je me suis recroquevillée avec un roman-fleuve américain et n'ai fait que lire, lentement et distraitement, heure après heure, au coin de la cheminée ou bien à côté de L. endormie dans l'unique chambre chauffée. M. s'identifie à cette maison comme d'autres hommes à leur voiture ; du coup, son système de*

chauffage à lui était en panne aussi, je nous ai vus coexister quarante-huit heures dans la pire des quotidiennetés, la plus glaciale et aplanie : vie nivelée jusqu'à ce qu'elle coïncide avec survie... Se chauffer, manger, dormir ; s'occuper exclusivement du corps mais sans avoir de corps ; se chauffer mais ne rien faire de ses calories ; manger sans faim parce qu'on n'a pas bougé ; dormir sans sommeil et sans désir...

Le 18 février (Paris)

... la figidité a décidé de se traduire somatiquement en engourdissant très bizarrement, d'abord mon sexe, ensuite mes pieds, empêchant ceux-ci de prendre le chemin du studio et celui-là, le chemin de l'amour...

LE 16 FÉVRIER 1988

Cours tout à l'heure, sur Simone de Beauvoir : *La Femme rompue* et *Une mort très douce* ; la relation entre ces deux livres qui sont des condamnations sans appel de l'altruisme. J'ai demandé aux étudiants, la dernière fois : un grand artiste n'est-il pas nécessairement égoïste ? Quelqu'un a répondu : Pas au point, vraiment pathologique, de Jean-Paul Sartre. Mais, plus je leur posais cette question, plus j'avais envie de me la poser à moi-même : Peut-on être égoïste de 9 heures à 17 heures et altruiste le soir ? Peut-on être égoïste dans son art et altruiste dans son enseignement ? Du reste, peut-on *décider* d'être égoïste ou non ? Et si la réponse à cette dernière question est négative, cela n'aiderait-il pas à expliquer la globale infériorité des femmes dans le monde des arts et des lettres, ainsi que leur globale supériorité dans l'art de vivre : l'amitié, l'amour, la domesticité… ?

Quand le cours a commencé, fin janvier, ma grossesse ne se voyait pas encore ; j'ai eu plaisir à leur annoncer que, tout en leur parlant du problème corps / esprit à travers l'étude d'un certain nombre d'écrivains et d'artistes, j'allais subir devant leurs yeux une véritable métamorphose physique.

Pourront-ils avoir l'impression de me connaître si, d'un mois à l'autre, je change et rechange totalement de gabarit et de garde-robe ? Peut-on faire confiance intellectuellement à quelqu'un qui enfle et gonfle de semaine en semaine ?

Et moi-même, est-ce que je me fais confiance ? Une femme a une image de ses seins et de son ventre aussi précise, précieuse et spécifique que celle de son visage ou de ses mains. Déjà je ne me reconnais plus, ni de l'intérieur ni de l'extérieur. Un autre corps occupe et modifie le mien, de façon imperceptible mais à la longue spectaculaire. Suis-je encore *moi* ? Sur le plan physique, tant de menues maladresses, déjà : des montants de porte que je frôle, des passagers de métro que je bouscule, des chaises et tables et pupitres que je heurte, faute de savoir exactement où commence et où finit cette chose que je considérerai, pendant six mois encore, comme “moi” – avant de devoir, brutalement, la considérer comme “nous”. Et sur le plan émotif… comment savoir ce qui, de mes états d'âme au cours de ces trois derniers mois, a été déterminé par le prodigieux chamboulement de mes hormones ?

Mais est-ce qu'une femme peut jamais savoir si ses “sautes d'humeur” doivent être attribuées ou non à un phénomène corporel ? Est-ce qu'on n'est pas toujours dans une phase quelconque de notre cycle – pré-, post-, intra- ou entre-menstruel qui “suffirait pour l'expliquer” ? Et les hommes, est-ce qu'ils savent vraiment, avec certitude, que leur comportement ne dépend pas de facteurs physiologiques ? Non, ils ne le savent pas. Mais ils ne savent même pas qu'ils ne le savent pas. Les femmes savent, en général, qu'elles ne le savent pas.

Peut-on faire confiance à soi-même, être sûre que ce corps soit son propre corps, cet esprit, son vrai esprit ?

LE 17 FÉVRIER 1988

Hier : soirée autour de Louise Erdrich et Michael Dorris à la librairie *Village Voice*. Couple d'écrivains fait sur mesure pour mettre en échec toutes mes idées sur les couples d'écrivains, ils fonctionnent avec l'efficacité huilée et imperturbable d'une machine. Ils ont tout : la jeunesse (à peine la trentaine), la beauté (elle, genre Charlotte Rampling en plus brune et plus sobre ; lui, genre étudiant Ivy League à peine sorti de ses baskets), une cause noble (celle des Amérindiens – qu'ils sont pour moitié –, thème exclusif de leurs romans), le succès (liste des best-sellers, adaptations cinématographiques), l'attachement à la terre (ils habitent une maison de ferme) et à la vie (ils ont cinq enfants ! – dont trois adoptifs).

Or ils écrivent ensemble. Le jour, chacun travaille de son côté, mais le soir ils se retrouvent, lisent leurs manuscrits à haute voix et passent au crible chaque phrase, chaque thème, chaque personnage. Et ils disent "nous" : "Nous avons écrit...", "notre œuvre" – même si chaque livre qui sort de leur usine littéraire porte un seul nom sur la couverture.

Je les ai regardés éperdue, incrédule, cherchant la faille dans leur assurance et ne la trouvant pas. Et aujourd'hui, comme pour me prouver que cette assurance-là n'avait aucun rôle à jouer dans mon destin à moi, L. s'est réveillée avec une forte fièvre : je ne travaillerai donc que par à-coups, entre ses appels. Vaudrait-il mieux y renoncer tout à fait ? Mais cela fait partie de mon sujet...

(Me revient à l'esprit le triste cas de mon amie C., qui, voici une dizaine d'années, devait soutenir une thèse de sémiologie, et qui avait adopté une tactique désastreuse consistant à amadouer sa directrice de thèse en faisant appel à sa complicité de mère : "Je dois d'abord dire que ce matin, avant de venir ici, j'ai donné le sein à mon fils ; vous comprendrez qu'il est malaisé de préparer une soutenance quand on a les mains remplies de couches et de brassières…" La directrice en question a prononcé sur la thèse de C. des jugements d'autant plus intransigeants qu'on avait ainsi laissé la nursery faire irruption dans l'Université.)

Comment se débrouillent-ils avec leurs cinq enfants, Louise Erdrich et Michael Dorris ? S'en occupent-ils eux-mêmes quand l'un d'eux tombe malade ? Font-ils les courses et la cuisine, midi et soir ? Lors du débat, hier soir, je n'ai pas osé poser ces questions qui me tiennent tant à cœur. Peur du ridicule… Comme d'habitude, les Américains prouvent qu'une chose est possible en la faisant. Ces deux-là prouvent, entre autres, qu'il est encore possible d'écrire "la marquise sortit à cinq heures" – *de raconter des histoires* –, malgré toutes les arguties théoriques dans lesquelles les écrivains français se prennent les pieds depuis cent ans.

Raconter une histoire.

"Tu racontes des histoires" : tu mens.

Se raconter des histoires : être dans l'illusion.

En réalité, les "trois créations" devraient se dérouler dans l'ordre inverse. De "CRÉATION III" émerge "CRÉATION II". De "CRÉATION II" émerge "CRÉATION I".

C'est-à-dire : l'homme devient créateur parce qu'il ment, parce qu'il (se) raconte des histoires. Il raconte, par exemple, que l'homme ne sort pas de la femme, mais la femme de l'homme.

Et Dieu créa la femme.

Et de la tête de Zeus jaillit Athéna, armée de pied en cap.

Et Héphaïstos fabriqua Pandore.

Et Pygmalion donna vie à Galatée.

Et de la côte d'Adam fut tirée Eve.

Et des connaissances mécaniques du professeur Coppélius émergea Olympia, la femme-machine.

Et du prodigieux savoir électrique de Thomas Edison surgit Halaly, femme idéale, Eve future.

Or Dieu, Héphaïstos, Pygmalion, Zeus, Adam, Coppélius, Edison... ont en commun d'être tous des *personnages* – de mythes, de fables, de contes ou de romans. ("Tout ça, c'est des histoires.") C'est ainsi que naît "CRÉATION I" : de son propre mensonge, qui consiste à intervertir l'ordre des trois créations, pour se déclarer première, originelle.

La semaine dernière, passant une nuit seule dans mon studio, j'ai senti dans mes entrailles les tout premiers frémissements de l'enfant. J'étais au lit, étendue, détendue, la pluie tambourinait sur le toit et les fenêtres, j'étais contenue par la chambre comme l'embryon était contenu par moi, j'étais sa chambre à lui, je me suis demandé si, quand je prenais une douche, il entendait le jet d'eau sur mon ventre de la même manière que j'entendais la pluie sur le toit... L'idée de faire partie d'une série rassurante d'emboîtements – d'être à la fois à l'intérieur, protégée, et à l'extérieur, protectrice – m'a remplie d'une félicité inattendue.

Cet être que je contiens, en plus des rudiments de bras et de jambes, a déjà une ébauche de cerveau.

L'acte de l'esprit par excellence, le geste fondateur de toutes les philosophies, cosmogonies et religions, consiste à *rejeter l'évidence des sens*. Nier que la vie, y compris la vie de l'esprit, s'origine dans un corps de femme, à la faveur de la rencontre éminemment aléatoire d'un spermatozoïde et d'un ovule. Proclamer que l'intelligence engendre la matière, et non le contraire. Toutes les populations humaines le font. C'est le fait même de la culture : transcender la nature. Mettre une chose pensée à la place d'une chose vue. Contrarier les apparences. Faire rêver. Décoller du réel. Bafouer les lois de la pesanteur. Prendre son envol...

Même les éléphants volent, comme le savent tous les enfants amateurs de *Dumbo*. Dans l'édition vétuste de ce livre que je lisais à L. l'autre soir, il est dit que les cigognes apportent des bébés enrubannés aux éléphantes qui le désirent : seule la maman de Dumbo, malgré ses soupirs et ses pleurs, est restée longtemps sans progéniture. J'ai commis la bêtise d'ouvrir une parenthèse dans le récit pour dire à L. : "Tu sais que ce n'est pas comme ça que les bébés viennent, n'est-ce pas ? Il ne suffit pas qu'une femme en ait envie..." Ma fille m'a remise aussitôt à ma place : "Oui mais c'est plus joli comme ça."

LE 19 FÉVRIER 1988

L. encore malade hier : nulle écriture. Après avoir passé la matinée avec elle, je suis partie faire mon cours et, dans le métro, j'ai rencontré Malaika, une des plus fines parmi mes étudiantes de ce semestre. A mon étonnement, elle m'a reproché de ne pas avoir été assez critique, la semaine dernière, à l'égard de Simone de Beauvoir (il y a deux, trois ans, les Américaines étaient au contraire choquées que j'ose chercher des poux à cette pionnière, cette idole). "Elle voudrait se couper le corps, ne garder que la tête", a dit Malaika en tremblant d'indignation, ajoutant que Beauvoir considérait comme nul et non avenu tout apport des femmes à la civilisation. "Les mères qui apprennent à leurs filles à accoucher au milieu des rizières" est l'exemple pittoresque qu'elle a proposé, mais c'est vrai aussi de la tendresse, du réconfort, de l'entraide, des chansons chantées, des histoires racontées, de tous les millions de mots et de gestes par lesquels, à travers les siècles, les femmes ont initié leurs enfants à l'humanité. Ces mots et gestes ne sont pas des monuments, ils ne laissent pas de traces ; du coup, selon Beauvoir, "c'est dans l'homme, et non dans la femme, qu'a pu jusqu'ici s'incarner l'homme".

Parfois, en bibliothèque, je pense aux millions de livres médiocres, aux gros tas de savoir périmé ou erroné qui ne feront plus jamais qu'accumuler de la poussière... Je pense aux millions d'épouses qui ont fait taire des millions d'enfants afin que les hommes puissent écrire ces livres-là *("Chut ! Papa travaille !")*, et je me dis qu'en fin de compte la véritable perte de temps était souvent l'écriture. N'aurait-il pas mieux valu pour tout le monde que ces hommes jouent avec leurs enfants ?

D'où vient cette survalorisation de l'artiste et de l'auteur – qui n'a fait que s'exacerber, du moins en Occident, depuis deux cents ans ? Comment se fait-il que le créateur soit l'Homme par excellence, au point que Beauvoir puisse affirmer que celui-ci n'a pas encore pu s'incarner dans la femme ?

C'est que, bien sûr, l'art est une des manifestations les plus spectaculaires de la rupture entre l'humain et l'animal. L'art dit non (ou tout au plus oui, mais) à la nature. S'érige contre elle. Déclare son indépendance par rapport à elle. A travers l'art, l'homme s'affirme non pas créature mais créateur.

Qui, l'homme ? Pourquoi l'homme ? Quel genre d'homme ?

Et pourtant, oui, c'est vrai : à de rares et significatives exceptions près (Sappho, grand poète, lesbienne, non-mère), ce sont des hommes qui, de tout temps, ont su s'arroger l'*autorité* de la création, osant se mettre à la place de Dieu, "*auteur* de toutes choses". Créatrice, *la* créature par excellence ? Les femmes, même lorsqu'elles désirent ardemment devenir des auteurs, sont moins convaincues de leur droit et de leur capacité à le faire. Pour la bonne raison que, dans toutes les histoires qui racontent la création, elles se trouvent non pas du côté de l'*auctor* (auteur, autorité), mais du côté de la *mater* (mère / matière).

En effet, les pliables et malléables “matières” de l’art – qu’il s’agisse de mots à agencer en poésie ou de pierres à façonner en statues, d’objets à saisir en photographies ou de bruits à moduler en musiques – sont inlassablement décrites comme féminines. Et, alors que rien n’est plus banal que de dire qu’un créateur est “amoureux fou” de son activité artistique, voire “marié” avec elle, on n’entend presque jamais parler de l’art comme Epoux de la femme artiste.

La femme est l’œuvre d’art de l’homme ; l’œuvre d’art est la femme de l’homme : en fait, ces deux énoncés s’impliquent et s’expliquent l’un l’autre. Voilà pourquoi les avatars du mythe de Pygmalion, à travers les âges, sont innombrables. L’artiste préfère sa création aux femmes réelles précisément parce que celles-ci, par opposition à celle-là, sont humaines et lui rappellent la condition humaine. “Humain” veut dire ici : mortel. Périssable. Pourrissable. Epouvantable, au sens propre : cela *épouvante*.

Pygmalion lui-même, Ovide prend soin de nous le préciser, était “plein d’horreur pour les vices que la nature a prodigalement départis à la femme”. Il vivait “sans épouse, célibataire, et se passa longtemps d’une compagne partageant sa couche”. C’est *parce qu’*il ne supporte pas les vrais corps féminins qu’il entreprend de corriger, d’améliorer la nature. On connaît la suite : “Cependant, avec un art et un succès merveilleux, il sculpta dans l’ivoire à la blancheur de neige un corps auquel il donna une beauté qu'aucune femme ne peut tenir de la nature ; et il conçut de l'amour pour son œuvre."

(Je pense à cet autre amoureux d'ivoire : Glenn Gould. Lui aussi "vivant sans épouse", "célibataire"... lorsqu'on lui demande pourquoi il s'assoit toujours sur la même chaise, il répond : "Ne dites pas de mal des membres de ma famille." Renonçant, très tôt dans sa carrière, au *live* : à donner des concerts dans lesquels, outre la musique, son corps serait livré en spectacle au public. Ne souhaitant communiquer avec ses contemporains qu'à travers l'esprit des génies intemporels. Portant des gants chaque fois qu'il doit entrer en contact physique avec d'autres êtres humains ; répugnant à leur serrer la main ; ne dénudant ses doigts que pour caresser les touches du piano – et, grâce à elles, cet art immatériel par excellence qu'est la musique. Lorsqu'on le regarde jouer, il est clair que, à travers ses doigts, il jouit. Or le doigt est un organe noble. Comme en témoignent les deux index tendus, se touchant presque, de Dieu et d'Adam au plafond de la chapelle Sixtine : frottez un doigt d'homme contre un doigt d'homme, c'est l'étincelle de toute la Création qui en jaillit. Comme en témoigne aussi cette phrase de Simone de Beauvoir – la plus impayable, peut-être, de tout *Le Deuxième Sexe* : "Le sexe de l'homme est propre et simple comme un doigt.")

Toujours selon Ovide, quand Pygmalion assiste à la fête de Vénus et exprime le vœu de trouver une épouse "semblable à la vierge d'ivoire", la déesse de l'amour le comprend à demi-mot. Vient ensuite la scène inoubliable, miraculeuse, modèle de toutes les "Belle au bois dormant" à venir : "Pygmalion se rend auprès de sa statue de jeune fille et, se penchant sur le lit, il lui donne des baisers. Il lui semble que sa chair devenait tiède. Il approche de nouveau sa bouche ; de ses mains il tâte aussi la poitrine : au toucher, l'ivoire s'amollit, et, perdant sa dureté, il s'enfonce sous les doigts et cède [...]. C'était un corps vivant : les veines battent au contact du pouce."

L'homme artiste a produit un être humain vivant. Par amour pour son œuvre, par un acte de foi, il a donné la vie.

La femme artiste peut-elle en faire autant ? La poétesse anglaise Elizabeth Barrett Browning en a douté. L'héroïne de son roman en vers *Aurora Leigh*, qui aspire à devenir écrivain, dit que la différence entre elle et Pygmalion est que "Pygmalion aimait, – et qui aime / Croit en l'impossible" ; elle-même ne parvient pas à aimer ses propres œuvres, ni à croire en la vie qu'elle leur confère, parce qu'elle sait que c'est de la fausse vie. Du mensonge. De l'artifice. De l'art. Là où Vénus intervient pour aider Pygmalion à transformer son rêve en réalité, Phébus Apollon – "l'âme dans l'âme" d'Aurora Leigh – lui démontre que tout ce qu'elle s'efforce d'échafauder comme réalité n'est que rêve. Il "décoche de sa hauteur une flèche d'argent"

Pour frapper toutes mes œuvres devant mes yeux
Tandis que je ne dis rien. Y a-t-il à dire ?
Je croyais l'artiste rien d'autre qu'un homme grandi.
Il se peut qu'il soit aussi sans enfant, comme un homme.

Elle n'aura pas le droit, l'autorisation, l'*autorité* de rejeter les hommes réels pour épouser son art, pour la bonne raison qu'elle peut produire de la vraie vie. Que – contrairement à l'homme qui est "sans enfants" – elle connaît la lourde et plate, la banale et sanglante vérité de la création : elle accouche. Elle fait du vrai vivant. Comment parvenir dès lors à se leurrer, au point de croire que le faux est vrai, que l'inanimé est animé, que l'esprit produit le corps ?

Ainsi, dit Aurora Leigh, "je suis triste".

A la question : "Pourquoi n'entend-on pas parler de l'art comme Epoux de la femme artiste ?" mes étudiants ont suggéré trois réponses :

– D'abord, on considère que les femmes sont incapables de faire suffisamment abstraction de leur corps pour le consacrer à une vocation "élevée", que celle-ci soit artistique, spirituelle ou religieuse.

– Ensuite, étant donné qu'on apprend aux femmes à trouver leur identité dans le rapport à autrui – notamment dans le mariage et la maternité –, elles sont peu susceptibles de revendiquer un talent qui les requiert tout entières. (Le Bernin, Pygmalion de l'âge baroque, a pu se consacrer jour et nuit à son art à partir de l'adolescence ; sans ce dévouement absolu, il n'aurait jamais sculpté le prodigieux *Apollon et Daphné* à l'âge de vingt-trois ans.)

– Enfin et surtout, les femmes ne "possèdent" ni le corps aimé, ni l'espace, ni la matière comme les hommes le font : en maître. Etant elles-mêmes assimilées à la nature, comment feraient-elles pour empoigner celle-ci, la tripoter, la triturer, la travailler, la transformer en artefact au cours d'une lutte amoureuse… ? (Il suffit de comparer *L'Eve future* avec *Frankenstein* : alors que Villiers de L'Isle-Adam n'a aucun scrupule à enrôler la science dans la création du vivant, pour Mary Shelley le résultat d'une telle entreprise ne peut être que monstrueux, pervers et meurtrier.)

Dès qu'une femme s'empare d'une plume, d'un pinceau, d'un burin, d'un archet, toutes les images qui entourent, soutiennent et nourrissent l'activité artistique tombent à l'eau. (Du moins ce siècle est-il un tournant dans lequel toutes ces images grincent et crient comme des freins usés. D'ici deux ou trois cents ans, sans doute, les artistes hommes et femmes disposeront d'un tout autre langage pour comprendre ce qu'ils font.) La première image – celle qui permet tous les commencements – est celle de la Muse. Toutes les Muses sont féminines. Qui est-ce qui sert de Muse aux femmes ? Qui guide leur main, leur insufflant confiance et sérénité ?

Dans un article publié il y a deux ou trois ans dans le *New York Times*, la romancière et essayiste américaine Cynthia Ozick évoquait avec nostalgie la foi inébranlable qu'avaient en leur Muse les écrivains modernistes de la première moitié du XXe siècle. A travers et en dépit de tous les chamboulements du monde extérieur, dit Ozick, une chose demeurait inébranlable, à savoir "l'engagement de l'artiste vis-à-vis de lui-même. Joyce, Mann, Eliot, Proust, Conrad [...] : ils *savaient*. Et ce qu'ils savaient c'est que, même si les choses se désintègrent, l'artiste demeure un être complet, intègre. Au fond, au plus profond de leur cerveau, régnaient la suprême sérénité et la magistrale confiance du créateur souverain."

Ozick exclut Virginia Woolf de sa liste de modernistes "autoconsacrés" (*self-annointed* : le terme anglais, qui évoque la consécration des prêtres ou des rabbins, reflète bien les accointances entre l'artiste et Dieu) – parce que, dit-elle, "ses journaux intimes la montrent en train de trembler".

Eh oui ! les femmes tremblent.

Peut-être parce qu'elles n'ont pas de Muse ? ou parce que, ayant si longtemps occupé sa place, elles la savent illusoire et ne parviennent pas à avoir en elle une "foi inébranlable" ?

Elizabeth Barrett : "Je suis triste."

Virginia Woolf : "Le jour viendra-t-il où je supporterai de lire mes propres écrits imprimés sans rougir – trembler et avoir envie de disparaître ?"

Elizabeth Barrett : "Chaque fois que je vois un de mes poèmes imprimé, ou même retranscrit au propre, l'effet est des plus pénibles [...]. Rien ne demeure que déception, qu'humiliation."

Virginia Woolf : "Une note : désespoir à voir la nullité du livre : ne comprends pas que j'aie pu écrire de telles choses – et avec tant d'enthousiasme : c'était hier : aujourd'hui je le trouve bon de nouveau. Une note, en guise d'avertissement à d'autres Virginia avec d'autres livres que c'est ainsi que marche la chose : haut bas, haut bas – et Dieu sait quelle est la vérité."

LE 20 FÉVRIER 1988

Rouvert le manuscrit de mon roman, hier après-midi, enhardie par les pages que j'avais écrites ici le matin. Sa lecture (j'en suis maintenant au troisième jet) m'est presque insoutenable, et la déception d'autant plus cuisante que, toute l'année dernière, j'avais été littéralement amoureuse de cette pile croissante de pages rouges et des personnages qui y étaient apparus, s'y étaient étreints et s'y étaient quittés.

Tout écrivain est habitué à ces variations de jugement ; mais pour moi, là où, avant, il y avait dents de scie, il y a depuis deux ans montagnes russes. Jamais je n'ai connu de tels sommets ni de tels abîmes. D'abord, je suis la petite fille fugueuse, courant essoufflée, euphorique, follement heureuse après son rêve ; et, tout de suite après, je deviens le parent punissant, négateur et répressif, qui prononce la condamnation à mort de cette liberté et de cet espoir. Pourquoi l'alternance entre les deux est-elle de plus en plus violente ?

"Tantôt je me sens un titan, et tantôt un avorton de trois mois", écrit Zelda Fitzgerald à Scott pendant la rédaction de son roman *Accordez-moi cette valse*. Pourquoi est-ce que les femmes *s'identifient* – au sens propre, y compris physiquement – à ce qu'elles créent ? Pourquoi éprouvent-elles envers leurs manuscrits, leurs sculptures, leurs tableaux… la même ambivalence (oscillant de l'amour à la haine, du narcissisme au masochisme) qu'envers leur propre corps ? Pourquoi ont-elles plus de mal que les hommes à maintenir leur travail artistique à l'extérieur d'elles, à la bonne distance ? Pourquoi entend-on presque toujours, derrière l'affirmation des femmes, cette interrogation : "Est-ce que j'ai le droit ?" Est-ce parce qu'elles ne peuvent ni écrire ni faire l'amour sans s'assurer au préalable que cela n'entraînera pas de conséquences fâcheuses ? Elles calculent : "Quel jour sommes-nous ? Ai-je pris ma pilule ? fait les courses ? Alors tout va bien ? c'est sûr ? feu vert ? Je peux commencer à désirer, à délirer ?"

Et elles tremblent.

Il y a des exceptions, bien sûr, mais dont la plupart ne font que confirmer la règle. Celles qui semblent le moins entravées dans leurs élans créateurs, celles qui "tremblent" le moins, sont celles qui aiment les femmes. (Du coup, pour elles comme pour les hommes, la matière artistique est non pas “moi” mais “l’autre”.) Je pense encore à Sappho, mais aussi à des créatrices souveraines telles que Gertrude Stein ou Marguerite Yourcenar… Quant à Virginia Woolf (qui se sentait plus à l’aise avec des corps de femme qu’avec des corps d’homme, mais faisait aussi peu l’amour avec les uns qu’avec les autres), si elle a eu l’indécence de “trembler” dans ses journaux intimes, elle nous a fourni, aussi, la clef pour comprendre ces tremblements. Il faut lire et relire sa célèbre description de l’“Ange du foyer”, cette femme idéale (“excessivement sympathique”, “absolument charmante” et “parfaitement altruiste”), ce modèle d’abnégation féminine, ce parangon de pureté qui, lorsque Virginia s’est mise à écrire, a fait mine de guider sa plume :

> Je me suis jetée sur elle et l’ai prise à la gorge. J’ai fait de mon mieux pour la tuer. Mon excuse, si je devais comparaître devant un tribunal, serait d’avoir agi en état de légitime défense. Si je ne l’avais pas tuée, elle m’aurait tuée. Elle aurait crevé le cœur de ce que j’écrivais.

Ainsi, celle qui guide la plume des femmes – la Muse des femmes – on la tue ? Ce n’est guère de cet “ange”-là que Rilke attend, prépare et reçoit enfin la visite dans son château de Duino…

Qui pis est, l’“Ange du foyer” ressemble à s’y méprendre à la propre mère de Virginia Woolf : philanthrope belle, énergique et généreuse, mère dévouée d'une famille nombreuse, l'image même de la "bonne" féminité à l'époque victorienne en Angleterre. Or une femme qui "tue" symboliquement sa mère, à travers l'acte d'écriture ou autrement, se "tue" toujours elle-même aussi. Sylvia Plath a fini par le comprendre, et par décrire ses tentatives de suicide comme "une pulsion meurtrière transférée de ma mère sur moi-même". Elle dit aussi : "Ça me fait un bien fou d'exprimer mon hostilité à l'égard de ma mère ; ça me libère de l'oiseau-panique sur mon cœur et sur ma machine à écrire."

Flannery O'Connor, quant à elle, raconte que, petite fille, elle boxait son ange gardien : "J'éprouvais pour lui une haine totale. Je suis sûre de lui avoir décoché un coup de pied et d'avoir ensuite mordu la poussière. Impossible de blesser un ange, mais j'aurais été heureuse de savoir que je lui avais sali les plumes." O'Connor n'a pu ni "tuer" sa mère comme Woolf, ni l'"abandonner" en s'exilant comme Plath ; contrainte par une grave maladie de retourner vivre sous le toit maternel, elle a partagé le temps qu'il lui restait à vivre entre deux passions : la littérature et l'élevage de poules, de canards et de paons… c'est-à-dire d'oiseaux qui ont comme particularité de *ne pas voler.* "Je n'ai aucun talent, déclare le héros d'une de ses nouvelles dans une lettre posthume à sa mère. Je n'ai rien d'autre que le désir de ces choses. Pourquoi n'as-tu pas tué cela aussi ? Femme, pourquoi m'as-tu brisé les ailes ?"

L'"oiseau-panique" de Plath, l'"Ange du foyer" de Woolf, l'"Apollon Phébus" de Barrett, l'"ange gardien" d'O'Connor... Qui sont toutes ces créatures ailées qui coupent ou brisent ou attachent les ailes des femmes qui cherchent à quitter la terre, le terre-à-terre, et à prendre leur envol dans les airs libres de l'imagination artistique ?

Sont-ce réellement des mères ?

LE 22 FÉVRIER 1988

Peu d'événements dans ma vie m'ont autant prise au dépourvu que les retrouvailles étincelantes, lors de ma première grossesse, entre érotisme et fécondité. Cette fois-ci encore, enceinte (et désireuse de l'être), je suis littéralement à fleur de peau : ma peau fleurit de partout, des fleurs poussent de tous mes pores, je ne suis plus que floraison ; que ce soit M. qui m'effleure, ou moi-même, ou une idée, le plaisir affleure immédiatement, impérieusement, débordant et sûr de lui...

Aucun discours "libérateur", ni du côté des hommes ni du côté des femmes, ne m'avait préparée à cela. J'appartiens à la première génération pour laquelle la Pilule était une évidence, et le risque de grossesse, lors de l'initiation sexuelle, quasi nul. Or le présupposé de la Pilule était le suivant : maintenant qu'a cessé de planer la crainte de concevoir, la libido féminine va enfin pouvoir s'épanouir. Quelle n'a pas été ma stupéfaction d'éprouver, la première fois que j'ai fait l'amour sans contraception (plus de dix ans plus tard), un plaisir accru, inouï, bouleversant... ?

Et quand l'enfant est conçu – et quand la grossesse se passe bien –, c'est le corps entier qui est en pléthore, comme en une perpétuelle et langoureuse tumescence – et il ne s'agit pas seulement de mon corps à moi, à cet égard c'est vraiment *nous* qui sommes enceints, M. et moi –, tout enfle, tout bat et tout s'embrase : il y a une évidence et une plénitude dans le rapprochement que nos corps stériles ignorent. Pourquoi est-ce que personne ne parle de *ce plaisir-là de la création* ?

Parce qu'il n'est pas éternel ?

Mais la "vierge d'ivoire" n'est pas non plus éternellement vierge : neuf mois après ses épousailles avec Pygmalion, Galatée donne naissance à un petit Paphos. A quoi ont ressemblé les amours du sculpteur avec sa statue-devenue-femme-enceinte, et ensuite avec sa statue-devenue-mère-de-famille ?

Aucune version du mythe ne nous le dit.

Il y a deux ans, j'étais une mère-de-famille-en-passe-de-devenir-statue : le 22 février, mes mollets étaient "pris".

Le mot de paralysie est inexact pour parler de ce qui m'arrivait ; celui d'hypoesthésie (absence de sensation) serait plus juste, mais je ne voulais et ne pouvais décrire cet engourdissement que par une métaphore, toujours la même : *je me transformais en arbre*. Ainsi, quand je dis que "mes mollets étaient pris", cela veut dire que, d'après moi, l'intérieur en était de bois, et l'extérieur, de l'écorce. Quant à mes pieds, ils étaient (et resteraient, selon ma conviction la plus intime, pendant des mois) des racines tordues.

Devant ces symptômes singuliers, mon médecin généraliste m'a demandé si je n'avais pas eu le cafard ces derniers temps. Je lui ai répondu que non. Il m'a donné une ordonnance pour du magnésium.

Quelques jours plus tard, mes cuisses étant "prises" à leur tour, je suis retournée le voir. Cette fois-ci, malgré mes protestations, il m'a prescrit, en plus du magnésium, des tranquillisants.

Quelques jours plus tard, la chair de mes fesses, de mes hanches et de mon ventre était, elle aussi, de bois. Ma bonne humeur devenait de plus en plus évidente. A dire vrai, je jubilais.

Etais-je en train de fabriquer ce symptôme féminin par excellence – banal à l'époque de Sigmund Freud mais rarissime de nos jours – l'insensibilité hystérique ? Moi qui venais de forger le mot de *figidité*, avais-je trouvé le moyen de renouer avec les Anna O. d'antan en présentant un corps *figé comme un syntagme* ?

Un an plus tard, à la faveur du roman que je m'étais mise à écrire, c'est le passé qui s'est mis à m'envahir comme une maladie. Là aussi, le processus était très progressif, et la première étape, extatique au sens propre : j'étais *hors de moi*, à la fois euphorique et absente ; mon personnage avait pris ma place. Une époque révolue de ma vie (les années que j'avais passées aux Etats-Unis pendant la guerre du Viêtnam) s'était réveillée. Contre toute attente et surtout contre ma volonté, ce passé a grimpé sur le dos de mon présent et s'est mis à le grignoter, puis à le bouffer comme une bête obscène.

Dès le premier jour d'écriture, deux choses se sont imposées à moi avec une évidence implacable : la couleur rouge et l'insomnie ; du début jusqu'à la fin du "premier jet", j'ai été aussi impuissante à me débarrasser de l'une que de l'autre.

Le rouge : j'avais couru de papeterie en papeterie pour trouver des feuilles de la couleur exacte que j'avais (mais pourquoi ?) en tête. Mais comme ce rouge un peu orangé n'existait pas, j'ai dû me rabattre sur un rouge cassis au nom rebutant de "Conqueror Purple". Il y a peu de notes dans mon carnet à cette époque ; mais il y a celle-ci, datée du 15 février 1987 : "L'anniversaire des premiers engourdissements neurologiques ne pouvait passer inaperçu ; mon corps a dûment produit un signe inédit : une cystite." Le rouge était entré dans le corps, traversant la frontière du symbole au symptôme.

L'insomnie : c'était une connaissance depuis longtemps familière qui passait me rendre visite de temps en temps ; mais, là, elle s'est installée de façon permanente, se révélant insidieusement une ennemie dans la demeure. Cette espèce d'insomnie-là, je ne l'avais connue que l'année d'avant, pendant les mois où mon corps avait été bombardé de corticoïdes : on ne dort pas parce que les pensées fusent comme des feux d'artifice et on passe ses nuits à les contempler en spectateur émerveillé. Mais, d'évidence, ce même "on", à force de passer des nuits blanches ou blanchâtres, aura bientôt du mal à fonctionner en tant que mère de famille, professeur, voisine, amie, amante. Ainsi aura-t-il recours aux somnifères... Récapitulons : le roman (esprit) stimule le cerveau (corps) qui s'exalte (esprit) et refuse de se calmer. On y ajoute des éléments chimiques (corps) qui, à leur tour, ne manqueront pas de produire des effets secondaires (esprit)... Mais je dois m'arrêter là, car il est temps d'aller faire les courses (corps). Ce soir : lasagnes.

> Et maintenant, je m'aperçois, non sans plaisir, qu'il est sept heures ; et que je dois préparer le dîner. Haddock et chair à saucisse. Il est vrai, je crois, que l'on acquiert une certaine maîtrise de la saucisse et du haddock en les couchant par écrit.
>
> VIRGINIA WOOLF,
> trois semaines avant son suicide.

> [...] à l'instant j'ai pris le précieux journal de Virginia Woolf [...] et elle dissipe sa propre dépression en nettoyant la cuisine. Et elle prépare du haddock et de la saucisse, que Dieu la bénisse. Je sens ma vie d'une certaine façon liée à la sienne. Je l'aime...
>
> SYLVIA PLATH,
> six ans avant son suicide.

LE 23 FÉVRIER 1988

Je ne veux pas avoir l'air de suggérer que les hommes ne tremblent pas. Au contraire : la plupart d'entre eux tremblent – et heureusement –, mais ils le cachent mieux que les femmes. Devant ceux qui ne tremblent pas du tout, même si ce sont des génies, je ressens la même peur que devant des fanatiques religieux, patriotiques ou militaires : ces hommes aspirent à être des monuments avant même de mourir.

De leur vivant, ils font mal.

Ils n'aiment pas la vie, *qui tremble*, qui a besoin d'être restaurée par la saucisse, le haddock, la lumière et l'exercice.

A la vie ils préfèrent l'art, même meurtrier. C'est ce que raconte *Le Portrait ovale* d'Edgar Allan Poe, (per)version moderne du mythe de Pygmalion. Le peintre – "passionné studieux et ayant déjà trouvé une épouse dans son art" – a commis, dit Poe, une erreur fatale en se mariant. Il se sert de sa jeune épouse comme modèle, la faisant poser nuit et jour dans son atelier sombre et poussiéreux. Et, à la longue, "devenu fou par l'ardeur de son travail", il détourne de plus en plus rarement ses yeux de la toile, même pour regarder la figure de sa femme… "Et il ne *voulait* pas voir que les couleurs qu'il étalait sur la toile étaient *tirées* des joues de celle qui était assise près de lui…" Et lorsque, ayant appliqué au tableau la dernière touche et s'étant écrié d'une voix éclatante : "En vérité, c'est la *Vie* elle-même !", le peintre se retourne enfin pour regarder sa femme, celle-ci vient de s'éteindre.

Entre l'histoire de Scott et Zelda Fitzgerald et l'histoire du *Portrait ovale*, la ressemblance est saisissante ; toutes deux illustrent non seulement l'interpénétration de la vie et de l'œuvre artistique, mais l'ahurissante capacité qu'a celle-ci de piller, voler, violer et, pour finir, triompher de celle-là.

Zelda. Oh, Zelda… Sa vie est imbriquée à la littérature avant même de commencer : son prénom est celui d'une reine gitane que sa mère avait admirée dans un roman. Zelda. Oh, Zelda. *Accordez-moi cette valse*. Arriverai-je dans ces pages à te faire danser une fois encore ?

Elle naît avec le siècle, dans le *deep South*, à Montgomery (Alabama). Dernière fille d'un magistrat vieillissant, le juge Sayre, c'est une enfant gâtée, choyée, chouchoutée. Sa mère la protège de son père, qui fait la loi à l'intérieur comme à l'extérieur de la maison. Adolescente sémillante et téméraire, elle va danser tous les soirs au *country club* près de la caserne militaire – la Première Guerre vient de commencer – et elle fait sensation.

Celle qui deviendra schizophrène est déjà double, comme le sont jusqu'à un certain point toutes les filles jeunes et jolies : une tête qui pense, un corps qui éblouit. Une tête qui doit penser au corps comme à une chose qui lui est extérieure, étrangère. Une Zelda qui doit surveiller l'autre : pour plaire.

Vers la même époque, Scott Fitzgerald écrit dans une lettre à sa sœur cadette :

> L'expression, c'est-à-dire l'expression du visage, est un de tes points les plus faibles. Une jeune fille aussi jolie que toi et à ton âge devrait savoir presque parfaitement contrôler l'expression de son visage. Ce devrait être une sorte de masque [...]. Place-toi devant une glace et fais un sourire, jusqu'à avoir un bon sourire ; un sourire radieux devrait faire partie du vocabulaire facial de n'importe quelle jeune fille.

Zelda, elle, n'a pas besoin des conseils d'un frère. Elle est déjà une de ces "filles qui font preuve d'aisance". Ses sœurs lui prêtent leur maquillage, sa mère lui coud des robes seyantes. Son masque est déjà au point... de sorte que, lorsqu'elle rencontre le lieutenant Scott Fitzgerald, jeune diplômé de Princeton qui s'entraîne dans l'Alabama à faire la guerre en Europe, c'est le coup de foudre.

Jeunesse, talent, gaieté... Un soir, tout en se vantant de sa célébrité future, Scott sort un canif et grave leurs deux noms dans le montant de la porte du *country club*. Lorsqu'elle se mettra à écrire un roman dix ans plus tard, Zelda se souviendra de cette scène et transcrira ainsi la légende : "David David David Knight Knight Knight Knight et Mlle Alabama Personne."

Toute leur histoire à venir est contenue dans ce moment. Elle comprend que lui sera quelqu'un, *à condition* qu'elle ne soit personne. Elle s'empresse donc de le rassurer : jamais elle ne sera assez ambitieuse pour essayer de faire quoi que ce soit ; il lui suffira à tout jamais de se rendre utile à Scott, de savoir qu'il ne peut rien faire sans elle... Exactement comme Alabama, l'héroïne de son futur roman, Zelda est tombée amoureuse d'un cerveau. Et cela n'a rien de très surprenant puisque, selon les vieilles règles du jeu de la séduction, l'ambition artistique est un atout pour un homme et un handicap pour une femme ; l'amour rend l'homme plus éloquent et fait perdre à la femme tous ses moyens ; la réussite intellectuelle rend un homme plus "viril" et une femme moins "féminine"...

> Alabama était amoureuse. Elle pénétra insidieusement dans la cavité amicale de l'oreille de David. L'intérieur en était gris et lugubrement classique, pensa-t-elle, tandis qu'elle transperçait du regard les tranchées profondes du cervelet...

Exactement comme Alabama aussi, Zelda va finir par s'y perdre. Mais au départ le pacte est simple et ils y adhèrent tous deux : Scott sera génial, elle sera sa muse, son modèle et son miroir, ensemble ils deviendront riches et célèbres.

Cependant, avant de conclure le mariage, Scott doit prouver que ce projet est réaliste. La guerre en Europe ayant pris fin sans qu'il ait pu y faire ses armes, il rentre à New York et trouve un emploi comme rédacteur de publicité. Il envoie des dizaines de nouvelles à des magazines pour se les voir refuser les unes après les autres. Zelda, pendant ce temps, n'a pas cessé de danser et de flirter comme avant ; très angoissé à l'idée de la perdre, Scott fait des voyages aussi fréquents que possible dans le Sud.

A la suite d'un de ces voyages, il note dans son journal intime : "Echec. Je me demandais autrefois pourquoi on gardait des princesses dans des tours." La formule lui plaît. Quelques semaines plus tard, Zelda protestera : "J'en ai par-dessus les oreilles de m'entendre dire que vous vous demandiez «autrefois pourquoi on gardait les princesses dans des tours». Vous me l'avez écrit tel quel dans vos six dernières lettres !"

Zelda n'est plus une reine gitane, elle est devenue une princesse dans une tour, passant d'une identité littéraire à une autre. Elle se révolte et rompt les fiançailles. Elle n'accepte de les renouer que... lorsque Scott apprend que son premier roman, *L'Envers du paradis*, va être publié par la prestigieuse maison d'édition Scribner's.

Le roman sort le 26 mars 1919 et c'est un succès instantané. Télégramme de Scott à Zelda : "PRÉFÉRABLE SE MARIER SAMEDI MIDI – NE TIENDRONS PAS EN PLACE TANT QUE CE NE SERA PAS FINI – ATTENDRE LUNDI AUCUN RÉPIT – PREMIÈRE ÉDITION DU LIVRE ÉPUISÉE – TENDREMENT." Le mariage est célébré à New York le 3 avril. Contrairement à celui du roman, son succès à lui ne sera que provisoire.

A vrai dire, F. Scott Fitzgerald appartient non pas au début du XXe mais au début du XIXe siècle : c'est un romantique. Il a une conception étonnamment démodée de l'artiste : c'est quelqu'un qui transcrit la beauté du monde, puisant son inspiration dans la beauté féminine (elle-même une œuvre d'art, comme l'indiquait bien sa lettre à sa sœur). Le problème, c'est que ce n'est pas seulement la beauté de Zelda qui l'inspire, mais aussi son intelligence. Car Zelda est extrêmement drôle, et douée pour les mots. *L'Envers du paradis* contient de nombreuses phrases prélevées à peu près textuellement dans ses lettres et journaux intimes. Dans un premier temps, cette exploitation de ses "perles" la laisse probablement indifférente, du moment qu'elle contribue à la renommée de son mari. Mais, dès cette époque, la communication entre eux est faussée par la présence de ce troisième membre du ménage : la littérature. Andrew Turnbull, le biographe de Scott, dit que celui-ci "ne put ressaisir l'émoi de leur amour naissant, et, devenu écrivain professionnel, son enchantement devant les paroles et les sentiments de Zelda se doublait déjà du souci de les coucher par écrit".

Très vite, il ne suffit plus à Zelda d'être belle, spirituelle et de savoir qu'elle "aide un petit peu" son mari génial ; le problème se pose de savoir comment passer le temps quand Scott travaille. Elle l'inspire, il s'enferme pour écrire, et elle s'ennuie. Elle s'essaie à écrire elle-même des nouvelles et des articles ; Scott, après les avoir revus et corrigés, les signe – tantôt de leurs deux noms, tantôt de son seul nom à lui, pour qu'ils se vendent mieux.

Et la célébrité arrive, et l'argent coule à flots, tout comme l'alcool… Nous sommes au début des *Roaring Twenties* – du *Jazz Age* –, mais le couple Fitzgerald étouffe déjà derrière sa propre légende.

En 1921, Zelda fait une chose que seule une femme peut faire : elle est enceinte. Et, comme elle n'aime pas les femmes, elle espère que l'enfant qu'elle porte sera un garçon. Quand cet espoir sera déçu – une petite fille naîtra au mois d'octobre –, elle lui donnera quand même les trois noms du père, à une lettre près : Franc*e*s (au lieu de Franc*i*s) Scott Fitzgerald. Surnom : Scottie.

La famille s'installe à Long Island et reprend la ronde des extravagances et des fêtes copieusement arrosées. Pour Scott, ces excès serviront plus tard de toile de fond à son troisième roman, *Gatsby le Magnifique*. Pour Zelda, ils ne serviront à rien. Le temps et l'argent gaspillés seront perdus à jamais, récupérables nulle part. Elle en est consciente, et écrit dans une lettre à des amis : "Scott a commencé un nouveau roman et s'est retiré dans la solitude et le célibat le plus strict. Il est horriblement absorbé, et a échafaudé sur lui-même une belle légende qui correspond à peu près à la vieille fable de «La Cigale et la Fourmi». La Cigale, c'est moi."

Mais, bien sûr, la cigale est indispensable à la fourmi – justement pour que la fable ait un sens ; pour que l'histoire soit belle.

LE 24 FÉVRIER 1988

Je me demande soudain : Est-ce que M. a besoin de moi ? Et je me réponds que oui…, mais pas pour écrire. (Heureusement.) Ecrire est ce qu'il a toujours fait, à travers toutes les crises et toutes les vicissitudes ; l'écriture est la colle qui tient les morceaux de sa vie ensemble. Il écrit comme il respire : régulièrement, naturellement, sans se pavaner ni s'arracher les cheveux. Du reste, il écrit non pas des romans mais des essais. (Heureusement, là encore.) Mais je ne veux pas trop le transformer en personnage de ce livre-ci.

Scott, lui, a besoin de Zelda pour écrire. Il se plaît à déclarer aux journalistes : "J'ai épousé l'héroïne de mes nouvelles." Ou encore (lors d'une interview du couple) : "Zelda est parfaite." Ce à quoi Zelda objecte : "Vous n'en pensez rien. Vous pensez que je suis une paresseuse. – Non, cela me plaît, insiste Scott. Je vous trouve parfaite. Vous êtes toujours prête à m'écouter lire mes manuscrits à toute heure du jour et de la nuit. Vous êtes charmante – belle. Vous nettoyez, je crois, la glacière une fois par semaine." C'est une plaisanterie, évidemment. Il n'en reste pas moins que la glacière est propre, et le roman publié. Une semaine plus tard, la glacière sera de nouveau sale, alors que le roman restera inchangé, dans sa perfection originelle.

Le roman en question, *Les Heureux et les Damnés*, décrit justement l'altération d'une perfection : la chute d'un couple apparemment enviable dans l'abjection alcoolique. L'idée était venue de Zelda ; et, à nouveau, les phrases de Zelda y pullulent. Cette fois, elle le dira publiquement, dans une critique assez pince-sans-rire du livre :

> Il me semble [...] que j'ai reconnu quelque part un passage d'un de mes vieux journaux intimes mystérieusement disparus peu de temps après mon mariage, et aussi des passages de lettres qui, bien qu'elles aient été considérablement modifiées, rendent un son familier. En fait, Mr Fitzgerald – c'est ainsi je pense qu'il écrit son nom – semble croire que le plagiat bien ordonné commence toujours *at home*.

Vers la même époque, George Jean Nathan, directeur de la revue *Esquire*, propose à Zelda de publier ses journaux intimes. Mais Scott, mis au courant du projet, y oppose son veto, et explique qu'"il ne pouvait pas se permettre de les publier étant donné qu'il y avait puisé une grande partie de son inspiration et qu'il désirait en utiliser des passages dans ses propres romans et nouvelles".

Peu à peu, l'état de grâce s'effrite. Ni les fêtes, ni les voyages, ni l'alcool, ni le scandale, ne parviennent plus à colmater les brèches. Où qu'ils aillent, Scott passe la journée à écrire ; et, plus il gagne de l'argent, plus les soucis matériels s'éloignent (leur permettant par exemple de payer une gouvernante pour Scottie et de manger au restaurant), plus Zelda est en proie au désœuvrement et à l'angoisse. Sur la Côte d'Azur, elle se divertit l'espace d'un été avec un aviateur français nommé Jozan. Scott est tellement fou de rage qu'elle fait une tentative de suicide. Mais ils se mettent aussitôt d'accord pour raconter à Hemingway une version "arrangée" de cette histoire, dans laquelle c'est Jozan qui tente de se tuer (et qui y réussit). Le réel et la fiction se confondent de plus en plus. Le malheur est installé.

Comme l'a bien dit le même Hemingway, "Zelda était jalouse du travail de Scott, alors que Scott était jaloux de Zelda". De plus en plus, Zelda éprouve le besoin d'avoir son terrain à elle, un lieu où elle sera aussi souveraine et sûre de ses droits que son mari. A l'âge de vingt-six ans, alors que le couple est rentré aux Etats-Unis, elle prend une décision : ce sera la danse.

La matière esthétique qu'elle choisit de travailler, c'est donc son propre corps. Le ballet devient bientôt une obsession. Elle s'entraîne à la barre des heures d'affilée, maigrit, s'occupe de la maison encore moins qu'auparavant... Scott ne cache pas son scepticisme à l'égard de ce qu'il considère comme une lubie de sa femme, vouée à l'échec à cause de son âge avancé. Mais Zelda insiste : elle veut retourner à Paris pour travailler avec la grande ballerine russe Egorova.

A Paris, les tensions dans le couple montent. Scott supporte d'autant plus mal la passion vouée par Zelda à la danse que lui-même, à cause de l'alcool, commence à avoir de la difficulté à écrire. Après avoir publié *Gatsby le Magnifique* – avec cette dédicace parlante : "A Zelda, encore une fois" –, il sombre dans l'impuissance. Tout en commençant un nouveau livre, il sent qu'il a perdu son inspiration, qu'il lui manque une idée vraiment originale. C'est Zelda – "encore une fois", mais sur un mode catastrophique – qui va la lui fournir.

Un jour de 1930, les nerfs de Zelda, comme les cordes d'un violon tendues au-delà des aigus les plus perçants, se brisent. En plein jour, dans une rue de Paris, elle se met à délirer et finit par s'effondrer. Transportée à l'hôpital de Prangins, en Suisse, elle sera soignée par de très éminents psychiatres… pendant un an et demi.

(Moi aussi – au mois de mai dernier – je me suis mise à délirer en plein jour, dans une rue de Paris. Comme Zelda, j'avais trop maigri, trop couru, trop pensé, trop "dansé" : l'effondrement était inévitable. Si M. m'avait fait conduire alors dans un hôpital psychiatrique, il n'y a aucun doute que j'y serais encore.)

La folie. Voilà l'élément nouveau, l'élément clef qui manquait au roman de Scott. Pétri de douleur et débordant de sollicitude pour sa femme – nul ne pourrait l'accuser de cynisme –, il se remet à travailler de la seule façon dont il est capable. Nicole, l'héroïne de *Tendre est la nuit*, sera folle.

Eté 1930

Cher Scott…

Maman sait ce que j'ai. Elle me l'a écrit. Tu peux utiliser cela dans ta nouvelle pour la rendre pathétique. Utilisée, une fois de plus.

Eté 1930

> Chère Zelda…
> Les vilaines lettres que tu m'écris je les range seulement à Z dans mon classeur.

Mais Scott ne se contente pas de ranger les lettres que Zelda lui envoie de Prangins, il en incorpore, au fur et à mesure, des morceaux à son roman. Il rédige même un tableau dans lequel sont comparés, point par point, les "cas" de Zelda et de Nicole. Par ailleurs, il envoie de longues lettres à la mère de Zelda pour lui expliquer qu'elle ne sait *pas* ce qu'a sa fille.

Décembre 1930

> Chers monsieur et madame Sayre…
> Le Dr Bleuler diagnostique la maladie (en complet accord avec Forel) comme étant ce qu'on appelle Skidéophranie, une sorte d'aliénation marginale, qui se présente sous la forme d'une double personnalité.

La schizophrénie. Il y a maintenant, vraiment, deux Zelda ; et ses lettres reflètent l'oscillation constante entre les deux : l'une est soumise et presque obséquieuse à l'égard de Scott, lui promettant d'être sage et de bien se tenir si seulement il la laisse sortir de l'hôpital ; l'autre se révolte, se défend mordicus, et reproche à Scott de faire tout ce qu'il peut pour l'empêcher de s'épanouir.

Le problème – elle en est elle-même consciente – c'est que la "bonne" Zelda n'est, et n'a toujours été, qu'une image.

Août 1931

Chéri mon amour…

Cesse de penser à notre mariage et à ton travail et aux relations humaines – tu n'es pas un metteur en scène en train de monter un numéro – Tu es un dieu-soleil que son épouse aime et un artiste – à adopter, assimiler – toutes modifications devant être strictement sur le papier – Mon chéri, pardonne-moi, je t'aime tant.

Quand Zelda sort de Prangins, en septembre 1931, les psychiatres résument son cas comme une "réaction contre des sentiments d'infériorité (surtout vis-à-vis de son mari)" ; ils qualifient ses ambitions d'"illusions" et les tiennent responsables des "difficultés dans le couple". Le couple en question, rafistolé tant bien que mal et couvert de dettes, repart aux Etats-Unis. Pour gagner de l'argent, Scott part rédiger des scénarios de films à Hollywood, laissant Scottie et Zelda chez les parents de celle-ci dans l'Alabama.

Les "sentiments d'infériorité" persistent et signent. Zelda s'efforce d'écrire des nouvelles, les trouve lamentables, se plaint de ne rien connaître à l'art littéraire. Elle écrit à Scott presque chaque jour pour lui dire à quel point elle a besoin de lui, et Scott ne répond jamais. Lors de son retour en janvier 1932, ils font ensemble un voyage en Floride, et Zelda rechute aussitôt : elle est hospitalisée, cette fois, à Baltimore.

Parmi ses symptômes : des rires et sourires incontrôlables. Comme si le "sourire radieux" dont parlait Scott dans sa lettre à sa sœur, cet artifice qui devait “faire partie du vocabulaire facial de n’importe quelle jeune fille”, s’était détaché d’elle pour mener une vie indépendante. Comme si la Zelda fabriquée, toute de charmes factices et d’expressions travaillées devant la glace, était en passe de devenir plus forte que la Zelda réelle. Celle-ci, loin de sourire, avoue dans une lettre à Scott sa “peur horrible, écœurante que je ne serai jamais à même d’échapper à la médiocrité de mes idées”. Et elle ajoute : “Le seul message que j’aie jamais pensé recevoir, c’était quatre pirouettes et une arabesque. Cela se révéla aussi énigmatique qu’une note de blanchisseur chinois, mais la volonté de parler demeure.”

La volonté de parler devient même impérieuse ; dans sa chambre de la clinique Phipps à Baltimore, Zelda commence la rédaction d’*Accordez-moi cette valse*. Ce sera le roman de sa vie : à la fois l’unique roman qu’elle écrira de sa vie et un livre qui raconte l’histoire de sa vie – inséparable, bien sûr, de celle de Scott. Elle pressent que celui-ci pourra mal réagir, et cherche à prévenir sa colère.

Mars 1932

> Cher Scott…
> Je suis fière de mon roman mais je peux à peine me refréner suffisamment pour l’écrire. Ça te plaira – c’est tout à fait école Fitzgerald, quoique plus délirant que les tiens – peut-être trop […]. Tantôt je me sens un titan et tantôt un avorton de trois mois – mais toujours je t’aime bien que tu me sois infiniment supérieur et je te pardonne tes mérites superlatifs.

Le "mérite superlatif" de Zelda, en l'occurrence, c'est la vitesse : alors que Scott peine sur *Tendre est la nuit* depuis cinq ans, *Accordez-moi cette valse* est entièrement achevé en six semaines. Zelda en envoie un exemplaire directement à Max Perkins, l'éditeur de Scott chez Scribner's. Mis au courant, Scott expédie le télégramme suivant : "MAX – PRIÈRE NE PAS PORTER JUGEMENT – OU SI CE N'EST PAS DÉJÀ FAIT NE PAS LIRE MÊME LIVRE ZELDA – AVANT RECEVOIR VERSION REVUE – LETTRE SUIT."

Malheureusement, la "version revue" d'*Accordez-moi cette valse* est la seule qui ait survécu. On ne saura jamais en quoi elle diffère de la première version, qui a été détruite. Mais on sait que Scott a considérablement modifié le roman de son épouse, surtout les scènes autour du héros David Knight. ("Mon Dieu, écrit-il, toujours à Max Perkins, mes livres ont fait d'elle une légende, et elle n'a qu'une intention dans ce portrait assez mince, c'est de faire de moi une nullité !") En inventant le personnage de ce peintre égoïste (originellement nommé Amory Blaine, comme le héros de *L'Envers du paradis*), Zelda essayait sans doute de prendre sa revanche sur l'homme qui, précisément, l'avait transformée en légende…

> David travaillait à ses fresques. Alabama était seule la plupart du temps. "Qu'allons-nous faire, David ? demandait-elle. Dis ? Qu'allons-nous faire de nous-mêmes ?" David répondit qu'elle n'était plus une enfant, et qu'elle ne devait pas s'attendre qu'on lui dît toujours ce qu'elle devait faire.

Comme Zelda, Alabama Beggs décidera de devenir ballerine. Comme Zelda aussi, elle échouera – mais à cause d'un accident physique plutôt que psychique. Comme Zelda enfin (mais aussi comme Nicole Diver, l'héroïne de Scott), elle souffrira d'épouvantables crises d'eczéma. Dans l'eczéma, l'intérieur du corps fait irruption à l'extérieur ; l'image du moi s'altère, le masque se fissure... Mais ce symptôme sera soigné par la littérature, aussitôt attribué à la troisième personne. Ce n'est pas moi / toi, Zelda, qui souffre ; c'est elle, Alabama / Nicole.

> — Est-ce que tu vis dans l'illusion que tu seras un jour une ballerine douée ?
> — Je ne pense pas, mais il n'y a qu'une façon de le savoir, c'est d'essayer.
> — Nous n'avons plus aucune vie familiale.
> — De toute façon, tu n'es jamais là. Il fallait bien que je trouve quelque chose à faire toute seule.
> — Une autre doléance féminine : j'ai à faire.
> — Je ferai tout ce que tu voudras.

Scott est traumatisé de se voir ainsi représenté dans un roman. Il exprime son indignation au médecin qui s'occupe de Zelda à la clinique Phipps :

> Cher Dr Meyer...
> Je ne peux pas toujours me tenir entre Zelda et le monde, et la voir construire cette carrière d'une qualité douteuse avec les morceaux de matière vivante grignotée de mon esprit, de mon ventre, de mon système nerveux et de mes reins...

C'est exactement ainsi, bien sûr, que lui-même avait construit sa carrière depuis le début : en grignotant des morceaux de matière vivante de Zelda. Mais sa défense sera toujours la même : aucune comparaison n'est possible étant donné que, dans le royaume des Lettres, Zelda est une dilettante et, lui, un professionnel.

> — Tu es déjà tellement mince, dit David. A quoi bon t'exténuer ? J'espère que tu te rends compte que la plus grande différence qui existe au monde est celle qui sépare un amateur d'un professionnel dans le domaine des Arts.
>
> — Par exemple toi et moi, n'est-ce pas ? dit Alabama, pensive.

Le professionnel, au demeurant, continue d'avoir de graves problèmes d'argent – entre autres à cause des soins médicaux coûteux de la dilettante. C'est pourquoi, quand Scribner's accepte le roman de Zelda en juillet 1932, un paragraphe est ajouté au contrat stipulant que la moitié de ses droits d'auteur sera retenue pour rembourser la dette de son mari.

Où passe la frontière entre l'euphorie de la dilettante-délirante Zelda Fitzgerald – “Je peux à peine me refréner suffisamment pour l'écrire” – et celle de la professionnelle-tremblante Virginia Woolf ? “J'ai écrit les derniers mots il y a dix minutes, note celle-ci à propos des *Vagues*, après m'être précipitée à travers les dix dernières pages – avec des moments si intenses, si enivrants, que j'avais l'impression de ne faire que suivre ma propre voix en trébuchant – ou presque de suivre une sorte d'orateur (comme lorsque j'étais folle). J'en ai eu presque peur, à me souvenir des voix qui, autrefois, volaient vers l'avant."

En d'autres termes, *où s'arrête la folie, et où commence l'imagination créatrice* ? Dans ses lettres, Scott harcèle sa femme de cette question : "Ne te passe-t-il pas par la tête parfois qu'il faut que tu vives à la frange du désordre mental afin de créer à ton mieux ? [...] Pourquoi la démence n'accroît-elle pas les aptitudes artistiques ? Qu'est-ce que la dissociation d'idées ? Comment cela diffère-t-il chez un individu artistiquement doué et chez un malade mental ?"

Comme pour lui répondre, Zelda entame un deuxième roman... précisément sur le sujet de la maladie mentale. Et là, Scott craque. La folie, c'est *son sujet à lui*, l'idée qu'il avait enfin trouvée pour son roman depuis si longtemps en chantier ! Il n'est pas question que Zelda s'empare de ce thème-là : si elle le fait, il ne se contentera pas de remanier son manuscrit ; cette fois, il le détruira.

Sortie de clinique, installée avec Scott et Scottie en Pennsylvanie (dans une maison qui s'appelle, avec une ironie presque trop grinçante, *La Paix*), Zelda fait mettre une double serrure à la porte de la chambre où elle travaille. Et Scott de paniquer : si elle progresse aussi vite que la dernière fois, elle pourra le devancer et finir son "roman psychiatrique" avant lui... C'est le différend qui sera exposé dans le détail devant le nouveau médecin traitant de Zelda, le Dr Rennie, le 28 mai 1933.

LE 25 FÉVRIER 1988

Depuis plusieurs jours, exactement comme quand je recopiais pour la première fois les citations sur la vie des Fitzgerald (il y a presque trois ans, dans des bibliothèques à Boston et à Princeton), je souffre d'un torticolis. L'autre était bien pire : le fait de simplement tenir un stylo déclenchait une douleur fulgurante, et je traçais mes lettres péniblement, finissant souvent la journée dans des crises de larmes – je ne disposais que de quelques jours pour consulter les archives Fitzgerald, et voilà que mon corps jetait à nouveau des bâtons dans les roues de mon esprit !… Et maintenant, alors que je me penche sur ces vieilles fiches, ne voilà-t-il pas que la même douleur s'éveille au même endroit – comme un petit rappel, un écho…

Avant-hier, j'ai rêvé de Scott, il était jeune et beau (et, curieusement, brun au lieu de blond), il se justifiait de manière tout à fait convaincante, et je me suis demandé si je n'avais pas été injuste avec lui. Zelda, m'a-t-il dit, n'était rien d'autre que "ressentiment, ressentiment, ressentiment". Au réveil, j'étais pétrie de culpabilité et mon torticolis me faisait un peu plus mal…

Ne jetons donc pas la pierre (c'est un geste que je serais incapable d'effectuer en ce moment) ; les scènes de ménage font dire à tout le monde des choses impardonnables. Ce qui frappe dans celle du 28 mai 1933 (fidèlement retranscrite par la sténo du psychiatre qui l'a suscitée), c'est que, des deux époux, c'est Scott qui semble de loin le plus fragile. Extrêmement agité et sur la défensive, il prévient Zelda : "Si on fait un voyage – si moi, je fais un voyage à Panamá, et si toi et moi on se balade –, c'est moi qui suis l'écrivain et je t'entretiens. Tout cela est ma matière, pas la tienne." Par contraste, les interventions de Zelda sont étonnamment fermes et raisonnables. "J'ai toujours senti, explique-t-elle au médecin, la nécessité de nous mettre plus sur un pied d'égalité que nous ne le sommes actuellement, parce que je ne peux pas – il y a tout simplement une chose, et une seule, que je ne peux pas vivre dans un monde qui est complètement dépendant de Scott quand il ne se soucie pas de moi et me fait tout le temps des reproches [...]. Je voudrais être capable de dire, quand il dit une chose qui n'est pas vraie – je voudrais savoir faire une chose tellement bien que je pourrais lui dire : Ça, c'est un foutu mensonge, et avoir quelque chose pour l'étayer, le droit de le dire." Ce à quoi Scott répond : "Maintenant on a atteint le fond..."

Les choses dégénèrent, et en fin d'après-midi il y a cet échange hallucinant, inauguré par Scott : "Je veux faire les choses à ma façon. – Et moi, je veux avoir le droit de les faire à ma façon à moi. – Et tu ne peux pas l'avoir sans me briser, donc tu dois y renoncer... et ne plus écrire de roman.

– N'importe quel roman ? – Si tu écris une pièce, le sujet ne pourra en être la psychiatrie, et elle ne devra pas se passer sur la Côte d'Azur ni en Suisse, et, quelle que soit l'idée, elle devra m'être soumise au préalable."

La psychiatrie, la Côte d'Azur, la Suisse… Zelda est en train d'être dépossédée de sa propre biographie. Le Dr Rennie se range à l'avis de Scott : pour Zelda, s'occuper d'un sujet psychiatrique en ce moment serait jouer avec le feu ; elle doit absolument mettre de côté le deuxième roman pendant un laps de cinq ans.

Le contenu même de ce règlement de comptes ne fait pas exception à la règle d'or de Scott selon laquelle "tout peut servir". Peu de temps après la scène à Phipps, il esquisse une "Etude de cas" dont la troisième partie, intitulée "Self-Expression", se termine ainsi :

> Lui au moins a la consolation de son roman, et elle pense avoir besoin de la même chose et commence, *à moitié clandestinement*, le livre même qu'on lui avait demandé de ne pas écrire, un livre qui raconte comment elle-même a été rendue folle par la danse […]. Le mari s'empare de force du livre qu'elle avait accepté de ne pas écrire. Il le met au rebut et, au cours d'une longue scène, elle est amenée à accepter, contre son gré, le principe de la communauté dans le mariage. Elle s'arrêtera jusqu'à ce que le mari ait fini en septembre.

Ainsi rassuré, Scott achève *Tendre est la nuit*. L'histoire raconte comment Nicole la schizophrène gâche la vie de son psychiatre-devenu-mari, Dick Diver. Elle, appartient à un milieu qui a trop d'argent et trop peu de principes. Lui, se dégrade lentement sous son influence : au départ médecin doué, brillant et intègre, il devient de plus en plus amoral, amer et alcoolique ; à la fin, c'est une épave humaine. Quant à Nicole, complètement guérie de sa maladie mentale, elle le quitte pour refaire sa vie ailleurs.

Quand le roman paraît en mars 1934, Fitzgerald lui-même avoue que l'alcool en a rendu la structure confuse, et de toutes parts les critiques sont mitigées... sauf de la part de Zelda, qui, de nouveau hospitalisée, couvre Scott d'éloges à mesure qu'elle avance dans sa lecture. Son enthousiasme inquiète même son mari, qui la supplie de ne pas accorder tant d'importance à cette histoire – elle représente, dit-il, "certaines phases de la vie qui sont maintenant révolues" –, mais Zelda lit et relit *Tendre est la nuit*. Elle a des hallucinations auditives dans lesquelles elle croit entendre Scott crier : "J'ai perdu la femme que j'avais mise dans mon livre !" Au mois de juin, elle lui écrit : "Je pense à ton livre et il me hante. C'est un si beau livre..."

Vers cette même époque, Scott propose et entreprend de faire un recueil des nouvelles de Zelda, dont la plupart étaient parues sous leurs deux noms. Elle lui est reconnaissante de ce projet, mais renâcle devant le titre qu'il propose : "*Epouse d'auteur*, ça sonne trop comme une révélation intime de la face sombre de notre vie en tant qu'écrivains. Je dois t'avouer franchement encore une fois que ça me rend malade."

Mais elle ne s'opposera plus jamais à Scott avec la même conviction que lors de l'affrontement devant le psychiatre. A partir de ce moment, son esprit de révolte semble s'éteindre, et sa soif d'indépendance s'oublier. *Tendre est la nuit* devient peu à peu une fiction plus réelle que la réalité. Scott, qui se vantait autrefois d'avoir épousé l'héroïne de ses nouvelles (sous-entendu : Zelda existe, et mes personnages féminins sont tous calqués sur elle), déclare maintenant, dans une discussion avec un ami : "Parfois je me demande si Zelda n'est pas un personnage que j'ai moi-même créé." De même que, dans *Le Portrait ovale*, la femme peinte finit par être plus vivante que l'épouse du peintre, de même, Nicole apparaît à Zelda comme un personnage finalement plus convaincant qu'elle-même. C'est la femme vivante qui sombre lentement dans l'irréalité, un univers dansant aux accents exaltés et mystiques.

Transférée à l'hôpital Highlands, dans la Caroline du Nord, elle sera soumise à une nouvelle thérapie destinée à démanteler tout ce que son entraînement à la beauté et au charme avait construit : ainsi, l'usage des glaces et du maquillage est interdit aux patientes. Mais c'est trop tard : la fausse Zelda a pris définitivement le dessus. Elle sait qu'elle n'existe pas ; c'est pourquoi son discours ressemble de plus en plus à un conte de fées :

> Je t'aime de toute façon – même s'il n'y a pas de moi ou pas d'amour ou même pas de vie – Je t'aime [...]

> Il y a tant de maisons que je voudrais habiter avec toi – Oh, ne veux-tu pas être à moi – encore et encore – et toujours encore ? [...] Tout heureux, tout heureux, à jamais par la suite – du mieux que nous pouvions.

La vraie fin de l'histoire est moins réjouissante. Scott continue de boire, sa santé physique et mentale se détériore ; l'Amérique, en pleine dépression, ne s'intéresse plus guère à ses romans qui semblent appartenir à un autre siècle. Il écrit *La Fêlure*, recueil de textes courts et désespérés, plus accordés au diapason de l'époque, et cherche à décrocher des contrats à Hollywood – sans grand succès, car son alcoolisme l'empêche d'être pris au sérieux. Il commence un grand roman, *Le Dernier Nabab*, qu'il ne finira pas. En 1940, il mourra d'une crise cardiaque dans sa maison de Californie.

Zelda lui survivra de sept ans. Sept années de folie devenue douce, qu'elle partagera entre sa maison d'enfance à Montgomery et l'hôpital Highlands. Elle disparaîtra dans l'incendie de l'hôpital en 1947 : son corps sera identifié grâce à un chausson calciné...

J'aime à penser que c'était un chausson de danse : ses cahiers montrent que sa passion pour la chorégraphie ne s'était jamais démentie. Mais sa soumission absolue à la dure loi de la littérature non plus : quelques mois à peine avant sa mort, Zelda répondait à un jeune écrivain qui lui demandait des conseils :

> Le monde est un beau gibier pour les esprits qui sont friands de thèmes littéraires. Il est difficile de

faire comprendre à ses amis proches que tout est nourriture pour l'imagination d'un écrivain [...]. Si j'étais à votre place, je continuerais d'écrire, j'expliquerais aux amis plus tard ; de toute façon, il y a de fortes chances que vous ayez à vous excuser.

LE 26 FÉVRIER 1988

Je connais personnellement plusieurs femmes qui ont été mortifiées de se trouver exposées aux yeux du monde, le plus souvent nues et haletantes, dans le roman d'un homme qu'elles avaient aimé. Rares sont les victimes d'écrivain qui se révoltent publiquement... Une seule exception me vient à l'esprit, et c'est un homme (comme Scott), lui-même écrivain (comme Scott) : Nelson Algren, écœuré par le déballage de son aventure avec Simone de Beauvoir dans *Les Mandarins*. La plupart d'entre elles serrent les dents, après avoir avalé la leçon assenée par Fitzgerald : si on n'appartient pas au cénacle supramoral des Artistes, on se réduit au statut de "beau gibier" et on perd les droits d'auteur sur l'histoire de sa propre vie. Quant au public, il épouse en général le credo romantique selon lequel "tout cela passera, ce n'est que du vivant ; la littérature, elle, est impérissable".

LE 29 FÉVRIER 1988

Ce que m'a appris ma maladie neurologique, dès les premiers jours, c'est à quel point le vivant est précieux, et le présent, irremplaçable. Plus mon corps s'engourdissait, plus je devenais joyeuse ; mes amis n'y comprenaient rien. Je n'oublierai jamais la joie qui s'est emparée de moi quand le brillant neurologue de l'hôpital français le plus célèbre pour son service neurologique m'a annoncé : "Je vous garde."

Il m'arrivait donc vraiment quelque chose ! Et quelque chose de grave ! Sans que j'y puisse rien !

"Je vous garde, on fait une ponction lombaire le plus vite possible ; si ça continue de monter, les poumons seront pris et vous aurez du mal à respirer."

La joie, vous dis-je ! J'étais embarquée dans une sacrée aventure !

Une amie est allée chercher, dans mon studio, les papiers dont j'avais besoin pour être hospitalisée, payer mes impôts, écrire. Y compris mon carnet intime…

Le 25 février 1986

Comment décrire ça ? Je me sens délestée d'un poids. Comme si mon surmoi était parti en vacances. Depuis le début, j'ai tenu à ce que ce symptôme n'ait rien *de psychosomatique. Parce que qui dit maladie psychosomatique dit responsabilité. Je me suis toujours considérée comme "responsable" de ce qui m'arriverait ou ne m'arriverait pas dans la vie ; méprisante à l'égard de ceux qui ne prenaient pas leur destin en main. Alors c'est un soulagement fabuleux de sentir mon destin entre d'*autres *mains (impersonnelles, impénétrables : "la nature", "le hasard") et d'être totalement passive. Ne pas* *avoir à me poser l'éternelle question de savoir si ce que je fais est "bien" ou pas.*

Le 26 février 1986
Et j'aurais aimé parler de l'électromyogramme – mais les mots sont aussi engourdis et lointains que mes membres qui fourmillent – chaque étape de l'expérience échouant et devant être recommencée – "Tenez, Ethel Rosenberg, encore une petite décharge, ça n'a pas encore marché – mais ne sursautez pas, cela perturbe le fonctionnement de la machine – arrêtez de sursauter, s'il vous plaît !"... et là, tout en prélevant un échantillon de liquide céphalorachidien, on vient d'injecter dans mon corps des liquides de différentes couleurs, à travers une aiguille insérée derrière l'oreille gauche au milieu d'un carré de cuir chevelu préalablement rasé. Et, couchée sur le ventre, le menton appuyé sur un oreiller en éponge, les bras le long du corps, j'ai été tout entière secouée et cahotée pendant près d'une heure tandis que des inconnus criaient : "Ne bougez pas ! ne respirez pas !"

Comme c'était étrange de me trouver bombardée de toutes parts par des rayons X, happée par cette machine rotative, rouillée, rugissante – reste de décor des Temps modernes *de Charlot –, alors qu'à cet instant précis je devais être en train de faire cours sur Lévi-Strauss.*

Le 27 février 1986
J'aurais une infection de la moelle épinière, d'origine inconnue. Mais je me sens bénie des dieux, et

voudrais être, pour les trois prisonnières qui partagent ma cellule, un rayon de soleil. Je pourrais les écouter pendant des heures… Comparée à elles, j'ai tant et tant d'atouts – tant d'amis ! une fille si merveilleuse ! un si beau corps ! – même les parties qui ressemblent à des porcs-épics morts. Ah ! des bras, des muscles, l'étirement et l'énergie ! Ah ! l'homme que j'aime depuis sept ans et qui m'aime encore !

J'étais désormais inhumaine jusque sous les seins devant, et sous les omoplates derrière. Comme la Petite Sirène ? Mais toujours c'est l'image de l'arbre qui revenait. Comme Daphné alors, qui se change elle-même en arbre pour se soustraire à la trop ardente poursuite d'Apollon ? Non, je pensais plutôt à l'histoire de Philémon et Baucis, qui m'avait toujours frappée parce que leur état de relatif pour ne pas dire absolu bonheur (chose rare, dans la mythologie grecque comme partout) ressemblait quelque peu au mien. Ces deux vieux amoureux avaient demandé à Zeus de mourir ensemble, et il avait acquiescé à ce vœu, le moment venu, en les transformant en arbres : d'abord les pieds, ensuite les jambes, les hanches, le torse ; puis leurs bras se sont ramifiés en branches, les feuillages se sont épaissis peu à peu pour couvrir le visage ; enfin les yeux, après s'être jeté un dernier regard tendre, ont disparu sous la verdure. J'attendais donc de devenir l'arbre-Baucis – même si M., ne m'ayant pas emboîté le pas dans cette littéralisation du mythe, demeurait humain (voire trop humain, puisqu'il s'inquiétait).

A l'hôpital, la lente montée de l'insensibilité s'est interrompue, et tout ce qui était déjà bois est devenu bois pétrifié. Ma marche se ralentissait de plus en plus et se faisait traînante. De l'intérieur, mes genoux étaient de gros nœuds asymétriques dans mon double tronc, et celui-ci était d'une lourdeur incroyable, de sorte que, lorsqu'un pied quittait le sol, j'étais chaque fois déroutée par sa réelle légèreté. Je ne parvenais plus à me tenir debout les yeux fermés, ayant du mal à prendre mon équilibre sur des racines enchevêtrées. La vue de mes dix orteils, simples et distincts comme je les avais toujours connus, me stupéfiait. Le témoignage de mes yeux était tellement en contradiction avec mes sensations intérieures que mon cerveau était placé devant un dilemme très semblable à celui du chien qui aboie et remue la queue en même temps : que croire ?

Quant au cerveau lui-même, selon les médecins qui s'occupaient de mon "cas" dans un tout autre vocabulaire, il n'était pas atteint. D'où venait alors cette joie irrépressible ? Quand, par exemple, je disais qu'en me rasant les jambes j'avais l'impression de peler de longues lamelles d'écorce, je souriais de façon proprement scandaleuse, surtout étant donné le visage compatissant de mes visiteurs.

Au bout de quelques jours, toutefois, une brèche s'est ouverte dans cette euphorie et, subrepticement, la terreur a jailli.

Le 28 février 1986

... L. se précipite sur moi, me heurtant la jambe gauche, et ce sont très littéralement sept ou huit

décharges d'électricité qui me traversent de la hanche au pied ; celui-ci se livre devant mes yeux à des spasmes incontrôlables et violents – j'éclate en larmes – L. est bouleversée – et moi, aussitôt, navrée de lui avoir fait peur... Depuis, la jambe entière est électrifiée ; le moindre contact (y compris celui, constant, du pyjama) la fait "grésiller".

J'enchaîne cependant avec trois diagnostics hypothétiques, chacun plus farfelu que le précédent :

1. Dieu m'a foudroyée pour me forcer à prendre un mois de vacances.
2. Je deviens *Eve future*, la femme électrique inventée par Thomas Edison dans le roman de Villiers de L'Isle-Adam.
3. Je deviens Omaya, l'héroïne hypernerveuse d'un de mes propres romans.

Dès mon retour à la maison, je jette un coup d'œil sur ce dernier livre et tombe, incrédule, sur le passage suivant : "Omaya est toute légère en ce moment. La tête surtout. Si légère qu'elle se met parfois à vibrer doucement, à ronronner comme un moteur. Les pieds et les mains fourmillent. Les nerfs deviennent des fils de fer électrifiés. Omaya n'a plus de chair. Elle est pure intelligence. Artificielle et froide."

Il m'avait fallu deux ans pour vivre – et il allait me falloir encore deux ans pour comprendre – ce que j'avais moi-même écrit.

LE 1er MARS 1988

Hier soir : “table ronde” à Beaubourg, sur Djuna Barnes. Agacée par la teneur biographisante de mes remarques, une autre femme écrivain a fini par lancer cette boutade : “En ce qui me concerne, la biographie n’est que le résidu de l’œuvre.”

Jolie formule (est-ce d’elle ?) – jolie, et affligeante. Formule moderne, ça ne fait pas de doute ; et combien méprisante pour la plupart des personnes dans l’assistance, sommées d’admettre que leur existence quotidienne est entièrement dépourvue de valeur, du moment qu’elle ne sera jamais miraculée en Art…

Ainsi, le tiède et tendre baiser posé par les lèvres de ma fille sur mes lèvres à moi, ce matin devant l’école, n’aurait eu aucun sens si je ne l’avais retranscrit ici ? n’aurait même pas été un “résidu” (car dans biographie il y a encore graphie, écriture) ? n’aurait été que bio-bio ? autant dire : rien ?

La sacralisation à outrance de la littérature et de ceux qui la produisent me désole tout particulièrement quand elle est revendiquée par une femme. “En matière d’art, il n’y a ni homme ni femme ; il n’y a que style, que passion ardente et ardue”, a dit en substance la même dame de lettres.

Mon but en écrivant ce journal est de mettre en doute l’innocence – non pas de tel ou tel artiste, mais des *métaphores* dont se pare la création artistique, afin de continuer à paraître aussi asexuée et inattaquable qu’un ange… exterminateur.

LE 3 MARS 1988

Ce matin au laboratoire d'analyses médicales, où je dois aller tous les mois pour une prise de sang, la dame en rangeant mon dossier m'a dit avec un sourire aimable : "Vous en êtes où, là ? – Trois mois et demi. – Pas tout à fait la moitié… – Eh oui ! Le plus dur reste à faire. – Mais avec quelle récompense à la fin !"

En fermant la porte derrière moi, j'ai eu le sentiment d'avoir participé à un rite vieux comme le monde, un échange verbal aux répliques fixes, consacré par la sagesse des siècles. Cela m'a donné la même sensation de réconfort que doivent avoir les croyants en sortant de l'église.

LE 4 MARS 1988

Relisant ce qui précède, je vois que j'avais écrit : "Le plus dire reste à faire" au lieu de "le plus dur". Les lapsus se multiplient en ce moment : les mauvais jours, je me demande si ma maladie est pour quelque chose dans ces courts-circuits du sens. Lapsus bilingue, en l'occurrence : impliquant, en français, que *le plus dur à faire, c'est le dire* (et aussi que faire sans dire, c'est ne rien faire ?), tandis que *dire* en anglais réitère l'astreignant, le difficile, voire le sinistre.

Quand dire c'est faire : très beau livre du philosophe britannique John Austin, spécialiste des énoncés "performatifs". *Quand faire c'est dire* : ce pourrait être le titre d'un essai sur George Sand. Et son exergue : "Aussitôt fait, aussitôt dit." *No sooner done than said*.

Si le problème crucial dans le couple Fitzgerald était le professionnalisme de Scott et le dilettantisme de Zelda, quand deux professionnels tombent amoureux l'un de l'autre, tout est de bonne guerre : ils joueront le jeu selon les mêmes règles, et personne ne sera floué. C'est le cas du couple qu'a formé Sand avec Musset. C'est également le cas du couple qu'a formé Elizabeth Barrett avec Robert Browning.

Deux couples rigoureusement contemporains (ayant vécu cent ans avant les Fitzgerald – preuve qu'en cette matière le passage du temps n'est pas toujours synonyme de progrès). Deux femmes d'une force et d'une productivité hors du commun, et qui ont six ans de plus que leurs amants poètes. Du reste – ou du coup –, elles ont goûté au succès littéraire autant sinon plus qu'eux, et avant de les rencontrer. La littérature fait donc partie de la "donne" de départ ; elle n'est pas sournoisement introduite après coup, comme chez Zelda, par désœuvrement, ressentiment, ou détresse.

On pourrait croire que, grâce à cette "donne", Sand et Barrett seraient moins dupes de l'équation éloquence = virilité que Zelda au moment de ses fiançailles avec Scott. Que nenni : toutes deux restent persuadées, en leur for intérieur, que la puissance poétique appartient surtout à l'homme.

Dans *Indiana*, le premier roman que publie Sand sous son seul nom (à l'âge de vingt-huit ans), elle se montre en fait plus lucide à l'égard de l'éloquence masculine qu'elle ne le sera par la suite dans sa vraie vie. C'est en proférant des discours merveilleux que le héros Raymon réussit à séduire les femmes : d'abord Noun, la servante de l'héroïne, ensuite Indiana elle-même. C'est de la même manière exactement qu'Alfred séduira George l'année suivante.

> [Raymon] exprimait la passion avec art, et il la ressentait avec chaleur. Seulement, ce n'était pas la passion qui le rendait éloquent, c'était l'éloquence qui le rendait passionné. Il se sentait du goût pour une femme, et devenait éloquent pour la séduire et amoureux d'elle en la séduisant. C'était du sentiment comme en font les avocats et les prédicateurs, qui pleurent à chaudes larmes dès qu'ils suent à grosses gouttes.

En publiant ce roman, Sand, elle aussi – on le voit dès les premiers mots –, a fait ses propres preuves d'éloquence. Mais ce n'est pas cela qui a éveillé l'intérêt d'Alfred de Musset. A vingt-deux ans, célèbre pour ses vers depuis l'adolescence, il mène une vie de débauche et de dissipation : ce qui l'intéresse dans *Indiana*, ce sont les scènes d'amour physique – assez exceptionnelles sous la plume d'une femme, à l'époque plus que de nos jours. Une femme écrivain pouvait-elle vraiment être, de plus, connaisseur en matière d'érotisme ? Il adresse des vers à George Sand… et la machine à mots du tandem terrible se met en marche.

Sand, quand tu l'écrivais, où donc l'avais-tu vue
Cette scène terrible où Noun à demi nue
Sur le lit d'Indiana s'enivre avec Raymon ?
Qui donc te la dictait, cette page brûlante
Où l'amour cherche en vain d'une main palpitante
Le fantôme adoré de son illusion ?

Le deuxième roman de Sand, *Lélia* (où seront cités... des poèmes de Musset), met en scène de manière encore plus explicite les aventures érotiques d'une femme – au point de faire scandale et de valoir à son auteur l'épithète de nymphomane. Lélia est devenue froide, triste et orgueilleuse à force de n'avoir pas trouvé un homme à la hauteur de ses rêves, mais seulement des hommes-corps comme Octave ou des hommes-esprit comme Cœlio... Musset est curieux de savoir si Sand lui ressemble autant que son héroïne – car, comme Lélia, il joue les cyniques, les désabusés, les revenus de tout, et proclame son désespoir d'avoir épuisé en quelques années tous les plaisirs que la vie peut lui offrir.

La rencontre des deux écrivains a lieu presque aussitôt après la publication de *Lélia*, en juin 1833. Moins de quinze jours plus tard, Musset annonce qu'il est prêt à se voir comme un personnage romanesque de Sand (ou, mieux, comme le cumul de *deux* personnages) : contrairement à Zelda, il entre dans le pacte avec lucidité, et n'a aucun mal à admettre que l'homme de papier puisse préfigurer l'homme de chair, au lieu de l'inverse.

Juillet 1833

Mon cher George…

Vous me mettrez à la porte et vous croirez que je mens. Je suis amoureux de vous. Cette nuit pendant que — —

Vous souvenez-vous que vous m'avez dit un jour que quelqu'un vous avait demandé si j'étais Octave ou Cœlio, et que vous aviez répondu : tous les deux, je crois. Ma folie a été de ne vous en montrer qu'un, George, et quand l'autre a parlé, vous lui avez répondu comme à — —

Les ellipses typographiques dans la correspondance Sand-Musset ne sont pas dues à la censure ; elles proviennent de ce que toutes ces lettres ont été retravaillées après coup par leurs auteurs, afin de mieux ressembler aux versions romanesques de leur histoire. Tantôt un mot est brûlé avec une cigarette, tantôt une phrase est biffée, tantôt c'est un paragraphe entier qui est découpé aux ciseaux… Chaque écrivain charcute les lettres de l'autre, aussi bien que les siennes propres : ces *Lettres d'amour* constituent une véritable œuvre littéraire élaborée à deux.

Sand et Musset prennent en fait infiniment plus de précautions avec leurs écrits qu'avec leur vie. Ils sont conscients, dès le début, que cette hiérarchie des valeurs est discutable –

Juillet 1833

[…] je serai bien avancé, bien heureux, quand j'aurai barbouillé de mauvaises rimes les murs de mon

> cachot ! Voilà un beau calcul, une belle organisation de rester muet face à l'être qui peut vous comprendre, et de faire de ses souffrances un trésor sacré pour le jeter dans toutes les voiries, dans tous les égouts, à six francs l'exemplaire ! Pouah !

– mais ils n'y peuvent rien : l'écriture enserre la vie de part en part ; les mots d'amour existent avant, pendant et surtout après les faits.

Un des thèmes romanesques sur lesquels ils se mettent assez vite d'accord est celui de l'inceste : l'un et l'autre décrivent leur histoire – de l'intérieur comme de l'extérieur, dans les lettres comme dans les romans et poèmes qui en découlent – comme un rapport mère-fils. (Si l'on qualifiait d'incestueuses toutes les histoires d'amour dans lesquelles l'homme a quelques années de plus que la femme… !) Ainsi, quand Musset écrit : "Adieu George, je vous aime comme un enfant", Sand préserve cette phrase dans ses archives pour la ressortir telle quelle, plus de vingt ans plus tard, dans *Elle et Lui* : Laurent de Fauvel (vingt-quatre ans) déclare lui aussi aimer Thérèse Jacques (trente ans) "comme un enfant"… et Sand d'ajouter ce commentaire : "La seule passion que Thérèse n'eût jamais travaillé à éteindre dans son cœur, c'était l'amour maternel."

Ou encore, dans cet échange de lettres après la fameuse rupture de Venise :

> Le 4 avril 1834
>
> Mon Georges chéri, je suis à Genève […] Pauvre George ! Pauvre cher enfant ! tu t'étais trompée,

tu t'es crue ma maîtresse, tu n'étais que ma mère ; le ciel nous avait faits l'un pour l'autre ; nos intelligences, dans leur sphère élevée, se sont reconnues comme deux oiseaux des montagnes, elles ont volé l'une vers l'autre. Mais l'étreinte a été trop forte ; c'est un inceste que nous commettions.

Le 24 mai 1834

Mon enfant chéri [...] Pagello m'aime en paix, il est heureux sans que je souffre, sans que je travaille à son bonheur. Eh bien moi, j'ai besoin de souffrir pour quelqu'un, j'ai besoin d'employer ce trop d'énergie et de sensibilité qui sont en moi. J'ai besoin de nourrir cette maternelle sollicitude qui s'est habituée à veiller sur un être souffrant et fatigué.

En réalité, le mot clef dans ces passages n'est ni mère, ni enfant, ni inceste, mais souffrir. Dans la mesure où Sand et Musset écrivent tous deux directement à partir de leurs expériences passionnelles, ils ont *besoin* de vicissitudes : ils *préfèrent* la souffrance au bonheur parce qu'elle est génératrice de littérature. S'ils s'installaient tranquillement en ménage, il n'y aurait aucune matière romanesque dans leur vie quotidienne : RAS. Alors que s'ils se séparent, se réconcilient, s'entre-déchirent et rompent à nouveau... quelle mine d'intrigues inépuisable !

Bien qu'ils n'aient pas, il s'en faut, le même rapport à la création artistique – pour Musset la poésie est une lutte angoissante et éreintante, alors que Sand écrit avec facilité (dans tous les sens du terme) –, c'est à la littérature que l'un comme l'autre ont juré une fidélité éternelle. Dans la mesure où ils le savent d'entrée de jeu, et sont prêts à tout mettre en commun pour sacrifier à leur dieu, ce sont des partenaires parfaitement assortis.

Dès les débuts de leur liaison, Musset s'inspire du *Secrétaire intime* de Sand pour rédiger un fragment intitulé *Le Roman par lettres*. Un peu plus tard, elle lui passe son drame historique en neuf tableaux sur la famille Médicis, *Une conspiration en 1537*, et il en incorpore des passages entiers dans *Lorenzaccio*. Il ne s'agit ni de vol ni de plagiat comme chez les Fitzgerald, mais d'une volonté partagée de mêler totalement vies et œuvres. Quant à la crise qui éclate entre eux pendant le voyage en Italie, les "amants de Venise" s'aperçoivent immédiatement de ses potentialités littéraires. Musset, malade, se rend compte de l'intimité entre Sand et Pagello, le médecin italien qu'elle a fait venir pour le soigner, à la faveur – quoi de plus romanesque ? – d'une tasse de thé unique dans laquelle tous deux ont bu… Cette tasse de thé figurera, sous peu, dans pas moins de trois romans différents.

Avant même de quitter Venise en y laissant Sand avec Pagello, Musset a commencé à parler de lui-même à la troisième personne : "Adieu, mon enfant […]. Rien d'impur ne restera dans le sillon de ma vie où tu es passé, et […] celui qui n'a pas su t'honorer quand il te possédait, peut encore y voir clair à travers ses larmes et t'honorer dans son cœur, où ton image ne mourra jamais."

Quant à Sand, en plus des lettres prétendument privées qu'elle envoie à Musset (et auxquelles, soit dit en passant, celui-ci prélève au fur et à mesure les phrases les plus jolies pour les glisser dans *On ne badine pas avec l'amour*), elle rédige des lettres publiques au sujet de leur histoire, qu'elle destine à *La Revue des Deux Mondes*. Dès la première "Lettre d'un voyageur", envoyée à l'éditeur en avril 1834, on retrouve tous les détails de la séparation qui a eu lieu un mois plus tôt… à ceci près que le "je" resté à Venise qui s'adresse au "tu" reparti en France, lui donnant des nouvelles du "bon docteur", est… un homme.

Et de même que Musset, un an auparavant, avait voulu s'assurer que Sand connaissait de première main l'exaltation sensuelle dont parlaient ses romans, de même, maintenant, Sand cherche à savoir si Musset a réellement vécu l'exaltation spirituelle dont parlent ses poèmes :

> En respirant le parfum éphémère de tes plaisirs, tu parlais de l'éternel encens que les anges entretiennent sur les marches du trône de Dieu. Tu l'avais donc respiré, cet encens ? […] Tu avais donc gardé de cette patrie des poètes, de vagues et délicieux souvenirs qui t'empêchaient d'être satisfait de tes folles jouissances d'ici-bas ?

Il est frappant que, pour George Sand, la "patrie des poètes" soit un pays peuplé exclusivement d'anges, c'est-à-dire de créatures asexuées, dont les plaisirs sont infiniment supérieurs, parce que éternels, à ceux que peuvent procurer les aventures (par définition ponctuelles) du corps.

De fait, Musset se prépare déjà à transformer son aventure ponctuelle avec Sand en œuvre immortelle : *La Confession d'un enfant du siècle*.

> Le 30 avril 1834
>
> Je m'en vais faire un roman, j'ai bien envie d'écrire notre histoire ; il me semble que cela me guérirait et m'élèverait le cœur. Je voudrais te bâtir un autel, fût-ce avec mes os, mais j'attendrai ta permission formelle [...].
>
> [...] Mon enfant, j'ai encore une permission à te demander, c'est de te faire quelquefois des rapsodies de sonnets, comme si tu étais encore ma maîtresse – et ne l'es-tu donc plus, mon amour chéri ? – Tu la seras toujours, quand tu serais au bout du monde. Je te défie de m'empêcher de t'aimer, franchement, il faut que je fasse ce roman ou que j'étouffe. Vois-tu, Georges, la veine est ouverte, il faut que le sang coule.

Nous ne sommes pas très loin du télégramme de Scott à Zelda : "PRÉFÉRABLE SE MARIER SAMEDI MIDI [...] PREMIÈRE ÉDITION DU LIVRE ÉPUISÉE." Car que signifie cette phrase – "Je te défie de m'empêcher de t'aimer, franchement, il faut que je fasse ce roman" – si ce n'est, en clair : "T'aimer, *c'est* faire ce roman" ? Ce à quoi George Sand répond :

> Le 12 mai 1834
>
> Cher ange, fais ce que tu voudras, romans, sonnets, poèmes, parle de moi comme tu l'entendras,

> je me livre à toi les yeux bandés. Je te remercierai à genoux des vers que tu m'enverras, et de ceux que tu m'as envoyés. Tu sais que je les aime de passion, tes vers, et qu'ils m'ont appelée vers toi, malgré moi, d'un monde bien éloigné du tien.

En d'autres termes : tu peux m'aimer (= faire ce roman) parce que je t'aime (= tes vers). Nous sommes quittes ; nous faisons désormais l'amour par livres interposés. Et non seulement par livres mais par lettres aussi : Sand incite en effet Musset à continuer de lui écrire "de ces bonnes lettres qui ferment toutes les plaies que nous nous sommes faites et qui changent en joies présentes nos douleurs passées".

LE 5 MARS 1988

Changer en joies présentes les douleurs passées est sans doute une des meilleures définitions qu'on puisse donner de l'activité littéraire en tant que telle... Du reste, n'est-ce pas exactement ce que je suis en train de faire ici – dans ce *Journal de la création* qui confère aux pires terreurs de ces dernières années une forme sinon un sens ? (Quand j'étais hospitalisée, plusieurs amis m'avaient assuré que je tirerais de cette maladie une nouvelle ou un roman : comme si, sous prétexte qu'ils peuvent "rentabiliser" leurs malheurs après coup, les écrivains n'avaient pas vraiment à les vivre...)

Aux "amants de Venise", en tout cas, la séparation – la douleur – a donné un véritable coup de fouet : ils ont de l'inspiration et de l'énergie à revendre. Leur drame devient aussitôt une trame, sur laquelle ils peuvent broder toutes sortes de variantes. Sand achève ses romans au rythme d'un par mois : dans la même lettre du 12 mai (Musset parti depuis deux mois à peine), elle dit qu'elle a "envoyé [à Buloz] la fin d'*André*" et demande à Alfred d'avoir "la bonté d'en corriger les épreuves". Par ailleurs, ajoute-t-elle, "*Jacques* est en train et va au galop. Ce n'est l'histoire d'aucun d'entre nous. Il m'est impossible de parler de moi dans un livre, dans la disposition d'esprit où je suis." Or, quoi qu'elle en dise, *Jacques* est bel et bien l'histoire d'un ménage à trois qui a de fortes ressemblances avec le leur : le personnage principal est une sorte de Musset sanctifié, un homme profondément bon dont la femme tombe amoureuse d'un dandy (nommé Octave, tout comme le héros de *La Confession d'un enfant du siècle*)... Jacques, après avoir rencontré Octave et s'être assuré "par mes propres yeux, dit-il, que je pouvais lui léguer sans inquiétude ce que j'ai de plus cher au monde", cède sa place et s'en va... mettre fin à sa vie. En littérature les élans deviennent des faits, et les faits, des mythes.

Musset, pour sa part, s'apprête déjà à boucler la boucle :

Le 10 juillet 1834

J'ai commencé le roman dont je t'ai parlé. A propos de cela, si tu as par hasard conservé les lettres

> que je t'ai écrites depuis mon départ, fais-moi le plaisir de les rapporter dans un — —
>
> Le 23 août 1834
>
> Je ne mourrai pas, moi, sans avoir fait mon livre, sur moi et sur toi (sur toi surtout)... La postérité répétera nos noms comme ceux de ces amants immortels qui n'en font plus qu'un à eux deux, comme Roméo et Juliette, comme Heloyse et Abeylard, on ne parlera jamais de l'un sans parler de l'autre.

D'emblée, sa visée est l'éternité : assurer pour lui-même et son ex-maîtresse une gloire posthume semblable à celle d'autres couples tragiquement célèbres. Mélangeant allégrement modèles littéraires et modèles historiques, Musset met le doigt sur l'essentiel : si la postérité se souvient de notre amour, il n'aura pas été raté en vain.

Avant la fin de l'été, Sand aura raconté l'histoire du printemps de son point de vue à elle *(Lettres d'un voyageur)*, du point de vue de Musset *(Jacques)*, et de celui de Pagello *(Leone Leoni)*, tout en correspondant régulièrement avec Musset et en l'encourageant à démarrer sa version à lui. Il le fait, et, exactement comme Raymon dans *Indiana*, sent son désir se réveiller sous l'effet de sa propre éloquence. Plus il avance dans la rédaction de sa *Confession d'un enfant du siècle*, plus il redevient amoureux de Sand. Celle-ci, de retour à Paris avec Pagello, feint de s'en étonner et menace même de se noyer... exactement comme Noun, la malheureuse amante de Raymon.

Le 1er septembre 1834

Ah, Georges, quel amour ! Jamais homme n'a aimé comme je — —
Je ne peux vivre sans toi, voilà tout. Combien cela durera encore je n'en sais rien ; j'aurais voulu faire ce livre, mais il aurait fallu que je connusse en détail, et par époque, l'histoire de ta vie [...]. Il aurait fallu que je te visse, que tu me racontasses tout cela.

Nohant, vers le 7 septembre 1834

Hélas, hélas ! Qu'est-ce tout cela ! [...] C'est de la passion que tu m'exprimes [...]. Ce n'est plus cette amitié pure dont j'espérais voir s'en aller peu à peu les expressions trop vives [...]. Ah ! cette nuit d'enthousiasme où, malgré nous, tu joignis nos mains en nous disant : vous vous aimez, et vous m'aimez pourtant, vous m'avez sauvé âme et corps ! Tout cela était donc un roman ?

Justement oui : tout cela était donc un roman, et même plusieurs romans.

C'est alors que les "amants de Venise" renouent. Le temps de vérifier que, dans la réalité, leur amour n'est pas viable. Ils se disputent – Musset s'arrache les cheveux par touffes, Sand coupe les siens très court – et ils se quittent. A nouveau désespérés, et à nouveau inspirés.

Retour à la case départ : ils vivront leur passion par le biais de l'écrit. Sand se lamente d'avoir rendu à Musset ce que, de lui, elle chérissait le plus : "Oh ces lettres que je n'ai plus, que j'ai tant baisées, tant arrosées de larmes, tant collées sur mon cœur nu, quand *l'autre* ne me voyait pas. Oh je les aimais tant, je ne les ai plus !" Et Musset, dans sa dernière lettre à George Sand comme dans la toute première, se décrira comme un personnage de *Lélia* (Stenio, cette fois-ci).

Février 1835

> Je croyais que j'étais tout jeune parce que j'avais vécu sans mon cœur, et que je me disais toujours : je m'en servirai en temps et lieu ; mais [rayé : il avait] j'avais traversé un si triste pays que mon cœur ne pouvait plus se desserrer sans souffrir, tant il avait souffert pour se serrer autant.

Musset se confond désormais avec son *alter ego* littéraire, au point de devoir rayer "il avait" et de le remplacer par "j'avais" ; l'espace d'un instant, il a dû se croire dans la *Confession*. Dans les romans, en effet, il faut transformer le *je* en *il*, alors que dans les lettres il faut faire l'inverse.

Les deux écrivains se séparent sans rancune.

Sand sera ravie de la générosité dont Musset fait preuve à son égard dans la *Confession*, et restera persuadée qu'elle a été l'unique grand amour de sa vie, la seule femme à l'avoir inspiré. Une de ses convictions intimes est qu'il est impossible d'être à la fois coureur de jupons et grand poète ; or Musset est bel et bien les deux. C'est le seul point sur lequel Sand ait tenu à s'aveugler : balayant d'un coup de plume Aimée d'Alton, Louise Colet, toutes les maîtresses qui allaient prendre sa place dans les bras de Musset et dont celui-ci chanterait les louanges, elle lui dit : "Adieu – et que ta muse soit toujours ta plus chère maîtresse, comme elle est la plus belle et la plus digne de toi !"

Pour rédiger sa version définitive de leurs aventures, *Elle et Lui*, "elle" attend – et c'est logique – que "lui" ne soit plus là pour la contredire. Musset meurt en 1857 ; Sand se retire à Gargilesse l'année suivante et achève le livre – six cent vingt pages – en vingt-six jours (du 4 au 29 mai 1858). Elle avait visiblement besoin – et hâte – de tirer ses propres conclusions (encore sous forme de lettres !) de sa propre "histoire".

"Cher Laurent", écrira l'héroïne assagie au héros impétueux,

> Tu ne dois pas être pesé dans la même balance que la plupart des autres hommes [...]. Sois tranquille, va, Dieu te pardonnera de n'avoir pu aimer ! Il t'avait condamné à cette insatiable aspiration pour que ta jeunesse ne fût pas absorbée par une femme. Les femmes de l'avenir, celles qui contempleront ton œuvre de siècle en siècle, voilà tes sœurs et tes amantes.

Il y a, bien sûr, quelque chose de paradoxal dans cet entêtement de Sand à déclarer inconciliables l'épanouissement sensuel et la puissance littéraire : si quelqu'un au XIXe siècle a fait la démonstration du contraire, c'est bien Sand elle-même. Celle que l'on a si souvent comparée à Byron déclare pourtant dans une lettre à Flaubert :

> Le 30 novembre 1866
>
> Je ne crois pas à ces Don Juan qui sont en même temps des Byron. Don Juan ne faisait pas de

> poèmes et Byron faisait, dit-on, bien mal l'amour. Il a dû avoir quelquefois – on peut compter sur ces émotions-là dans la vie – l'extase complète par le cœur, l'esprit et le sens ; il en a connu assez pour être un des poètes de l'amour. Il n'en faut pas davantage aux instruments de notre vibration. Le vent continuel des petits appétits le briserait.

Sand, qui a plus de soixante ans quand elle écrit ces lignes, avait-elle l'impression que ses "instruments", ses dons littéraires à elle, avaient été brisés par le "vent continuel des petits appétits" ? Apparemment, oui : dans son vieil âge, elle déplorait les excès de sa jeunesse et prétendait que, si elle avait pu recommencer sa vie, elle aurait été chaste. Mais ce n'est là qu'une boutade : Aurore Dupin chaste ne serait jamais devenue George Sand. Sa passion artistique était inséparable de sa passion amoureuse, voire la même chose qu'elle : une passion pour la vie. Est-ce pour cette raison que, de l'avis de tout le monde, y compris du sien propre, Sand n'est pas un génie littéraire, et qu'elle n'a même jamais osé peindre dans un roman "l'artiste (le vrai)" ? C'est "un si beau type à faire", explique-t-elle, encore à Flaubert. Mais "c'est viser trop haut pour une simple femme". Elle-même ne pourrait jamais servir de modèle, car dans sa vie elle touche "au pédagogue", "à la servante" et "à l'idiot". "Et puis enfin, avoue-t-elle pour finir, je n'aimerais pas la perfection."

Voilà une phrase qu'on n'eût jamais pu trouver sous la plume de Simone de Beauvoir, qui aurait pourtant pu en dire autant, et qui avait immolé bien plus que George Sand (notamment la maternité) à l'autel de l'Art. Si, une fois dissipés les excès romantiques de sa jeunesse, Sand a reconnu ne pas être "une artiste", au sens extrême et perfectionniste où l'entendait Flaubert, elle n'en demeure pas moins la preuve vivante, éclatante et rarement égalée de nos jours, qu'il n'y a pas d'incompatibilité intrinsèque entre écriture, érotisme et maternité.

LE 7 MARS 1988

Je m'aperçois que j'évite d'évoquer le "virilisme" de George Sand : ses pantalons et ses cigares, ses chevaux et ses participes passés, sans parler de son nom lui-même (rares sont les femmes qui, non contentes de s'être inventé un patronyme, l'ont conféré à leurs enfants) ! Si elle a porté des accoutrements masculins pour se faciliter la vie – dans le monde de l'édition, mais aussi dans les rues parisiennes et les champs berrichons –, elle n'a jamais essayé d'écrire "comme un homme". Ses nouvelles et romans sont presque tous centrés sur un personnage féminin, sortant de l'ordinaire par son talent artistique ou son excellence morale autant que par sa beauté. Pourtant, ses contemporaines, y compris les artistes, admettaient mal ces nouveaux modèles de la féminité.

Elizabeth Barrett Browning, après avoir fait la connaissance de George Sand en 1852, lui dédie deux sonnets dans lesquels se mélangent avec une grande subtilité l'éloge et le blâme. Dans le premier, tout en saluant Sand comme "femme au grand cerveau et homme au grand cœur", Barrett exprime le souhait "qu'un doux tonnerre miraculeux résonne / Au-dessus du cirque applaudi, révélant / La force et le savoir de ta propre nature plus noble" ; et, plus loin : "[...] que tu puisses, / A la revendication de la femme et celle de l'homme / Joindre la grâce angélique du génie pur et sans blâme". Dans le second, croyant déceler la "nature féminine" de Sand derrière son travestissement viril, la poétesse exhorte la romancière à plus de pudeur : "Bats plus purement, cœur, dit-elle, Et plus haut, jusqu'à ce que Dieu te dépose, sans sexe / Sur le divin rivage auquel aspirent les esprits non incarnés !"

Barrett est gênée par le donjuanisme de Sand (comme Sand par celui de Musset !), qui ne "cadre" pas avec sa conception du poète comme ange. Ceux qui aspirent à la "grâce angélique", la "gloire immaculée", le "génie pur et sans blâme", doivent être "sans sexe", sans quoi ils n'atteindront jamais au "divin rivage" (que Sand elle-même appelait "patrie des poètes"). Il faut dire que, si Sand n'a évité l'épithète de "nymphomane" que grâce à son prestige dans le monde des lettres (et encore, pas toujours), Barrett, elle, est demeurée vierge jusqu'à l'âge de quarante et un ans et n'a eu qu'un seul amant dans sa vie : son mari Robert Browning. Ce qu'elle affirme en filigrane dans ces sonnets, c'est qu'il est plus malaisé pour une femme que pour un homme d'accéder au paradis poétique. On a beau s'affubler d'un nom d'homme et brûler d'un feu de poète, on n'en reste pas moins une faible femelle. C'est là un thème constant de sa correspondance avec Browning (correspondance plus belle encore que celle des "amants de Venise") : en tant qu'homme, vous êtes plus à même que moi d'avoir une vision globale de l'humanité, et donc de vous hisser jusqu'à cette vision supra-humaine qui est celle du vrai artiste.

Le couple que finiront par former ces deux poètes est un cas unique (et éminemment sympathique) dans l'histoire des couples littéraires : chacun pense sincèrement que l'autre lui est supérieur et veut tout faire pour favoriser l'éclosion de son talent. Des biographes de Browning (dont André Maurois) ont suggéré que, couvé par sa mère pendant l'enfance, transformé par elle en garçon doux, passif et même efféminé, Robert a trouvé en Elizabeth cette même "maturité maternelle inspiratrice". Quant à Elizabeth, elle a été non pas couvée, mais littéralement cloîtrée chez elle par un père tyrannique. Sa mère ayant rendu l'âme après avoir mis au monde pas moins de douze enfants, le veuf – véritable caricature de patriarche – s'est opposé farouchement au mariage pour sa progéniture.

Or Elizabeth aimait ce père, et, pour ne pas avoir à se révolter contre lui, elle s'est fabriqué une maladie qui l'empêchait de quitter sa chambre. C'est donc dans cette chambre que, à partir de l'adolescence, elle a lu de la poésie (dont celle de Browning), étudié la philosophie grecque, traduit les tragédies d'Eschyle et commencé à écrire des vers… Bien que reconnue et acclamée très tôt comme un des grands talents de son temps, Barrett doute perpétuellement de son don. Non seulement elle considère (comme son héroïne Aurora Leigh) que ses poèmes ne sont jamais à la hauteur de sa vision, mais elle attribue explicitement cette insuffisance à sa féminité. Dès sa première lettre à l'homme qui lui a fait cette déclaration d'amour toute sandienne – "J'aime vos vers de tout mon cœur, chère mademoiselle Barrett" –, elle insiste sur son infériorité poétique *en tant que femme* :

> Le 15 janvier 1845
>
> Cher monsieur Browning,
> […] vous êtes "virile" au plus haut point – et moi, en tant que femme, j'ai étudié certains de vos gestes de langue et d'intonation avec nostalgie, comme une chose qui me dépasse de loin ! – et d'autant plus admirable qu'elle me dépasse.

Au bout de quatre mois de correspondance presque quotidienne, Barrett consent enfin (à l'insu de son père, bien entendu) à recevoir Browning dans sa chambre de recluse. Celui-ci a pour ainsi dire décidé d'avance qu'il en serait amoureux fou, et il l'est. Mais Elizabeth résiste un bon moment encore, ne voulant voir en lui qu'un mentor et un juge.

> Le 24 mai 1845
>
> Cher monsieur Browning…
> Votre influence et votre aide en matière de poésie seront pour moi pleines de bonté et de joie – car,

> avec tant de personnes pour m'aimer dans cette maison, il n'y en a aucune pour me juger [...]. Mardi en huit, vous pouvez apporter votre tomahawk et faire ma critique ; moi, j'essaierai d'y préparer mon courage.

On croirait presque entendre Zelda, déplorant la nullité de ses nouvelles et suppliant Scott de lui apprendre à écrire. Mais Browning n'a pas la suffisance de Fitzgerald ; le ton de ses réponses est toujours déférent :

> Le 10 novembre 1845
>
> J'ai sur le cœur de t'expliquer ce que j'ai voulu dire hier en exprimant mon souhait que le bonheur absolu que me procurent tes lettres, ton aide et tes critiques ne soit pas entamé par le soupçon que les travaux pour lesquels tu es née puissent être le moins du monde suspendus à cause d'une telle générosité envers *moi*.

On imagine mal l'auteur de cette lettre se vantant, après le mariage, de ce que son épouse écoute ses manuscrits à toute heure du jour et de la nuit, en plus de nettoyer la glacière une fois par semaine.

Lentement, dans l'incrédulité et la joie, Elizabeth accepte l'amour qui est en train de naître entre elle et Robert. Mais elle demeure craintive et tremblante devant son père, qu'elle perçoit comme un dieu tout-puissant, une sorte de Zeus. Elle dit même de lui, dans une de ses lettres, qu'il "détient le tonnerre". C'est une image qui revient souvent aussi dans ses poèmes : dans le premier sonnet à

George Sand, c'était un "doux tonnerre miraculeux" qui devait transformer la femme-homme en ange ; dans un autre sonnet, après s'être lamentée sur son incapacité à "bien interpréter cette musique de ma nature", Barrett ajoute : "Mais si je le faisais, / De même que le coup de tonnerre fait éclater son propre nuage, / De même ma chair périrait là, devant cette redoutable apocalypse de l'âme."

Autrement dit, la puissance de l'esprit est telle qu'il pourrait aller jusqu'à *détruire* le corps, le faire périr. Et si le père est Zeus, le détenteur du tonnerre et aussi de la foudre, il s'ensuit que la fille doit absolument rester Athéna, fille de sa tête, sagesse, pureté – et ne surtout jamais pencher du côté d'Aphrodite…

Malgré tout, quand Browning lui demande formellement de l'épouser, en janvier 1846, Barrett n'hésite que quelques jours avant d'accepter. Le mariage est célébré clandestinement, et Elizabeth continue de vivre sous le toit de son père en attendant que Robert prépare (trop précautionneusement à son goût) son enlèvement et leur départ en Italie. Elle lui fait des reproches empreints d'ironie douce : "Vous persistez, vous voulez jouer dans la pièce le rôle de la femme jusqu'au bout […]. Vous voulez m'honorer et m'obéir, moi, malgré les vœux prononcés samedi dernier […]. Est-ce ainsi que le serment sera tenu ?" La réponse de Robert est aussi succincte que sympathique : "Vous penserez pour moi. Tels sont mes ordres."

Les Browning s'installent à Florence, où ils vivront jusqu'à la mort d'Elizabeth, en 1861. Loin d'avoir besoin, comme Sand et Musset, de la distance et du drame pour s'inspirer, ils ne cesseront de se ressourcer dans la proximité, la confiance et l'admiration réciproques. Ce n'est pas pour autant qu'ils vivent une félicité sans ombre : outre que chacun est affligé par les ruptures irréparables qu'a entraînées leur départ (le père d'Elizabeth lui renvoie toutes ses lettres sans les avoir ouvertes, et la mère adorée de Robert meurt sans qu'il l'ait jamais revue), rien ne peut dissiper les doutes de Barrett quant à la valeur de son travail.

Quand, en 1849, l'année même où naît leur fils Peni, elle montre enfin à son mari les quarante *Sonnets de la Portugaise* qu'elle avait écrits pendant qu'il lui faisait la cour, c'est en le suppliant de les brûler s'ils sont mauvais. Or ces sonnets figurent parmi les plus belles poésies d'amour de la langue anglaise ; encore aujourd'hui, chaque écolier anglophone en apprend un ou deux par cœur.

Ni l'encouragement de Robert ni l'enthousiasme du public n'y changent rien : une fois qu'elle est mère, Elizabeth est même plus convaincue qu'auparavant de l'incompatibilité entre ses aspirations de poète et son corps de femme. *Aurora Leigh* met en scène – et en abîme – précisément cette difficulté-là, d'une manière hautement paradoxale : c'est une des plus puissantes déclarations d'impuissance dans l'histoire de la littérature.

[...] et voilà le hic,
Nous autres femmes sommes trop enclines à penser à l'un,

Ce qui prouve une certaine impuissance dans l'art.
Nous poussons nos natures à accomplir quelque chose de grand
Bien moins parce qu'il y a une grande chose à faire
Que dans l'espoir que, ce faisant, nous nous prouverons
Moins petites, et donc plus appréciables
A tel ami unique.......................
Je n'aurai rien à faire avec la pensée personnelle
Dans le temple pur de l'art. Dois-je travailler en vain,
Et sans l'approbation d'un homme ?
Cela ne se peut pas, ne sera pas.......................
Nous garderons nos buts sublimes, nos yeux levés,
Quand même nos mains de femmes trembleraient, échoueraient
Et si nous échouons... Mais le faut-il ?
Echouerai-je ?

Moins douées que les hommes pour l'abstraction, dit Barrett dans ces vers, les femmes gardent le nez collé à l'immédiat et au tangible... deviennent artistes dans l'espoir de plaire à un tel plutôt qu'à Dieu (c'est exactement ce que reprochera Alexandre Blok à Anna Akhmatova jeune : d'écrire des vers "comme si elle était observée par un homme", alors qu'il faut les écrire "comme sous le regard de Dieu")... ont du reste tendance à tenir un tel dans une estime plus haute que Dieu (Héloïse avoue à Abélard : "Dans tous les états où la vie m'a conduite, Dieu le sait, c'est toi, plus que lui, que j'ai craint d'offenser ; c'est à toi, plus qu'à lui, que j'ai cherché à plaire")... ne parviennent pas, lorsqu'elles escaladent la montagne de l'Art, à maintenir les yeux fixés sur le Ciel, mais sont constamment en train de (re)garder leurs pieds sur terre en se demandant, terrorisées : *"Echouerai-je ? Echouerai-je ?"*

Mais *Aurora Leigh* fournit aussi, peut-être, la clef pour comprendre l'angoisse chronique de son auteur : l'héroïne, tout comme Barrett, a perdu sa mère (et elle demande : "Quand les mères nous font défaut / peut-on s'aider soi-même ?"). Et cette mère est non seulement morte, elle est morte de la maternité elle-même :

> *Elle ne pouvait soutenir la joie de donner la vie*
> *Les raptures maternelles l'assassinèrent.*

Ailleurs, Aurora la décrit comme

> *Notre-Dame de la Passion*
> *poignardée là où avait tété son bébé.*

On comprend qu'avec de telles images mortifères de la maternité en tête, Elizabeth ait tenu pendant si longtemps à rester vierge ; qu'elle ait eu si peur de son père et de tous les hommes (en tant que corps susceptibles d'engrosser les femmes, et non en tant qu'intellects lointains et purs) ; et qu'elle ait préféré penser à la création poétique comme étant le propre des anges.

Mais mon bébé, dis-moi : l'art peut très bien s'élaborer ailleurs que dans des temples célestes ou sur des cimes inhumaines, n'est-ce pas ? Pourquoi ne tirerais-je pas des idées, des phrases, des images et des rêves de cette source vive qui est toi ? Je le fais tous les jours… Si une femme n'est pas obligée d'avoir douze enfants et d'offrir perpétuellement sa poitrine aux "poignards" de leurs besoins, elle peut à la fois "soutenir la joie de donner la vie" et puiser dans cette joie des formes nouvelles.

LE 8 MARS 1988

Emission à la télévision, hier soir, sur Proust, émaillée de témoignages de gens qui l'avaient connu.

Filmée en 1962, sa femme de chambre, Céleste, a raconté avec force larmes comment s'était déroulée, quarante ans plus tôt, la mort du grand homme. Le dernier jour de sa vie, il s'était mis à délirer et soudain, pris de panique, avait crié : "Elle est là, la grosse dame, dans ma chambre ! – Mais alors je vais aller la chasser, lui a dit Céleste pour le rassurer. – Non ! aurait hurlé «Monsieur Proust». N'y allez pas, n'y allez pas ! Elle est affreuse ! Elle est immonde !"

Qui était cette "grosse dame" ? La mort ? ou bien la vie ? Une "femme grosse" ?… comme moi en ce moment ?

Décharnement, acharnement de Proust.

Martyriser le corps, accepter son dépérissement au profit de l'œuvre. Mépriser tous ceux qui ne vivent pas cette solitude ardente et exigeante, cette transsubstantiation de la matière en langage. Transférer son existence dans la création : *A la recherche du temps perdu* est un(e) livre de chair. Proust a peint, pourrait-on dire, *Le Portrait ovale* de lui-même.

Une femme a-t-elle déjà donné la (sa) vie de cette manière ? A l'œuvre, *pour* l'œuvre ? Oui : les mystiques, à leur façon (depuis sainte Thérèse d'Avila jusqu'à Simone Weil). Mais une mère ? Une "grosse dame" – une femme qui a été grosse –, comment ferait-elle pour sacrifier la chair au Livre ? Ayant participé à la création charnelle, comment ferait-elle pour oublier à quel point celle-ci est précieuse et fragile ? Constamment, entre elle et la page blanche destinée à devenir immortelle, se dresse le spectre de la mortalité.

"Mère et poète" ? C'est le titre d'un poème écrit par Elizabeth Barrett Browning peu avant sa mort, et dédié à Laura Savio de Turin, poète et patriote, dont les deux fils venaient d'être tués à la guerre.

[...] Pourtant l'année dernière encore, j'étais poète
Et douée pour mon art – pour une femme, disaient les hommes ;
Mais cette femme, ah ! celle-ci, qui souffre, là, maintenant
– La mer de l'Est et la mer de l'Ouest riment sur sa tête
A tout jamais.
Dans quel art une femme peut-elle briller ? O vanité !
Dans quel art brille-t-elle, hors celui de se faire mal au sein
Avec les dents blanches comme lait de ses enfants, et de sourire à la douleur ?
Oh, mes garçons, comme vous me faisiez mal ! vous étiez forts quand vous vous pressiez,

Et moi, fière, par cette épreuve.
Quel art est pour une femme ? Celui de tenir sur ses genoux
Ses deux chéris ! Sentir autour de son cou leurs bras
S'accrocher et l'étrangler un peu ! Coudre leurs habits
Broder pour eux la chemise et le joli petit manteau
Rêver et radoter […]

J'entends d'ici Simone de Beauvoir grincer des dents. Moyennant quoi, elle n'est devenue ni mère ni poète.

LE 9 MARS 1988

Maintenant, il y a deux ans, j'étais sortie de l'hôpital. Je n'allais pas mieux mais j'avais subi tous les examens qu'il était possible de me faire subir. M. allait maintenant apprendre à dormir à mes côtés (et L., à s'installer pour lire au lit) sans me toucher les jambes. Moi, j'allais apprendre à être *patiente*, dans tous les sens du terme.

Le 4 mars 1986
Ça monte : ça fait désormais un cercle qui passe juste au-dessus des seins, me presse comme un carcan…

Le 10 mars, 1 heure du matin
Elle a l'air tenace, cette chose : elle me tient *dans ses* tenailles, *me serrant les pieds, les genoux, le bas du dos…*

Le 11 mars 1986
L'amour, hier soir... autour c'est encore du bois, mais dedans ! quel plaisir de ressentir *du dedans !*

A midi, en préparant à déjeuner, je constate que les restes, les déchets, les choses-en-cours ne m'angoissent pas comme ils le font si souvent. Plaisir (presque le même, presque sexuel) à manipuler les choses : éplucher des gousses d'ail et jeter les épluchures à la poubelle, ramasser des pétales de fleurs tombés sur le comptoir et les y jeter aussi... avec des coquilles d'œuf, un pot en verre de yaourt, des épluchures de concombre...

Ça, je prends et je garde pour nourrir la vie et l'amitié ; ça, je laisse pourrir et participer à d'autres cycles de génération, régénération... Tout bouge, et moi avec. Je vais mourir, et je suis vivante.

La maladie peut faire prendre conscience de la mortalité.

La maternité aussi. Ma maladie était-elle une sorte de maternité ? Elle a duré neuf mois, de février à novembre 1986. Est-ce que j'avais eu besoin de me re-mettre au monde ?

Le 14 mars 1986
Comment garder la vie, une fois revenue à la santé ? Voilà la question paradoxale. Comment ne pas vouloir rester malade à tout jamais, pour qu'on (= je) n'attende plus rien de moi ? Chaque jour un peu plus, il me semble que cette maladie éclaircit *les choses, qu'elle est plus claire et clarifiante que la santé. Dans mon état "normal", je marche souvent dans l'ombre de la vallée de la Mort ; depuis que je*

suis malade, tous les nuages de doute et de destruction se sont dissipés et je suis dans la vie, dans tout ce que la vie a de bon et de généreux et d'évident.

Un an plus tard, physiquement guérie, les éclaircissements étaient devenus, jaillissant des nuages de doute et de destruction, des éclairs. Mon cahier de mars 1987 ne parle que des coïncidences "miraculeuses" qui se produisaient chaque jour entre mon roman et la vie réelle. Tout était électricité pour cette machine à illusions : les journaux me fournissaient des mots-cadeaux ; je recevais de mes amis des cartes postales ou des coups de téléphone qui "corroboraient" ce que j'avais écrit la veille... Ma fébrilité était réelle, vérifiable : un soir j'ai pris ma température après une virée vertigineuse parmi mille étoiles clignotantes : citations bibliques, étymologies, noms propres... j'avais 38°. Les mots sont-ils une maladie ? Sans le savoir, je glissais déjà sur la pente de la folie. Mais *comme la pente était douce* !

LE 10 MARS 1988

"Je ne sais pourquoi, écrit Virginia Woolf dans son journal, le 19 janvier 1922, le lien entre la vie et la littérature doit être fait par les femmes : et elles le font si rarement bien." Je fais de mon mieux, Virginia... Je vous tends la main comme vous avez tendu la vôtre à Elizabeth Barrett en écrivant sa biographie à travers les yeux de son épagneul Flush ; comme elle a tendu la sienne à George Sand en lui dédiant des sonnets sur l'androgynie et l'angélisme...

De main en main, nous finirons bien par voir clair dans cette histoire.

Elles se ressemblent à plus d'un égard, Elizabeth et Virginia. Petites filles joyeuses et avides, gobant le grec et le latin dans les manuels scolaires de leur grand frère… puis faisant l'expérience précoce, répétée et violente, de la mort : les êtres les plus chers qui disparaissent les uns après les autres. Les corps qui étaient là – chauds et aimants, vous parlant, vous écoutant – ne sont plus. Le frère, la sœur, la demi-sœur… La mère : une mère exemplaire, une mère qui a donné toutes ses forces jusqu'à la dernière goutte, et qui meurt au moment où la fillette devient femme. Et puis, quelques années plus tard, le frère préféré est fauché lui aussi. Thoby, le frère aîné de Virginia, par le typhus. Edward, le frère aîné d'Elizabeth, par la noyade.

C'est trop.

Virginia et Elizabeth renoncent au corps.

Elles resteront vierges – longtemps. Ensuite elles seront monogames. Et, dans le cas de Virginia, frigide.

Le corps est terrifiant. Il meurt.

Les mots ne meurent pas.

Elles s'enferment, elles écrivent, elles "attrapent une maladie des nerfs". Comme Barrett le raconte à Robert Browning :

Le 11 août 1845

> J'avais autrefois un médecin qui croyait avoir tout fait, simplement parce qu'il avait fait sortir l'encrier

> de la chambre. “Voilà, dit-il, demain votre pouls sera de tant.” Il considérait, gravement, que la poésie était une sorte de maladie – une sorte de champignon au cerveau – et que pour les femmes c'était une maladie mortelle, incompatible avec la bonne santé même dans les meilleures circonstances [...]. Comme ces médecins confondent physique et métaphysique !

Les médecins de Virginia Woolf feront de même. Malheureusement, le fait est qu'il n'y a *pas* de frontière nette entre physique et métaphysique, pour les artistes encore moins que pour le commun des mortels. Des mots peuvent provoquer des maladies, ou les guérir ; des traumatismes corporels peuvent déclencher ou interrompre une avalanche de pages ; il y a reconversion constante d'énergie physique en énergie psychique et *vice versa*. (Ils font ce qu'ils peuvent, les pauvres médecins... A moi, ils ont prescrit des tranquillisants pour une infection de la moelle épinière et des antibiotiques pour une crise délirante, mais comment pourrais-je leur en tenir rigueur ?)

Il n'y a probablement jamais eu de tentative de couple aussi pure, aussi extrême que celle des Woolf – Virginia et son mari Leonard – pour effectuer la reconversion à sens unique, du corps vers l'esprit. Un homme et une femme, deux écrivains doués et cultivés, qui ont vécu ensemble dans la chasteté totale pendant près de trente ans.

On ne lit plus guère les livres de Leonard Woolf, mais il est à peu près certain que, sans lui, il n'y aurait pas eu de “Virginia Woolf”, au sens où ce nom propre renvoie à une grande œuvre littéraire. Il ne fait aucun doute que la chasteté était une condition *sine qua non* de la sérénité et de la concentration intellectuelle de Virginia (ah ! qu'il est dur d'admirer éperdument quelqu'un qui ne s'est jamais abandonné à la danse, au jazz, aux caresses d'un corps !). Comment Leonard a réussi à supporter cette condition draconienne, on le sait moins. L'équilibre enviable de leur ménage ne s'est pas établi tout seul, ni tout de suite…

La règle en matière d'éducation sexuelle en Angleterre, à l'époque victorienne, était, pour les enfants des deux sexes, le silence. Mais Virginia Stephen a dû endurer, entre les âges de six et vingt ans, les attouchements sexuels de deux demi-frères, fils de sa mère par un premier mariage, qui vivaient sous le même toit qu'elle. Quant à Leonard Woolf, il a acquis ses premières connaissances érotiques grâce, d'une part, à des livres d'aventures et, d'autre part, aux récits obscènes de ses camarades d'école. En d'autres termes, là où Leonard est initié à la sexualité par le *langage*, l'initiation de Virginia passe par les *gestes*. Ces différentes formes d'initiation marqueront les caractères de l'un et l'autre de façon indélébile.

Tous deux arrivent à l'âge adulte avec un dégoût mêlé d'ignorance pour le corps de l'autre sexe, une peur de la chair en général, un amour sans bornes pour les mots et les idées. Leur première rencontre a lieu en 1904, quand Virginia a vingt-deux ans et Leonard vingt-quatre ; tous deux sont encore vierges. Le père de Virginia, Leslie Stephen – intellectuel célèbre, l'auteur entre autres d'une vaste *Encyclopédie des hommes de lettres* –, vient de mourir. Leonard Woolf, comme Leslie Stephen et son fils Thoby dont il est l'ami, a été éduqué à Cambridge ; comme eux, c'est un homme brillant et ambitieux.

> Thoby [écrira Virginia plus tard dans ses Mémoires] me parlait d'un garçon surprenant – un type qui tremblait continuellement de la tête aux pieds. C'était un original. C'était un Juif. Quand je lui demandai pourquoi il tremblait, Thoby me laissa entendre que cela tenait à sa nature – il était si violent, si sauvage ; il méprisait tant le genre humain [en réalité Leonard était atteint d'une sorte de Parkinson qui s'empirait quand il était nerveux]. [...] J'éprouvais bien entendu le plus profond intérêt pour ce violent, ce tremblant misanthrope juif, qui avait déjà menacé du poing la civilisation et allait disparaître sous les Tropiques, si bien qu'aucun de nous ne le reverrait plus.

Peu de temps après cette première rencontre, Leonard part effectivement pour “les Tropiques”, en l'occurrence Ceylan, où il remplit pendant sept ans les fonctions de chef de police judiciaire à Jaffna. Et, tout en exécutant avec une grande efficacité ses tâches de membre du gouvernement colonial, il écrit un roman remarquable, *Le Village dans la jungle*. Y transparaissent à la fois une connaissance profonde du peuple cinghalais, de sa culture et de ses traditions, et une fascination mêlée de crainte pour la jungle elle-même. “Il est difficile de savoir, écrira-t-il plus tard dans son autobiographie, exactement pourquoi je trouvais la jungle si fascinante. C’est un endroit cruel et dangereux – et, étant quelqu’un de lâche, j’en ai toujours eu peur. Et pourtant je ne pouvais m’empêcher d’y aller.”

Les lettres qu’il envoie de Ceylan à son ami Lytton Strachey indiquent que la sexualité suscite en lui exactement la même ambivalence. “Je commence à croire qu’il est toujours abject d’être amoureux : après tout, c’est toujours pour 99 % le désir de copuler – sans quoi, ce ne serait que l’ombre de l’amour –, et le désir de copuler me semble tout aussi abject lorsqu’il est particularisé que lorsqu’il est général.” Il fréquente des prostituées tamoules et, parallèlement, vit un amour platonique avec une jeune Anglaise du nom de Gwen. Mais, à tout prendre, dit-il, “mes promenades à cheval dans la jungle sont supérieures, je crois, en tant que plaisir, à la copulation”.

A Londres, pendant ce temps, Virginia s’est embarquée dans une nouvelle vie, s’installant dans le quartier de Bloomsbury avec son frère cadet Adrian et créant avec sa sœur Vanessa un “salon” d’artistes et de penseurs résolument modernes. Vanessa elle-même est peintre, son mari Clive Bell est critique d’art, Lytton Strachey est historien et biographe… Ensemble, ils décident de mettre fin à l’hypocrisie et à la pudibonderie qui ont tant comprimé leur jeunesse. Finies la bienséance sociale et la respectabilité littéraire ; l'art moderne saura faire voler en éclats tous les tabous... Le groupe de Bloomsbury, avec ses réunions hebdomadaires où la crème de l'intelligentsia londonienne se fait mousser, acquiert rapidement de la notoriété.

> Soudain la porte s'ouvrit et la longue et sinistre silhouette de M. Lytton Strachey se tint sur le seuil. Il montra du doigt une tache sur la robe blanche de Vanessa. "Du sperme ?" dit-il. Est-ce possible à dire, vraiment ? pensai-je et nous éclatâmes de rire. A ce seul mot toutes les barrières de la réticence et de la réserve s'écroulaient. Un flot du fluide sacré sembla nous submerger. La sexualité s'insinua dans notre conversation. Le mot pédéraste revenait sans cesse sur nos lèvres. Nous discutions copulation avec la même animation et la même liberté que nous avions mises à discuter de la nature du bien.

Il est frappant que dans ces nouvelles initiations, à l'inverse des précédentes, l'expérience de Virginia soit verbale et celle de Leonard, physique. A leur insu ils sont en train de se rapprocher l'un de l'autre.

Par ailleurs, Virginia a commencé, elle aussi, à rédiger son premier roman – celui qui deviendra, après bien des péripéties, *La Traversée des apparences*. En 1910, elle participe à un canular spectaculaire : avec trois de ses amis hommes du groupe de Bloomsbury, elle se déguise en dignitaire abyssinien, s'affublant d'un turban, d'un caftan brodé, d'une moustache et d'une barbe, et pénètre dans le bâtiment de guerre le mieux gardé de la flotte anglaise. Le capitaine, d'une crédulité à peine imaginable, leur fait faire un tour guidé du navire ; un scandale terrible éclate quand la vérité est révélée à la presse. Cet épisode a pour effet de renforcer la haine de Virginia pour la brutalité et la stupidité des hommes, entourées de pompes et d'honneurs qu'elle trouve aussi ridicules que dangereux. Son ressentiment très personnel à l'égard de la virilité s'étendra désormais à toutes les formes de la puissance masculine.

C'est l'année suivante, en 1911, que Leonard rentre à Londres, tombe amoureux fou de Virginia, prend la décision irréversible de renoncer à son poste à Ceylan et s'installe au dernier étage de la maison qu'elle habite avec son frère. L'un et l'autre écrivent cinq cents mots chaque matin. Leonard, impressionné par l'intelligence de Virginia, l'appelle “Aspasie”. Il lui envoie des billets doux…

> Je suis amoureux d'Aspasie […]. Son esprit est si étonnamment dépourvu de craintes, il n'y a aucun fait, aucune réalité qu'il ne sache affronter. Elle est l'une des peut-être trois femmes au monde à savoir que le fumier n'est que fumier, que la mort n'est que mort, que le sperme n'est que sperme. Elle est la plus olympienne des Olympiens…

Le mot de sperme ne fait plus peur à Virginia, peut-être, mais la perspective de la chose continue de la rendre, littéralement, malade. Le 11 janvier 1912, Leonard lui demande de l'épouser, et un mois plus tard elle entre dans une maison de repos avec, comme elle l'écrit à une amie, "un soupçon de ma maladie habituelle – la tête, n'est-ce pas". Ses symptômes, toujours les mêmes, sont parlants : elle entend des rires moqueurs, est persuadée qu'elle mange trop et veut cesser de se nourrir, se sent menacée par le regard des autres et rougit violemment si on lui parle, ne peut faire face aux inconnus dans la rue... Cette maladie – "la tête, n'est-ce pas" – n'est autre qu'une terreur insurmontable du corps.

Rendu inquiet par la nervosité et l'instabilité de la femme qu'il veut épouser, Leonard se demande s'il ne serait pas risqué pour elle d'avoir des enfants. A l'insu de Virginia (mais avec la complicité de Vanessa), il consulte plusieurs médecins à ce sujet. Le curieux compte rendu qu'il fait de leurs discussions dans son autobiographie suggère qu'il avait déjà décidé de l'avis qu'il souhaitait obtenir.

> Son médecin était Sir George Savage, l'un des meilleurs spécialistes en psychiatrie. Par ailleurs, c'était un ami de la famille et il connaissait Virginia depuis sa naissance. Je suis allé le voir vers le début de 1912 et il a discuté avec moi de la santé de Virginia, en tant que médecin et en tant que vieil ami [...]. Il a balayé mes doutes d'un revers de la main [...]. Alors je suis allé consulter deux autres médecins connus [...]. Ceux-là confirmèrent mes craintes et s'opposèrent catégoriquement à l'idée que Virginia ait des enfants. Nous suivîmes leur conseil.

Il se trouve que les “deux autres médecins” sont des champions de l’eugénisme – “connus”, notamment, pour leurs pamphlets contre la procréation chez les malades mentaux, qu’ils considèrent comme une des causes du déclin de l’Empire britannique… Or Virginia veut avoir des enfants : c’est la chose pour laquelle elle envie le plus Vanessa. La lettre qu’elle envoie à Leonard au mois d’avril est sans ambiguïté à ce sujet :

> Je veux tout – l’amour, des enfants, de l’aventure, de l’intimité, du travail […] alors je passe du fait que je suis à demi amoureuse de vous, que je voudrais que vous soyez toujours avec moi et que vous connaissiez tout de moi, à l’extrême de la sauvagerie et de la réserve. Je pense parfois que, si je vous épousais, je pourrais tout avoir – et puis – est-ce le côté sexuel qui s’interpose entre nous ? Comme je vous l’ai dit brutalement l’autre jour, je ne ressens aucune attirance physique pour vous. Il y a des moments – quand vous m’avez embrassée l’autre jour en était un – où j’ai l’impression de n’être rien d’autre qu’un roc.

Ils sont fiancés le 29 mai 1912. Début juin, Virginia retombe malade pendant quelques jours… Le mariage a lieu le 10 août, et le couple part en Espagne en voyage de noces. De Saragosse, Virginia écrit à sa meilleure amie Ka :

> Pour quelle raison penses-tu que les gens fassent tant d’histoires sur le mariage et la copulation ? Pourquoi certaines de nos amies changent-elles

> avec la perte de leur virginité ? Il se peut que mon âge avancé [elle a trente ans] en fasse moins une catastrophe ; mais je trouve sans nul doute que l'on exagère immensément l'apogée. Hormis une bonne humeur soutenue (L. ne verra pas cela) due au fait que tout élancement d'irritation retombe aussitôt sur mon mari, je pourrais toujours être Miss S.

Leonard ne verrait effectivement jamais cette lettre, mais Virginia ne verrait pas non plus, avant longtemps, ce que son mari était en train d'écrire au même moment : un roman dont le titre à lui seul est tout un programme… *Les Vierges averties* (en anglais, *The Wise Virgins* reprend, de plus, en les intervertissant, les initiales de sa toute nouvelle épouse).

La frigidité de Virginia Woolf a été commentée souvent : par elle-même, par son neveu et biographe Quentin Bell, par Vita Sackville-West qui a été son amie et son amante. Si on connaît moins le sentiment de son mari à ce sujet, c'est qu'il est exprimé dans un très mauvais livre, et que les très mauvais livres disparaissent vite. Mais il n'y a pas de doute que Leonard a déversé dans *Les Vierges averties* sa frustration, voire sa colère envers la femme qu'il venait d'épouser. L'intrigue entre "Harry" et "Camilla" est un reflet déformé de sa rencontre avec Virginia, et du refus glaçant que celle-ci avait opposé à toute passion :

> Il se tint au-dessus d'elle, la regardant d'en haut. Pour elle, il semblait contenir quelque chose de

presque menaçant, et d'étranger. Il tremblait légèrement de tout son corps. Alors qu'il se tenait là dans cette attitude de désir et d'envie et d'excitation, l'assommant de ses mots brefs et aigus, elle se rendit pleinement compte qu'il la laissait tout à fait froide.

La relation culmine avec une lettre de Camilla à Harry, calquée très exactement sur celle que Leonard avait lui-même reçue quelques mois plus tôt :

> Cher Harry…
> Je veux vous dire la vérité […]. Cela me fait plaisir de savoir que vous m'aimez […] mais c'est le côté romantique de la vie que je veux ; c'est la traversée des apparences [en anglais : *the voyage out*, titre du roman sur lequel travaillait Virginia] qui me semble importante, les choses nouvelles et merveilleuses […]. Je veux tout. Je veux l'amour aussi, et la liberté. Je veux même des enfants. Mais je ne veux pas me donner ; la passion me laisse froide.

La Traversée des apparences a pour sujet, lui aussi, les difficultés qui entourent l'état amoureux, les fiançailles et le mariage. Mais, alors que Virginia explore les gouffres psychologiques qui séparent le monde des hommes du monde des femmes, Leonard met l'accent sur les barrières sociales. Lui-même appartient à la petite-bourgeoisie et non à l'aristocratie intellectuelle ; il est juif et non chrétien. Harry, son *alter ego* dans le roman, conspue l'inaction et la verbosité du milieu de Bloomsbury : "Vos femmes sont froides et elles me laissent froid", déclare-t-il ; et ailleurs : “Il ne pouvait pas s’imaginer en train d’embrasser Camilla ; les grandes dames et la porcelaine de Dresde ne vous embrassent pas, ne vous versent pas le thé tous les matins.”

Leonard Woolf n’est pas un grand maître du style, et ici il n’est pas à son mieux (on imagine mal, en effet, la porcelaine de Dresde en train de vous verser le thé !), mais il a entièrement raison sur la froideur physique de son épouse. Virginia emploie le même mot, et de manière insistante, à propos de sa propre héroïne Rachel. Embrassée passionnément par un homme, la tête de celle-ci “était froide, ses genoux défaillants” ; “elle en vint peu à peu à ne plus rien sentir, car une froideur l’envahissait maintenant, corps et âme”…

Or cette froideur éthérée est très exactement, pour Virginia Woolf, *l’aire de la création littéraire*. Elle le sait depuis longtemps et elle le dit bien :

> […] j’écris les choses comme je les vois ; et j’ai parfaitement conscience tout au long que c’est un point de vue très étroit et assez froid. Mais mon sentiment actuel est que ce monde vague, ce monde de rêve, sans amour, ni cœur, ni passion, ni sexualité, est celui que j’aime vraiment et que je trouve intéressant.

Dans *La Traversée des apparences*, les protagonistes, Rachel et Terence, finissent par se fiancer, mais Rachel meurt d’une maladie tropicale avant que le mariage n’ait pu avoir lieu… et Terence se suicide. Quant au héros de Leonard dans *Les Vierges averties*, il n'épousera pas la distante Camilla, mais une jeune fille insipide (nommée Gwen comme son amie de Ceylan), qui appartient au même milieu que lui et qu'il a déflorée dans un moment de passion presque distraite. Il ne l'aime pas : "Il se sentait coincé, piégé. Il détestait la mollesse des femmes..."

Or Virginia déteste cette "mollesse des femmes" autant que Leonard. Tous deux aspirent à être pur esprit. Et, de fait, tous deux ont un minimum de corps : ils sont très maigres. Seulement, l'une *est* femme, et l'autre pas. Leonard ne se sent pas menacé ni écœuré par sa *propre* chair. Il vit sa maigreur dans la sérénité ; Virginia, elle, souffre d'anorexie et d'insomnie.

En janvier 1913, cinq mois à peine après leur mariage, Leonard commence à tenir un journal de la santé de sa femme. Il y note régulièrement ce qu'elle mange, comment elle dort, combien elle pèse, et les dates de ses règles. Le journal ne s'interrompra que vingt-huit ans plus tard, quand son objet mettra brutalement fin, par un acte de la volonté, à toute cette existence physique.

LE 11 MARS 1988

Anorexie, insomnie, aménorrhée, frigidité, hystérie : symptômes typiques de la scission corps / esprit chez les jeunes-femmes-intelligentes-et-de-bonne-famille. Autant de façons, pour une femme, de remporter une victoire de l'esprit sur la matière.

(Woolf se situe à la charnière du XIXe et du XXe siècle, de l'hystérie et de l'anorexie, du refus de la sexualité et de celui de la nourriture. Sa maladie, comme sa littérature, portera la double empreinte du passé et de l'avenir, de la tradition classique et de l'âge moderne.) *Ne rien sentir.* Ne subir ni son propre désir, son propre appétit, ni celui de l'autre. Devenir idée, plutôt qu'un être de chair et de sang. Ne pas saigner… Les anorexiques maigrissent en deçà du poids minimal pour ovuler ; leurs règles s'interrompent : d'où l'importance de cette observation dans le journal que tient Leonard. Virginia Woolf, même quand elle est bien portante, s'alite systématiquement les premiers jours de ses règles.

Je remonte un peu plus loin dans mes propres carnets et découvre (encore une fois à ma stupéfaction), deux mois avant le déclenchement de la maladie neurologique :

Le 6 décembre 1985
…depuis quelque temps l'arrivée de mes règles me chamboule complètement : ce n'est pas de la douleur physique mais une douleur morale aiguë, caractérisée notamment par l'agoraphobie. Par exemple cette matinée de délire dans les trois rues P…

Je recherche et retrouve la matinée en question :

Le 15 février 1985
…traverse le boulevard, m'engage dans la chaîne des trois "P", ces rues du IIIe arrondissement aux vitrines de vente en gros et en demi-gros, et c'est un

cauchemar de froid, de pollution, d'odeurs infectes ; les voitures exhalent des effluves nauséabonds, des camions me dépassent en vrombissant et en pétaradant ; rue du Temple, le carrefour est bouché par un véhicule géant qui chie dans un seau des crottes de goudron chaud, tout autour klaxonnent camions et voitures bloqués, comment contourner cela ? le cœur se soulève, les étrons fumants continuent de glisser dans le seau avec des éclaboussements obscènes…

Le 6 décembre 1985 (suite)
Vérification faite, le 15 février était bel et bien un lendemain de saignement. Dans cet état je suis prête à tuer un camion (oui, à tuer un camion) qui se met en travers de mon chemin, prête à fracasser les étals du BHV à cause des bêtises qui dégoulinent du haut-parleur, prête à me taper la tête contre les murs pour la vider de son trop-plein d'inutilité. Les minutes s'étirent insupportablement en longueur tandis que les heures s'engouffrent dans le vide…

Le 7 décembre 1985
Presque invariablement, cet état est précédé par un autre que j'appellerais le corps électrique : je fais sauter les ampoules de chaque lampe que j'allume, et suis moi-même sensuellement "allumée".

Rêve bouleversant ce matin juste avant le réveil, dans lequel je transmettais mes "mauvaises vibrations" à tous les objets de mon studio. Non seulement les lumières s'éteignaient, mais les assiettes se *recroquevillaient en boule, et les chaises se jetaient par la fenêtre. Terrifiée par cette preuve irréfutable de ma mauvaiseté, j'ai cherché désespérément à tout ramener à la normale en émettant des "bonnes vibrations", encerclant les ampoules de mes mains en pensant très fort au Bien, à la Joie de vivre... ah ! une petite lumière vacillante commençait à renaître...*

Ayant procédé ce jour-là à de nouvelles vérifications, j'ai appris que les *deux* crises de tétanie (ou d'hystérie ?) dont j'avais été la victime (toutes deux récentes, depuis la naissance de L.) avaient coïncidé, elles aussi, avec l'arrivée de mes règles. Il me restait encore à faire le rapprochement entre ces "dérèglements" électriques et... le complexe d'Electre. Cela ne viendrait que beaucoup plus tard, grâce à la lecture et à la relecture de Sylvia Plath.

Sylvia Plath qui, comme Virginia Woolf, adorait sa mère mais sentait qu'elle ne pouvait être écrivain qu'en transgressant les valeurs de cette mère (en tuant l'"Ange du foyer"). Qui, pour illustrer cette ambivalence, s'est divisée contre elle-même, dressant l'esprit contre le corps. Qui s'est trouvée, du coup, en position d'imposture et de culpabilité chaque fois qu'elle achevait un projet littéraire. Qui, de plus, a craint et détesté toutes les femmes écrivains qui pouvaient lui porter de l'ombre (c'est le trait le plus antipathique de Woolf comme de Plath). Mais je ne dois pas anticiper...

Virginia achève *La Traversée des apparences* en mars 1913 et sombre dans une dépression grave.

Leonard est à nouveau inquiet, et même le médecin de famille se range enfin à son avis :

> Après qu'elle eut fini le livre et que je l'eus porté chez l'éditeur [...], elle souffrait continuellement de crises d'angoisse et d'insomnies, et de temps en temps de la migraine qui était le signe précurseur de quelque chose de pire. Périodiquement, Sir George Savage fut consulté, et finalement au printemps il fut définitivement décidé qu'il serait dangereux pour elle d'avoir un enfant.

LE 14 MARS 1988

Quatre mois de grossesse révolus. "Presque la mi-temps, m'a dit l'autre soir un amateur de foot – sauf que vous n'avez même pas droit à une mi-temps."

En effet. Pas de répit.

Cet enfant-ci fait sentir (et voir) sa présence beaucoup plus que L. : mon ventre a doublé de volume depuis que je tiens ce journal. Beaucoup de commotion là-dedans. Mais au moins je n'ai plus ces spasmes paralysants du troisième mois, ni ces affreuses "nausées de la tête" du deuxième – vertiges dans lesquels mon cerveau semblait se soulever comme un estomac. En revanche, mes gencives sont enflées et endolories. ("C'est un garçon, m'a dit péremptoirement le dentiste avant-hier. Gingivite gravidique. C'est bien connu, les garçons consomment le calcium de leur mère beaucoup plus que les filles.") Et, depuis quelques jours, mes joues sont rouges et chaudes comme par l'effet d'une honte permanente : espèce d'urticaire qui préfigure le "masque" de la grossesse ?

Suis-je encore moi ?

De plus en plus, la gestation m'apparaît comme un microcosme de la vie humaine. Une leçon sur le temps : son caractère inexorable, irréversible, irréfutable… et relatif. Neuf mois, c'est à la fois un temps long et un temps court. Long si l'on compte le nombre de secondes passées à supporter ce processus si souvent inconfortable ; court au vu d'une biographie entière. Un temps ni long ni court – *un certain temps* – exactement comme la vie elle-même. *La haine de l'enfantement est presque toujours une peur devant la mortalité.*

LE 17 MARS 1988

De même qu'écrire l'histoire des Fitzgerald avait réveillé le torticolis qui me tourmentait pendant mes recherches bostoniennes, écrire l'histoire des Woolf a réactivé (en moins fort) les symptômes qui m'ont terrassée à Londres en septembre 1985, alors que je compulsais les précieux documents woolfiens à la British Library : fièvre, congestion et fatigue extrême… je viens de dormir quarante-huit heures.

Le 15 janvier 1933

Oui, mais cette scène fait battre mon cœur avec une rapidité inconfortable. Alors que je me forçais

> à écrire *Flush* mon vieux mal de tête est revenu – pour la première fois cet automne. Pourquoi *[Les Années]* devrait-il faire tressauter mon cœur, pourquoi *Flush* devrait-il me raidir la nuque ? Quel lien y a-t-il entre le cerveau et le corps ? Aucun médecin de Harley Street ne peut l'expliquer, pourtant les symptômes sont purement physiques et aussi distincts que le sont les livres les uns des autres.

En juin 1913, Leonard Woolf termine *Les Vierges averties*. En juillet, accablée de migraines, Virginia retourne à la maison de repos à Twickenham, et la publication de *La Traversée des apparences* est reportée *sine die*.

Le traitement que subissait Virginia lors de ses crises d'angoisse – traitement très à la mode au début du siècle pour les femmes neurasthéniques – était la fameuse "cure de repos" du Dr S. Weir Mitchell. Celui-ci, exactement comme les médecins tournés en dérision par Elizabeth Barrett, était convaincu que la vie de l'esprit était dangereuse pour le métabolisme féminin. La cure consistait, d'une part, à nourrir la patiente de force, et, d'autre part, à réduire au strict minimum ses activités intellectuelles telles que la lecture, l'écriture ou la conversation.

Autrement dit, tout ce qui rassurait et remontait Virginia Woolf lui était interdit, tandis que tout ce qui la dégoûtait et lui faisait peur lui était imposé – et cela, bien sûr, au nom de la science, de la raison – toutes les certitudes que son art romanesque cherchait justement à mettre en cause, "traversant les apparences" pour faire miroiter la beauté ineffable, les formes insaisissables qui se cachaient derrière… Souvent, dans la maison de repos, son état empirait.

En août, le Dr Savage lui donne la permission de prendre des vacances avec Leonard, et celui-ci commet l'erreur désastreuse de la ramener à l'auberge même où ils avaient passé leur nuit de noces. Ce rappel de sa frigidité réveille son anorexie : déprimée jusqu'à la catatonie, Virginia refuse d'avaler quoi que ce soit et devient ouvertement suicidaire. (Leonard, qui trouve la cuisine de cette auberge exceptionnellement bonne, n'y comprend rien.) Il la persuade de rentrer avec lui à Londres et de consulter un nouveau médecin (non pas le Dr "Sauvage", cette fois-ci, mais… le Dr "Tête") pour une deuxième opinion sur sa santé mentale.

> Nous allâmes voir Head dans l'après-midi. Je lui donnai ma version de ce qui s'était passé et Virginia donna la sienne. Il lui dit qu'elle se trompait complètement sur son état : qu'elle était malade ; malade comme quelqu'un qui a un rhume ou la fièvre typhoïde […] ; qu'elle devait aller dans une maison de repos et rester au lit pendant quelques semaines à se reposer et à se nourrir.

Ce n'est que dix ans après la crise de 1913, avec *Mrs Dalloway*, que Woolf trouvera le courage d'écrire directement sur le thème de la folie et la psychiatrie (au moins Leonard ne lui a-t-il pas interdit d'aborder ce sujet, comme Scott l'avait fait pour Zelda !). Dans ce roman, le grand et grandiloquent spécialiste de l'âme humaine, croisement peut-être du Dr Mitchell et du Dr Savage, se nomme Sir William Bradshaw.

> Par son culte de la Mesure, non seulement Sir William prospérait, mais il faisait prospérer l'Angleterre où il internait les fous, interdisait l'enfantement, pénalisait le désespoir, empêchait les anormaux de propager leurs idées, et les amenait à partager son sentiment de la Mesure.

Quant à la folie, elle est incarnée par Septimus Warren Smith (Woolf exprimait souvent ses convictions les plus chères par le truchement d'un personnage masculin). La maladie de Septimus, comme celle de Virginia, consiste à *ne rien sentir*. Ses épisodes hallucinatoires, comme ceux de Virginia, sont un mélange inextricable de joie et de souffrance. Comme Virginia enfin, Septimus fait preuve de tendances suicidaires…

> Son mari était très gravement malade, dit Sir William. Est-ce qu'il menaçait de se tuer ? "Oh ! oui", s'écria-t-elle. Mais il ne le disait pas sérieusement. Non, bien sûr. Ce n'était qu'une question de repos, dit Sir William : de repos, de repos, de repos ; un long repos au lit […]. "Nous avons terminé notre petit entretien, dit Sir William. – Le docteur dit que tu es très, très malade, s'écria Rézia. – Nous allons vous envoyer dans une maison de repos, dit Sir William […], où nous vous apprendrons à vous reposer."

Septimus Warren Smith, affolé par la perspective de cette "cure de repos", se jette par la fenêtre de l'hôpital où sa femme Rézia l'avait amené en consultation. Virginia Woolf, le soir de la consultation avec le Dr Head à laquelle Leonard l'a contrainte, avale cent grains de Véronal. Septimus, le corps transpercé par les pointes acérées d'un grillage en fer, réussit son suicide. Virginia rate le sien, mais les médecins souhaitent désormais la "certifier" malade mentale.

Leonard parvient à les en dissuader en promettant d'envoyer son épouse vivre à la campagne accompagnée de plusieurs infirmières. L'endroit qu'il choisit est Dalingridge, une maison dont le propriétaire n'est autre qu'un des demi-frères exécrés de Virginia. (Du reste, l'éditeur auquel Leonard avait porté *La Traversée des apparences* était… l'*autre* demi-frère !) Comme Leonard ignore tout de ce qui s'est passé entre ces hommes et Virginia adolescente, il s'étonne de ce que, à Dalingridge, l'anorexie de celle-ci ne fait que s'aggraver.

> Quand arrivait l'heure d'un repas [commente Leonard dans ses Mémoires], elle ne faisait aucune attention à l'assiette qu'on mettait devant elle, et si les infirmières essayaient de lui faire manger quelque chose, elle se mettait en rage. Moi, je réussissais à lui faire avaler un peu, mais c'était un processus très pénible. Chaque repas prenait une heure ou deux.

> Vous prescrivez le repos au lit [lit-on dans *Mrs Dalloway*], le repos dans la solitude, dans le silence, sans amis, sans livres, sans messages : six mois de repos, de sorte qu'un homme qui pesait cinquante kilos à son arrivée en pèse soixante-quinze en sortant de chez vous.

Entre le début de 1913 et la fin de 1915, le poids de Virginia passe très exactement de cinquante à soixante-quinze kilos. Or, plus elle prend du poids, plus elle va mal. Et, plus elle va mal, plus Leonard s'efforce de la faire manger et dormir, lui évitant toute forme d'excitation mentale…

Après moins de deux ans de mariage, il est obligé de reconnaître qu'il sera davantage l'infirmier de cette femme que son époux ; à partir de ce moment, le couple fait chambre à part. Mais un événement décisif se produit, qui a pour effet de réconcilier Leonard avec ce singulier état de choses, le convainquant une fois pour toutes que la chasteté est un atout plutôt qu'une malédiction : en 1914, c'est-à-dire en plein milieu de la crise de Virginia, il découvre les écrits de Sigmund Freud.

La revue *The Nation* pour laquelle il travaille comme critique littéraire lui demande d'écrire un article sur la *Psychopathologie de la vie quotidienne* ; du coup, il lit aussi *L'Interprétation des rêves*… et le voilà accroché. Toute sa vie, il sera passionné par la théorie psychanalytique ; la Hogarth Press, imprimerie et maison d'édition qu'il crée avec Virginia en 1917, finira par publier les œuvres complètes de Freud en anglais.

Or ce qui attire surtout Leonard Woolf dans la psychanalyse, c'est la théorie de la sublimation. Dès 1904, Freud avait esquissé cette idée dans ses grandes lignes : qu'aux buts originaux des instincts sexuels pouvaient se substituer des objectifs plus élevés et de plus grande valeur sociale ; que nous devions à ce processus les plus nobles acquisitions de l'esprit humain... Toutefois, Freud s'empressait de l'ajouter, il ne faut pas exagérer ; on ne peut pas espérer transmuer toute l'énergie provenant de l'instinct sexuel sans provoquer des conséquences fâcheuses. C'est là exactement ce que réussira à faire Virginia Woolf (avec, il faut bien l'avouer, un certain nombre de "conséquences fâcheuses") : métamorphoser la *libido* en *libris*.

Lundi 13 juin 1932

> Les abeilles s'élancent, vibrantes comme des flèches de désir, impétueuses, lubriques ; se croisent et s'entrecroisent dans les airs, chacune vibrant du ressort qui l'élance. L'air est saturé de vibration, de beauté, de ce brûlant désir fléché, de vitesse. Je persiste à penser que l'essaim d'abeilles frémissant, mouvant est le symbole le plus sexuel, le plus sensuel qui soit.

Le 2 décembre 1939

> Voilà un conseil à garder en tête. Qu'il faut toujours retourner l'oreiller. Ensuite je deviens un essaim d'idées. Seulement il faut leur faire une ruche...

Les abeilles sont le symbole de la sexualité, et les idées sont des abeilles. Dans la vie de Virginia Woolf, l'écriture *c'est* la jouissance.

Leonard retiendra alors, de la théorie freudienne, la nécessité de refouler l'instinct sexuel pour faire progresser la civilisation. Du coup, "la jungle", qu'il avait adorée et crainte quelques années plus tôt, deviendra l'emblème de tout ce qui doit être réprimé et surmonté pour améliorer le monde. De misanthrope violent, Leonard se transforme peu à peu en socialiste militant.

Après *Les Vierges averties* (dont l'échec est tellement retentissant qu'il qualifie le roman, paru en 1914, de "première victime de la Grande Guerre"), il délaisse la littérature pour se consacrer presque exclusivement à la politique. Son premier essai, *Un gouvernement international*, jettera les bases de la Société des nations fondée après guerre. Comme tous les livres qu'il publiera par la suite, c'est une plaidoirie contre les "instincts" et les "passions", pour la "raison" et la "science". Virginia, elle, a une approche sensiblement différente de la politique... De même que l'amour dans leur fiction, la guerre dans leurs essais est conçue et analysée par Leonard comme un fait social (resurgissement de la barbarie et de la bestialité, retour à la "loi de la jungle"), et par Virginia comme un fait sexuel (déchaînement de la virilité violente et meurtrière). Leurs écrits respectifs à ce sujet se lisent comme un dialogue de sourds.

Mais on voit aussi ce qu'un mari comme Leonard, qui militait pour le triomphe de la raison sur l'émotion, pouvait avoir de rassurant pour quelqu'un comme Virginia qui, tout en se méfiant du rationalisme réducteur et arrogant, était terrorisée par sa "propre capacité illimitée de sentir" :

> Tous ceux que je vénère le plus sont silencieux [écrit-elle à une amie] [...], et je me suis donc entraînée au silence – y étant contrainte aussi par la terreur de ma propre capacité illimitée de sentir [...]. Est-ce à cause de ma peur perpétuelle de la force inconnue qui rôde juste au-dessous du sol ? Je ne cesse jamais de sentir que je dois marcher tout doucement sur ce volcan.

L'écriture aide Virginia à contrôler cette terreur ; mais en même temps, bien sûr, elle la suscite. Et Leonard, qui comprend au moins cela – qu'il y a un lien étroit entre le génie littéraire de son épouse et sa folie –, choisit en fait le meilleur rôle possible : pendant près de trente ans, il incarnera, pour cette femme si dangereusement versatile, le bon sens et la bonne santé.

Mrs Dalloway, une femme généreuse mais frigide comme Virginia elle-même, est bouleversée par le suicide de Septimus Warren Smith. Elle se rend compte que, sans son mari Richard, elle serait capable de se précipiter elle aussi dans les bras de la mort :

> Même à présent, souvent, elle sentait qu'elle pourrait en mourir, sans la présence de Richard – assis à côté d'elle, lisant le *Times* – dans laquelle elle se blottissait comme un oiseau et peu à peu ranimait,

> exaltait, comme on frotte le bois contre le bois, une chose contre une autre, cette joie, cette joie indicible.

Ainsi, après trois années hérissées de crises et de ressentiments réciproques, les Woolf s'installeront dans un malentendu raisonnable. Ils auront chacun une "chambre à soi" – pour dormir, mais aussi pour travailler. Ils ne se sépareront que très rarement. Ils liront et critiqueront chacun les manuscrits de l'autre. Ils publieront livre après livre et parviendront tous deux à une renommée justifiée. Deux caractères on ne peut plus dissemblables, opposés en tout sauf en leur refus du corps... ce qui permettra à tous deux, très précisément, d'écrire.

Cela a été, selon un vers célèbre de Shakespeare, *a marriage of true minds*.

LE 18 MARS 1988

Donner la vie fait de vous une femme, donner la mort fait de vous un homme : deux clichés absolument complémentaires, qui ont (comme tous les clichés) du vrai et du faux. Ça fait longtemps que leur rapprochement me fascine...

Virginia Woolf a regretté toute sa vie de n'avoir pu devenir mère (c'est une des "vagues" dans les dépressions qui la submergent régulièrement) ; elle a exécré le bellicisme sous toutes ses formes. A propos de ceux qui prônent la guerre en 1937, elle écrit avec sarcasme : "C'est la gloire de mourir sur le champ de bataille, plutôt qu'en couches, qui les attire ; le spectaculaire, les feux de la rampe."

Simone de Beauvoir (à peine dix ans plus tard) dira tout le contraire : "Ce n'est pas en donnant la vie, c'est en risquant sa vie que l'homme s'élève au-dessus de l'animal ; c'est pourquoi dans l'humanité la supériorité est accordée non au sexe qui engendre mais à celui qui tue."

Cette dernière phrase réitère l'idée que les femmes sont moins "humaines" que les hommes, parce que leur corps, dans la pleine fleur de l'intelligence, à mi-chemin entre sa propre naissance et sa propre mort, *subit* les affres inexorables de l'accouchement. Un processus naturel fait irruption dans l'existence culturelle : on a beau le nommer, le commémorer, le circonscrire, le ritualiser... l'accouchement n'en déclenche pas moins des hurlements ; n'en fait pas moins jaillir des geysers de sang ; n'en laisse pas moins de confronter l'être humain de façon brutale avec sa *matérialité*.

Les femmes sont tenues pour responsables de la mortalité humaine. Du fait que la vie commence nécessairement à l'intérieur de leur corps, on les associe aussi à la nécessité de mourir. Les hommes, dont la participation physiologique à la procréation occupe quelques secondes au lieu de neuf mois (et peut être mise en doute), ont pu se rêver extérieurs à ce cycle. Certains sont allés jusqu'à imaginer que, "sans les femmes", ils ne se seraient pas trouvés dans l'affreuse obligation d'assister à leur propre agonie.

L'homme se considère "comme un dieu déchu", explique Beauvoir.

> Sa malédiction, c'est d'être tombé d'un ciel lumineux ordonné dans les ténèbres chaotiques du ventre maternel [...]. La contingence charnelle [...] le voue [...] à la mort. Cette gélatine tremblante qui s'élabore dans la matrice (la matrice secrète et close comme un tombeau) évoque trop la molle viscosité des charognes pour qu'il ne s'en détourne pas avec un frisson.

Pour que *qui* ne s'en détourne pas ? "L'homme." Il en a tant vu que ça, des charognes ? et de suffisamment près pour constater leur "molle viscosité" ? ainsi que la ressemblance de celle-ci avec la "gélatine tremblante" de l'embryon ? Mais qu'a-t-il, "l'homme", à fouiner ainsi dans les cimetières et les utérus ?

(C'est de toi qu'elle parle, mon enfant, c'est toi la gélatine tremblante. Est-ce que tu te sens "déchu" en ce moment ? Frissonnes-tu dans ma "matrice secrète et close comme un tombeau" ? *Womb... tomb. Mommy... mummy.* La mère comme momie. Facile. Les gens ont l'épouvante facile, tu ne trouves pas ?)

"L'embryon glaireux ouvre le cycle qui s'achève dans la pourriture de la mort", renchérit Beauvoir. A proprement parler, ce paragraphe du *Deuxième Sexe* ne décrit pas un "cycle" mais un boyau à sens unique, une impasse dans laquelle nous n'avons d'autre choix que de nous engouffrer, jusqu'à ce que notre front heurte le mur du fond.

Peu de femmes ont été à ce point horripilées par la mortalité, pour la bonne raison que la grande majorité d'entre elles *deviennent*, à un moment ou à un autre de leur existence, le "ventre maternel" décrit ici comme ténébreux et chaotique (d'ailleurs, qu'a-t-il de chaotique, ce ventre, si ce n'est *les fantasmes à son égard* – comme le Chaos biblique avant l'intervention ordonnante du Verbe divin ?). La grande majorité des femmes *savent*, donc, qu'elles sont à la fois mortelles (matérielles, périssables) et immortelles (maillons d'une chaîne qui transmet la vie, qui *est* la vie). Elles ont le sentiment de faire partie d'une continuité : une réalité qui a commencé avant leur naissance et se perpétuera au-delà de leur mort.

Les hommes, moins assurés de se survivre dans cette progéniture qu'ils ont si peu contribué à mettre au monde, sont nettement moins tranquilles. Alors ils cherchent d'autres moyens pour se garantir une survie.

Des moyens symboliques.

Par exemple, des rites religieux où sont vénérés les ancêtres (presque toujours et exclusivement des mâles).

Par exemple, des lignées par lesquelles se transmettent, de génération en génération, le nom et / ou les biens du père.

Par exemple, des œuvres d'art qui, elles aussi, perpétuent le nom, voire quelque chose de l'*être* de leur auteur. Souci particulièrement aigu dans un monde sans dieu ? On peut supposer que dans les sociétés traditionnelles, où l'art est intégré soit aux rites sacrés, soit à la vie quotidienne, leur "signature" est rendue superflue par une croyance généralisée en la survie de l'âme. Chez nous, les livres, comme les enfants, sont effectivement une manière d'existence posthume (par métonymie, s'entend : "un Chandler" n'est pas davantage une reproduction de Raymond Chandler que "les petits Dupont" ne sont les clones de leur papa). Bien sûr, cela vaut pour toutes les formes d'art pratiquées en Occident depuis la Renaissance, mais la littérature ressemble à l'enfantement plus encore que la peinture ou la musique, parce qu'elle fait justement "vivre" des êtres humains. Et – à la différence des parents – les écrivains peuvent nourrir l'espoir de conférer à leurs héros et héroïnes une certaine immortalité. Shakespeare est suffisamment convaincu de ses dons pour promettre à sa "sombre Dame", à l'intérieur même des sonnets qu'il lui consacre, qu'elle survivra dans ses "rimes puissantes" à tous les monuments de marbre. Partant, le personnage évoqué de manière sublime par le barde anglais lui garantit l'immortalité à son tour. La réciprocité, pour asymétrique qu'elle soit, n'en est pas moins saisissante : Fitzgerald et Gatsby, Tolstoï et Anna Karénine, Rabelais et Gargantua se font mutuellement le cadeau de la vie "éternelle".

Qu'est-il besoin, dès lors, de doter un héros d'immortalité *à l'intérieur* d'un livre ? Il se trouve que c'est précisément ce qu'ont fait Virginia Woolf et Simone de Beauvoir. S'agit-il d'une pure coïncidence, ou bien *Tous les hommes sont mortels* est-il surgi de la même nécessité qu'*Orlando* ?

Woolf et Beauvoir ont en commun non seulement d'être des écrivaines sans enfant, mais d'avoir vécu depuis leur adolescence dans la terreur du temps qui passe. Dès l'âge de quinze ans – Virginia parce qu'elle a perdu sa mère, Simone parce qu'elle a perdu la foi –, elles redoutent les "temps morts", les passages à vide, les points d'orgue. Et elles écrivent dans l'essoufflement, se servant des phrases pour tisser une sorte de doublure au réel et le rendre vivable, habitable.

Lorsqu'elles approchent de l'âge où la question de l'enfantement ne pourra plus se poser, elles se mettent à rêver à un personnage qui vivrait de siècle en siècle, libre de la panique qui s'empare d'elles à voir défiler les étapes successives de la vie dans leur ordre immuable, libre de ces marques que le temps imprime plus clairement encore sur le destin des femmes que sur celui des hommes.

LE 21 MARS 1988

(Je poursuis, sautant à pieds joints dans la nouvelle saison. Cette nuit, j'ai rêvé que nous étions le 10 septembre et que je venais d'accoucher !)

Au moment où paraît leur livre au héros immortel, Woolf et Beauvoir sont loin d'être décrépites.

Elles ont quarante-six et trente-huit ans respectivement. Pourtant, c'est à partir de ce moment qu'elles se considèrent comme irrémédiablement vieilles. Elles disent et redisent à quel point la vieillesse les possède, les flétrit, les écrase. Woolf ira au-devant de la vieillesse : se suicider, c'est, entre autres choses, choisir sa mort plutôt que de la subir. Beauvoir ne se tuera pas, mais elle met dans la tête de presque toutes ses héroïnes des pensées autodestructrices. Et elle passe trente ans de sa vie – *trois décennies* pendant lesquelles elle est encore une femme belle, lucide, en pleine possession de ses moyens – à se lamenter sur sa déchéance.

Woolf n'écrira plus jamais un roman avec la même facilité joyeuse qu'*Orlando* ; Beauvoir ne laissera plus jamais son imagination courir avec la même liberté que dans *Tous les hommes sont mortels*. Tout se passe comme si – alors qu'elles savaient avec certitude que leur nom survivrait à leur corps, leurs mots écrits à leur voix vive, leurs idées à leur matière – les *deux* portes vers l'éternité leur avaient claqué au nez. Comme les hommes, elles ne pouvaient compter sur le cycle naturel ; mais, comme les femmes, elles se méfiaient de l'immortalité atteinte par les voies de l'esprit.

LE 23 MARS 1988

Une de mes élèves a parlé hier d'un couple d'artistes de sa connaissance : elle est peintre, et lui sculpteur ;

ils ont la quarantaine et vivent ensemble, sans enfant, depuis vingt ans. Depuis quelque temps, la femme a l'impression d'être "passée à côté de l'essentiel". Leur pacte de départ – tout pour le travail – ne la satisfait plus ; elle sait que c'est trop tard pour fonder une famille et elle se sent flouée. L'homme, lui, va bien, et n'a d'autre désir que de continuer sur sa lancée.

Tout ce qu'on peut dire de ce genre d'histoire, me semble-t-il, c'est que l'impression subjective correspond à la vérité objective. Si on a "l'impression" d'avoir raté l'essentiel, eh bien, on l'a raté. Si on n'a pas cette impression, on ne l'a pas raté. "L'essentiel", ce n'est ni les enfants ni les œuvres d'art, c'est *ce que l'on considère comme essentiel*. Bien sûr, quand l'essentiel se déplace, ça peut faire très mal. Mais personne n'a le droit de dire, à la place de quelqu'un d'autre : il (ou elle) n'a pas fait d'œuvre (ou d'enfant), donc elle (ou il) a raté l'essentiel.

La question qui continue de me tracasser est celle de savoir *pourquoi* Woolf et Beauvoir étaient si terrifiées par l'idée de la mort. Qu'avaient en commun, *au fond*, ces deux femmes extrêmement intelligentes et / mais sans enfants, pour que surgissent en elles des attitudes si négatives ?

Je crois que la réponse tourne autour de leur fuite commune devant *la bête*, le versant animal de l'existence humaine. L'une et l'autre refusent le nom d'humain à tout ce qui, à leurs yeux, n'est pas "civilisé". Pour Beauvoir, influencée en cela par Sartre, l'"Homme" veut dire celui qui contrôle, maîtrise et prend en main son propre destin, toute tendance contraire étant une chute dans l'animalité ; pour Woolf, c'est moins la passivité que la brutalité qui fait régresser l'être humain vers la bête (elle qualifie Hitler de "tigre", par exemple, et les nazis de "babouins"). Paradoxalement, cela veut dire que pour Beauvoir les hommes sont plus humains que les femmes (puisqu'ils ont inventé la philosophie, la littérature, la technologie et les grandes religions), alors que pour Woolf ils le sont moins (puisqu'ils ont inventé la guerre, le gouvernement, les églises et les universités, toutes institutions qu'elle abhorre).

Mais toutes deux rejettent avec véhémence cette mortelle, imparfaite, inextricable mixture de nature et de culture, de pulsions et de pensées, de raison et de violence qu'est la condition humaine. Simone de Beauvoir fait une tentative vaillante pour l'accepter… et échoue, pour la bonne raison que les dogmes catholiques qu'on lui avait infligés dans l'enfance allaient être entérinés plutôt qu'enterrés par les dogmes existentialistes qu'on allait lui infliger dans l'âge adulte.

Voilà maintenant presque deux ans qu'elle est morte.

J'étais encore convalescente, mais j'ai tenu à assister à son enterrement avec L. et des amies. Mal renseignées sur l'itinéraire du cortège funèbre, nous avons erré longuement dans les rues autour de Port-Royal, de l'Observatoire et de l'hôpital Cochin d'où partait sa dépouille mortelle… ces mêmes rues qu'elle et Sartre avaient tant de fois arpentées ensemble et tant de fois dépeintes dans leurs romans. Comme L. n'arrivait pas à tenir ce pas de course, je l'ai portée sur mes épaules… Arrivée enfin au cimetière Montparnasse, mes jambes étaient en proie à une violente vibration intérieure et je me suis écroulée sur l'herbe au milieu des pierres tombales. La foule étant épaisse, je n'ai rien vu de la cérémonie.

C'est le 23 mars, il y a très exactement deux ans aujourd'hui, que ces vibrations avaient remplacé les décharges électriques. J'avais griffonné dans mon carnet intime la note suivante (la cortisone m'empêchait presque toutes les nuits de m'endormir) :

Le 24 mars 1986, encore à 2 heures
Nouveau symptôme depuis hier : mes jambes, au lieu de fils de fer électriques, sont des ressorts. A la moindre stimulation (contact des pieds au sol, craquement des os iliaques), elles vibrent. Presque constamment donc, quoique légèrement. En dessous, bien que ce soit au-dessus (la peau) : chaleur et sensibilité qui reviennent.

Le 29 mars 1986
La vibration me gêne plus que tous les symptômes précédents ; c'est comme si j'étais atteinte de la maladie de Parkinson mais à l'intérieur.

En même temps, j'avoue que c'est passionnant : j'ai l'impression de percevoir des choses qui sont toujours là mais passent habituellement inaperçues. Par exemple, si je suis allongée sur un lit et que quelqu'un pose un livre à côté de ma jambe, le lit vibre et cette vibration est transmise à mes membres inertes – cela existe, *c'est du* réel *; comment se fait-il que tout le monde ne ressente pas cette vibration constante de l'univers ?*

Le 30 mars 1986
A faire certains gestes (me lever du lit, ôter un pull, corriger des devoirs sur mes genoux), je ressens – c'est tout juste si je n'entends *pas – un grésillement intérieur comme lors d'un faux contact, la protestation de fils électriques mal branchés. Le pire, c'est quand je baisse le menton vers la poitrine : la foudre me frappe alors à la nuque. Il paraît que ce dernier symptôme porte un nom : il a été baptisé "syndrome de Lhermitte" d'après le médecin-chef en neurologie à la Salpêtrière. Si je joue du piano avec trop d'emphase, je déclenche fatalement un "Lhermitte". C'est bien, les noms.*

Le 4 avril 1986
En fait, la vie entière n'est qu'électricité, seulement ce fait *est dissimulé au commun des mortels par l'enveloppe protectrice qui entoure les nerfs. Moi qui ai le privilège ambigu de "vivre sur les nerfs", je déclare solennellement, ce quatrième jour du quatrième mois de l'*Anno Domini *mil neuf cent quatre-vingt-six : Il y a une différence entre l'orgasme vaginal et l'orgasme clitoridien. Le premier,*

dans mon état présent, est aussi agréable que d'ordinaire, alors que le deuxième est tout simplement intolérable. Le clitoris étant l'organe le plus innervé de tout le corps féminin (elles savent ce qu'elles font, les sociétés qui l'excisent...) envoie des vagues terrifiantes d'électricité le long de ma colonne vertébrale et jusqu'à la base de mon cerveau ; la jouissance ressemble très exactement à un feu d'artifice explosant à l'intérieur du crâne.

Un an plus tard, je parlais à nouveau d'"excitation du cerveau", mais la littérature avait remplacé la cortisone comme source des insomnies. Plusieurs après-midi par semaine, j'allais à la bibliothèque compulser les journaux et magazines américains datant des années 1969-1971... Ce que je ne savais pas encore, c'est que, pour le cerveau, le temps est lui aussi un phénomène électrique, et qu'il allait suffire d'une seule petite synapse supplémentaire pour me précipiter dix ans de plus en arrière, jusqu'aux années 1959-1961 – époque dans laquelle, par contre, je n'avais pas la moindre envie de m'aventurer. Au bout de deux mois d'écriture, j'étais plongée dans l'univers délirant qui était, de façon assumée, celui de mon héroïne adolescente – mais aussi, de façon sournoise, celui de la petite fille que j'étais lorsque l'inimaginable a fait irruption dans ma vie. Je croyais être en train d'écrire l'histoire d'une séparation tragique entre un homme et une femme, mais mon inconscient s'est emparé de l'occasion pour écrire, tout seul, un sous-texte terrifiant : l'histoire d'une séparation tragique entre une mère et sa fille.

Cette entrée dans mon carnet, rédigée en anglais, préfigure déjà par son style haletant l'état d'esprit de mon héroïne au sommet de sa démence :

Le 1er avril 1987
Comme on peut le voir chez Flannery O'Connor, "la sagesse dans le sang" n'est pas une chose dont on s'enorgueillit – c'est souvent une torture – de vagues pressentiments – devrais-je aller ici ou là afin que cette chose m'arrive – quelle chose – la *chose – errant hier dans le quartier – changeant constamment de projet pour l'heure à venir – revenant enfin ici prétendument pour lire – j'ai renversé la moitié d'une bouteille de cirage liquide sur le sol – et ai aussitôt interprété cet accident comme un signe – eh bien oui bien sûr voilà ce que je dois faire – un grand ménage dans mon studio – accompagnée des accents doux-amers de* Blonde on Blonde…

Les livres de Flannery O'Connor m'avaient hantée tous ces mois-là. Je les lisais sur la recommandation de mon père, qui, pendant ma myélite de l'année précédente, m'avait téléphoné de Boston pour me faire part de son enthousiasme : "C'est vraiment un des écrivains les plus forts que j'aie jamais lus… En plus, elle était malade, comme toi…"

Mon père était persuadé que j'avais une sclérose en plaques (et aucun médecin ne peut dire si cette hypothèse est vraie ou fausse… à moins que je n'aie un jour une deuxième "poussée", auquel cas elle sera vraie). O'Connor, elle, souffrait d'un lupus érythémateux, la maladie du sang dont était mort *son* père, et qui devait l'emporter, elle, à l'âge de trente-neuf ans.

Etait-ce cela, la "sagesse" qu'elle avait dans le sang ?

La sagesse est une maladie, une fièvre incurable : on l'*a* ; on n'y peut rien ; on n'en guérit pas. Mais il s'agit de la maladie du *père* : les tourments moraux et philosophiques dans l'œuvre de Flannery O'Connor sont réservés aux hommes. A une exception près, ses personnages féminins sont ou bien des matrones dégoulinant de mauvais goût, de snobisme et de préjugés raciaux, ou bien des mégères puritaines et castratrices, ou bien de petites sœurs bavardes et superficielles, ou bien des putains insatiables et hystériques. Les femmes seraient-elles dépourvues d'âme ? La propre mère de Flannery gérait une ferme de vaches laitières : quoi de plus maternel, stupide, nourricier et écœurant qu'une vache ?

L'exception – dans la nouvelle "Braves gens de la campagne" – est une femme *handicapée*, une femme avec une *jambe en bois* ; une femme qui marche, comme O'Connor elle-même, à l'aide de cannes. Le corps bousillé, elle aura droit à un esprit. A *de* l'esprit. Ce poison. Le même poison qui imprègne le Livre dicté par "Notre Père qui êtes aux cieux" : la Bible, dont l'extrême violence est pour O'Connor une source d'inspiration sans fond. A une lectrice qui lui écrit pour se plaindre de ce qu'un de ses romans lui ait laissé un mauvais goût dans la bouche, elle répond : “Vous n’étiez pas censée le manger !”

Manger, c’est bon pour les vaches. L’esprit doit savoir assimiler des poisons que le corps rejette. La maladie physique n’est *rien* à côté de cette maladie spirituelle, cette sagesse qui tue à petit feu : la foi.

LE 24 MARS 1988

Comparé au sentiment féroce, irrationnel et dévorant de la foi chez O’Connor (sentiment qui porte l’empreinte de la turbulence spécifique du Sud des Etats-Unis), le catholicisme bon teint et domestiqué qui a été l’aire spirituelle de Simone de Beauvoir pendant l’enfance paraît bien fade.

Le père de Simone n’était pas mort – ni d’une quelconque “sagesse” dans le sang, ni d’une autre maladie –, et pourtant elle l’a identifié à la spiritualité (au sens élevé du terme) aussi fermement que s’il avait été Dieu le père en personne.

> Pour mon père, je n’étais ni un corps ni une âme, mais un esprit. Nos rapports se situaient dans une sphère limpide où ne pouvait se produire aucun heurt [...]. Il avait abandonné [à ma mère] sans réserve le soin de veiller sur mon corps organique, et de diriger ma formation morale.

Répartition des tâches on ne peut plus classique, et qui n’avait certes rien de surprenant dans une famille de la bonne bourgeoisie française au début du XXe siècle. Seulement, Beauvoir opère très rapidement un choix entre les deux : pour la formation des esprits contre celle des corps ; pour l'enseignement contre les tâches ménagères ; pour les études sérieuses contre les commérages futiles ; pour le monde des pères contre celui des mères.

C'est là l'indice de ce que j'appelle un *complexe d'Electre*... encore que ma définition de ce complexe ne rejoigne pas celle de Jung et de ses disciples, pour qui c'est un simple décalque, symétrique et inverse, de l'Œdipe. Selon moi, le complexe d'Electre n'a rien à voir avec le désir incestueux, pour la bonne raison que, dans la tête des filles comme dans celle des garçons (et aussi dans la société qui produit les uns et les autres), *la mère est assimilée au corps, et le père à l'esprit*. Dès lors, le rapport au père dont rêve la jeune fille n'est pas l'union physique mais l'union intellectuelle : elle aspire à le rejoindre dans la répudiation dédaigneuse de tout ce qui est féminin, et surtout (mais c'est presque un pléonasme) du corps féminin.

Le complexe d'Electre est un terrain très fertile pour les tendances hystériques, anorexiques et artistiques chez les femmes, et Beauvoir, à cet égard, est on ne peut plus typique. "Papa disait volontiers : «Simone a un cerveau d'homme. Simone est un homme.» Pourtant on me traitait de fille." La conviction selon laquelle une femme dotée de cerveau était un homme ne devait jamais la quitter.

En perdant la foi à l'âge de quinze ans, c'est aussi tout un esprit de conformisme, toute une série de conventions sociales *associées à sa mère* qu'elle abandonne. La mère est tour à tour consternée, affolée et furieuse, mais rien n'y fait : Simone ne croit plus en Dieu. Il se trouve que c'est à ce moment qu'elle formule pour la première fois son idéal du mariage comme gémellité.

> Moi je voulais qu'entre mari et femme tout fût mis en commun ; chacun devait remplir, en face de l'autre, le rôle d'exact témoin que jadis j'avais attribué à Dieu. Cela excluait qu'on aimât quelqu'un de différent : je ne me marierais que si je rencontrais, plus accompli que moi, mon double.

Mais comment, demanderait peut-être le lecteur naïf, un mari et une femme peuvent-ils être *exactement* pareils ? Comment peuvent-ils se prendre, notamment s'ils sont nus (ce qui arrive quand même entre mari et femme), pour le *double* l'un de l'autre ? Beauvoir ne fait qu'accroître notre perplexité quand elle précise, en conclusion de ce paragraphe : "Je ne m'envisageais jamais comme la compagne d'un homme : nous serions deux compagnons." En clair, dans le mariage dont elle rêve dès l'âge de quinze ans, *les jumeaux sont des hommes* (Castor et Poulou, le calembour s'impose de lui-même).

Mais Beauvoir ne cherche pas seulement son double, elle cherche un double "plus accompli" qu'elle. Voilà, du moins en apparence, une contradiction étrange : il faudrait que son mari lui soit identique – mais en mieux ? Récapitulons. Elle a perdu Dieu – et, avec Lui, “l’exact témoin” de tous ses faits et gestes ; le mari qu’elle recherche doit ressembler en tout point à Dieu… et, en même temps, lui ressembler à elle, aussi ? Alors, c’est qu’elle-même ressemble à Dieu… mais “en moins accomplie” ? Nous y sommes presque.

Bien sûr, les mémorialistes (autant sinon plus que les romanciers) écrivent le début de leur histoire en en connaissant la fin. Il nous est impossible de savoir dans quelle mesure la “Simone de Beauvoir” dépeinte dans les *Mémoires d’une jeune fille rangée* est un personnage de fiction élaboré par son homonyme, l’auteur ; dans quelle mesure le récit de sa vie a été ordonnancé après coup en fonction de la beauté de l’intrigue. Mais, même s’il s’agit d’un mythe commun sur lequel ils se seraient mis d’accord, la ressemblance entre Sartre et Beauvoir saute aux yeux : ce sont deux esprits peu timorés, récemment affranchis du christianisme et pareillement convaincus que si Dieu n’est pas omniprésent, c’est à eux de l’être ; que si Dieu n’est pas éternel, c’est à eux de le devenir. Ils parlent, rétrospectivement du moins, exactement le même langage.

> [Elle :] Si j’avais souhaité autrefois me faire institutrice, c’est que je rêvais d’être ma propre cause et ma propre fin ; je pensais à présent que la littérature me permettrait de réaliser ce même vœu. Elle m’assurerait une immortalité qui compenserait l’éternité perdue ; il n’y avait plus Dieu pour m’aimer, mais je brûlerais dans des milliers de cœurs.

> [Lui :] On m'enseignait l'Histoire Sainte, l'Evangile, le catéchisme, sans me donner les moyens de croire [...]. Il y eut des plissements, un déplacement considérable ; prélevé sur le catholicisme, le sacré se déposa sur les Belles-Lettres et l'homme de plume apparut, ersatz du chrétien que je ne pouvais être [...] l'immortalité terrestre s'offrit comme substitut de la vie éternelle.

Ainsi, pour "le Castor" comme pour "Poulou", les mots ont depuis longtemps le pouvoir de remplacer non seulement Dieu, mais tous les liens contingents aux autres. En ce sens, ils sont vraiment le sosie l'un de l'autre, ou plutôt les deux moitiés de l'hermaphrodite platonicien... à ceci près que, comme prévu, la moitié mâle est "plus accomplie" que la moitié femelle. (Selon la formule d'un ami québécois, quand deux êtres s'aiment, ils ne font bientôt plus qu'un ; le tout est de savoir lequel des deux.)

Ils préparent ensemble l'agrégation de philo ; Sartre arrive en première place et Beauvoir en seconde. Et lui de déclarer : "A partir de maintenant, je vous prends en main !" Et elle de s'en réjouir – car, aussi joliment que dans *La Belle au bois dormant*, "Sartre correspondait exactement au rêve de mes quinze ans ; c'était le double en qui je retrouvais, portées à l'incandescence, toutes mes manies. Avec lui, je pourrais toujours tout partager."

Eh ! oui : les jumeaux ont beau être identiques, l'un d'eux a plus d'identité que l'autre ; et, si tous deux ont des manies, c'est chez l'homme seul que celles-ci sont incandescentes. Beauvoir propose elle-même une explication de cette asymétrie : étant donné les avantages sociaux accordés aux hommes, s'ils n'atteignaient que le même niveau que les femmes, ils leur seraient inférieurs. Mais – et c'est dans ce "mais" que le bât blesse –, "mais, avoue-t-elle, la véritable supériorité qu'il se reconnaissait, c'était la passion tranquille et forcenée qui le jetait vers ses livres à venir".

Il ne s'agit donc pas seulement de son appartenance à l'espèce privilégiée des mâles, ni des deux années d'avance qu'il a prises sur elle étant né deux ans plus tôt. Il y a plus : une "véritable supériorité". Beauvoir en est désarçonnée au point de noter, dans son journal intime de l'époque : "Je ne suis plus sûre de ce que je pense, ni même de penser." Voilà donc, même si l'on fait totalement abstraction des différences physiques entre des jumeaux homme et femme, une distinction de taille. D'où vient cette "passion tranquille et forcenée" qui jette Sartre vers ses livres à venir, et pourquoi Beauvoir en est-elle dépourvue ?

Si la jeunesse de Beauvoir est marquée par un "complexe d'Electre" caractérisé, celle de Sartre illustre à merveille ce qu'on pourrait appeler le *complexe de Jésus-Christ*. Contrairement aux petits Œdipe, les petits Jésus n'ont pas besoin de tuer leur père et de coucher avec leur mère. Leur père est déjà mort (ou radicalement absent), et d'autant plus facilement idéalisé, c'est-à-dire transformé en Idée. Du coup, leur mère – éventuellement assortie d'un époux terrestre tout à fait négligeable : Joseph dans le cas de Jésus, beau-père déplaisant à souhait dans le cas du petit Poulou – peut rester "vierge". L'absence du père évite au fils d'avoir à se confronter à l'image traumatisante de la mère érotique, l'autorisant dès lors à se croire le produit d'une parthénogenèse. Adolescent, il peut jouer auprès de la mère le substitut du Père (je pense non seulement à Sartre, mais à Baudelaire, Albert Cohen, Elias Canetti, Roland Barthes...), et se vivre comme le croisement d'un corps de femme immaculé avec le Saint-Esprit. Il rejettera pour lui-même le mariage et l'enfantement, vouera un amour éternel à sa mère, et témoignera d'un mépris plus ou moins mêlé d'horreur pour toutes les autres femmes – qui, elles, porteront toute la charge de l'existence physique, depuis la boue jusqu'à l'érotisme. (Le Christ lui-même, soit dit à sa décharge, manifestait moins cette dernière tendance que ceux qui passent par son "complexe".)

Or le rattachement du père au monde des Idées produit des résultats très différents dans la biographie d'un créateur et dans celle d'une créatrice. Les petits Jésus ont en général une vision haute et inébranlable de leur vocation spirituelle. Les Electre, elles, sont bien moins sûres de leur droit et de leur capacité à jouer Dieu. Beauvoir est consciente de cette différence entre elle et Sartre et, comme toujours, elle l'exprime avec beaucoup d'honnêteté : "Pour moi, son existence justifiait le monde que rien ne justifiait à ses yeux." Elle dépend de lui, très littéralement, pour donner un sens à sa vie. Pire, elle ressent pour lui une attirance physique dont lui peut très bien se passer :

> Mon parasitisme intellectuel m'aurait moins inquiétée, si je n'avais pas senti ma liberté s'enliser dans ma chair. Mais mes brûlantes obsessions, la futilité de mes occupations, ma démission en faveur d'un autre, tout conspirait à m'insuffler un sentiment de déchéance et de culpabilité.

Le désir est une déchéance culpabilisante ; l'érotisme est l'enlisement de la volonté dans la chair : la distance à parcourir entre le catholicisme et l'existentialisme n'était décidément pas énorme. En somme, pour être "le compagnon" de Jean-Paul Sartre, Simone de Beauvoir devait renoncer aux *deux* versants séculaires de la féminité : le sensuel et le maternel.

LE 25 MARS 1988

Qu'en était-il de la virilité de Sartre ?

Là où le père de Simone attribuait à celle-ci un "cerveau d'homme", la mère de Poulou lui a façonné une tête de petite fille. Dans *Les Mots*, son récit sur l'enfance, Sartre fait beaucoup de cas des boucles blondes en tire-bouchon qu'il a gardées jusqu'à l'âge de six ans, et qui induisaient souvent les gens en erreur sur son sexe. Lucien Fleurier, héros de la nouvelle "L'enfance d'un chef" (1939), partage de nombreux traits avec Poulou, et notamment celui-là :

> Il n'était plus tout à fait sûr de ne pas être une petite fille : beaucoup de personnes l'avaient embrassé en l'appelant mademoiselle, tout le monde trouvait qu'il était si charmant avec [...] ses boucles blondes ; il avait peur que les gens ne décident tout à coup qu'il n'était plus un petit garçon.

Mais, autant il est valorisant pour une petite fille de s'entendre dire : "Simone est un homme", autant la méprise inverse est déshonorante. Le grand-père de Poulou s'en agace – "«C'est un garçon, disait-il à ma mère, tu vas en faire une fille ; je ne veux pas que mon petit-fils devienne une poule mouillée !»" – et l'emmène d'office chez le coiffeur se faire couper ses belles anglaises.

Tant il est vrai que... *on ne naît pas homme, on le devient*. On le devient, notamment, en se faisant couper ses boucles blondes, en s'arrachant aux jupons de sa mère, en prenant sa propre destinée en main, en partant accomplir de hauts faits héroïques. Il importe, pour ce faire, de ne pas se laisser entraver par des femelles (avec leur dépendance, leur marmaille, leurs boucles et leurs jupons). "J'avais toujours pensé qu'un grand homme devait se garder libre, écrira Sartre dans *Les Carnets de la drôle de guerre* [...] et, comme il est naturel à cet âge, je songeais surtout à affirmer cette liberté contre les femmes. [...] Une fois je fus pris au jeu. Le Castor accepta cette liberté et la garda. C'était en 1929. Je fus assez sot pour m'en affecter : au lieu de comprendre la chance extraordinaire que j'avais eue, je tombai dans une certaine mélancolie." *Melancolia* est le titre du roman sur lequel il a commencé à travailler peu de temps après avoir rencontré Beauvoir, et qu'il rebaptisera plus tard *La Nausée*.

Neuf siècles plus tôt, un autre couple célèbre s'était trouvé confronté au même problème – mais c'est Héloïse, bien avant Abélard, qui a eu la conscience aiguë de ce qu'"un grand homme devait se garder libre". Dès le début de leur liaison, elle met en garde son amant et précepteur contre le danger que représenteraient, pour sa très haute vocation spirituelle, ces poids morts que sont le mariage, la vie quotidienne et les charges familiales.

> Quel rapport entre les travaux de l'école et les soins d'un ménage, entre un pupitre et un berceau, un livre ou des tablettes et une quenouille, un stylet ou une plume et un fuseau ? Qui donc, en méditant l'Ecriture ou les problèmes de la philosophie, supporterait les vagissements d'un nouveau-né [...], la malpropreté habituelle de l'enfance ?
>
> [...] Vas-tu, à ton ministère sacré, préférer des plaisirs honteux, te précipiter dans ce Charybde, te plonger irrévocablement dans un abîme d'obscénité ?

Au moment où elle écrit ces lignes, Héloïse a déjà mis au monde le fils d'Abélard, Astrolabe ; apparemment elle ne se pose pas de questions analogues en ce qui la concerne, elle, en dépit de l'étendue de sa culture et de ses connaissances littéraires. Ayant appris l'horrible châtiment de son mari et l'opprobre dans lequel il est tombé, elle se lamente : "Les femmes ne pourront donc jamais conduire les grands hommes qu'à la ruine !"

L'obscénité, la malpropreté, la honte – associées aux plaisirs charnels et à la progéniture qui en résulte – sont l'habitat naturel des femmes. Celles-ci ne "tombent" pas, elles *sont* l'abîme, le Charybde, le cloaque ; et elles y entraînent, volontairement ou non, les "grands hommes" – qui, de naissance, ont les yeux et les pensées tournés vers le ciel. Mais, pourrait-on se demander, leur "ministère sacré" peut-il produire autre chose qu'un savoir stérile et dangereusement abstrait, si tout ce qui est quotidien, matériel et sensuel suscite en eux *a priori* la nausée ?

Toute la fiction de Sartre, mais spécialement celle des années trente, sera empreinte de cette même "mélancolie" : celle qu'il y a, pour un esprit qui se veut "libre", à se trouver empêtré dans les rets de la matière. Et de matière à *mater*, comme d'habitude, il n'y a qu'un pas. Dans "L'enfance d'un chef", Lucien Fleurier découvre la gratuité horripilante de l'existence en contemplant... le corps nu de sa maman :

> Son visage était reposé, presque triste, sûrement elle pensait à autre chose [...]. Mais pendant ce temps-là, elle *était* cette grosse masse rose, ce corps volumineux qui s'affalait sur la faïence du bidet.

Que la nausée existentielle de Sartre ait surgi ou non lors d'un épisode semblable de sa propre enfance, elle allait toute sa vie être associée au féminin (érotique et maternel). Exactement comme Persée par la Méduse, Sartre est à la fois fasciné par le caractère charnel de l'existence et incapable de l'affronter autrement qu'en miroir. Quel miroir ? Celui que lui tend une femme qui a accepté de n'être, avec lui, ni érotique ni maternelle, une femme qui déclare être son jumeau.

Virginia Woolf l'a formulé mieux que quiconque : "Les femmes ont pendant des siècles servi aux hommes de miroirs, elles possédaient le pouvoir magique et délicieux de réfléchir une image de l'homme deux fois plus grande que nature [...]. Les miroirs [...] sont indispensables à qui veut agir avec violence ou héroïsme." Jean-Paul Sartre veut agir avec violence et héroïsme ; il s'est juré depuis longtemps de devenir un grand homme. Et, de même que Persée devient capable de tuer la Méduse grâce au miroir sur son bouclier, de même, c'est grâce au mythe de la gémellité, sous le couvert duquel Beauvoir tend un miroir à Sartre, que celui-ci parviendra à bâtir sa formidable œuvre littéraire et théorique.

Il est vrai que le mot clef dans le fameux "pacte" par lequel ils scellent leur amitié n'est pas la *spécularité* mais la *transparence*. Mais (pour détourner la formule québécoise), quand deux personnes prétendent être des fenêtres l'une pour l'autre, il y a de très bonnes chances pour que l'une d'elles soit une glace. Selon les termes de ce pacte, ils se diront toujours tout. Mais, là encore, dans leurs appréciations respectives de cette mise en commun absolue, l'asymétrie saute aux yeux. Beauvoir est soulagée d'avoir quitté sa solitude et de se sentir indéfectiblement accompagnée ; Sartre, lui, ne fait que renforcer le sentiment de sa propre existence. Là où elle trouve la *tranquillité*, lui trouve la *torridité*.

> [Elle :] Non seulement aucun des deux ne mentirait jamais à l'autre, mais il ne lui dissimulerait rien [...]. J'étais habituée au silence, et d'abord cette règle me gêna. Mais j'en compris vite les avantages ; je n'avais plus à m'inquiéter de moi : un regard, certes bienveillant, mais plus impartial que le mien, me renvoyait de chacun de mes mouvements une image que je tenais pour objective [...]. Peu m'importait que [la solitude] n'existât plus pour moi ; au contraire, j'étais tout à la joie de lui avoir échappé. Sartre m'était aussi transparent que moi-même : quelle tranquillité !

> [Lui :] J'ai eu trois "amis intimes" et chacun a correspondu à une période déterminée de ma vie : Nizan – Guille – le Castor [...]. J'ai, en somme, [...] toujours vécu en couple et je n'entends pas du tout par là en couple amoureux. Je veux dire que j'étais engagé dans une forme d'existence rayonnante et un peu torride [...], où je sentais constamment sur moi la pression totale d'une autre présence et où je me durcissais pour supporter cette

présence. La vie en couple me rendait dur et transparent comme un diamant, autrement je ne l'eusse pas supportée.

On s'en doute : un diamant dur et transparent est tout le contraire d'une poule mouillée. Dans toute l'œuvre romanesque et philosophique de Sartre, le minéral est valorisé par rapport au végétal et à l'animal, le dur par rapport au mou, le sec par rapport au mouillé, le froid par rapport au chaud, le cruel par rapport au tendre, l'âcre par rapport au sucré, le transparent par rapport au trouble et (naturellement) le masculin par rapport au féminin.

Aux côtés de Sartre, Beauvoir doit donc rester de pierre, de marbre, encore une fois *de glace* ; c'est dans ces termes et à cette condition qu'il conçoit sa relation avec elle : elle ne doit être que son "compagnon", son "ami intime", son "autre moi". Et, en effet, les centaines de lettres qu'il lui envoie pendant la drôle de guerre contiennent, toutes, au moins une expression d'unité et parfois plusieurs – "Mon amour, on ne fait qu'un" ; "Vous êtes moi autre" ; "Vous et moi, c'est tout un" ; "Je n'ai jamais senti si fort que vous autre c'est moi"…

Sartre ne fait du reste jamais appel au concept de gémellité pour décrire ses rapports avec Beauvoir, toujours à celui de fusion – seulement il s'agit, sans ambiguïté possible, de la fusion de leurs esprits. La reconnaissance d'une quelconque différence entre eux – et donc, *a fortiori*, la célébration de cette différence que peut représenter l'acte sexuel – est exclue. Cette fusion-là, cette *con*fusion (du corps avec un autre corps, du corps avec l'esprit), Sartre comme bien d'autres Jésus-Christ la trouve profondément menaçante. Dans "L'enfance d'un chef", Lucien Fleurier se livre, après son initiation à l'hétérosexualité par Maud, à des ruminations moroses :

> Tout ce qui faisait d'elle une personne étrangère, vraiment *une autre* [...], avait fondu sous son étreinte, il était resté de la chair [...]. Il avait possédé une grosse fleur de chair mouillée. Il revit la bête aveugle qui palpitait dans les draps avec des clapotis et des bâillements velus et il pensa : c'était *nous deux*. Ils n'avaient fait qu'un, il ne pouvait plus distinguer sa chair de celle de Maud.

Ne faire qu'un, c'est bien, c'est même indispensable, quand on écrit des lettres ou tient des discours au "témoin exact" de sa vie. Ne faire qu'un dans un lit, dans l'aveuglement, la bestialité, les clapotis et les bâillements, ce n'est vraiment pas digne des êtres humains.

De même, quand Roquentin contemple deux amants en train de se promener dans la foule dominicale de Bouville, son ventre se soulève à l'idée que "bientôt, à eux deux, ils ne feront plus qu'une seule vie, une vie lente et tiède qui n'aura plus du tout de sens – mais ils ne s'en apercevront pas". Si, à la différence du pauvre couple amoureux, Roquentin peut faire la découverte de sa propre existence contingente, c'est que, entre les couvertures du livre que Sartre lui consacre, il est totalement dépourvu de liens nécessaires, biologiques, avec les autres êtres humains. "Je n'étais pas un grand-père, ni un père, ni même un mari", dit-il. Bien plus remarquable encore est qu'il ne soit pas un fils. Dépourvu de père comme de mère, il est libre de toute dépendance biologique à l'égard de l'espèce humaine : *telle est la condition de sa lucidité*.

LE 28 MARS 1988

Moi dont le corps fabrique en ce moment un autre être humain, je sais bien que Roquentin me ressemble malgré tout. Ce n'est pas seulement "l'homme existentiel" sartrien mais l'artiste en général qui, reniant ses origines pour mieux les surmonter, entretient précieusement la sale petite illusion de l'auto-engendrement.

A cet égard comme à bien d'autres, les artistes n'ont fait que remplacer les héros des récits mythiques et religieux, qui ont toujours eu une naissance surnaturelle. Héros et artistes sont en fait les prolongements dans le monde adulte du fantasme appelé par Freud le "roman familial", grâce auquel tous les enfants réinventent leurs origines. Le but essentiel du roman familial, pourrait-on dire, est de *transformer la création du corps en une création de l'esprit*. ("MOI, ANTONIN ARTAUD, / JE SUIS MON FILS, / MON PÈRE, MA MÈRE, / ET MOI", comme disait l'autre.)

Or le couple que forment les parents – même dans les cas les plus banals d'une vie conjugale moyenne, médiocre, prévisible, relativement stable – est de toute façon perçu par l'enfant comme une alliance de créatures surhumaines et toutes-puissantes. Que la violence y fasse irruption, que le malheur s'y produise, et cela devient grandiose : c'est le combat des Titans, la guerre des Centaures contre les Amazones, Héra et Zeus dont les chamailleries retentissent à travers les cieux, le meurtre d'Agamemnon par Clytemnestre, le suicide de Jocaste… S'ouvre alors, béant devant l'enfant, l'espace vertigineux de la mythologie.

Il suffit de se pencher sur un quelconque échantillon de biographies d'écrivains pour se convaincre que, à l'instar d'Œdipe, d'Hamlet ou d'Antigone, ils ont pour ainsi dire tous vécu une anomalie, une catastrophe, une perte dévastatrice dans la jeunesse. Le père est mort. La mère est morte. Les deux sont morts. Ou séparés. Ou désespérément absents.

En d'autres termes, le roman familial de ces enfants est *toujours-déjà hautement romanesque*. Il se prête à merveille aux spéculations, aux fantasmes, aux révisions et aux ratures… en un mot, à l'écriture. Le mythe est né. Le héros-écrivain pourra puiser à l'infini dans son enfance (tel Homère dans le fonds mythologique grec), réécrivant son histoire à travers mille transpositions, projections, déplacements et mensonges.

Et moi ? Que proclamé-je en choisissant pour l'écriture une terre et une langue étrangères – sinon que je suis, aussi dérisoirement que les existentialistes mal remis du catholicisme, “ma propre cause et ma propre fin”, capable de me re-mettre au monde à travers l'art, donnant naissance à moi-même, me débarrassant de tous les déterminismes hérités de mes géniteurs ?

Le cas de Roquentin est néanmoins infiniment plus grave. Un peu comme Woolf et Beauvoir mettaient en abîme le fantasme d'immortalité que véhicule déjà le geste artistique, Sartre met en abîme dans *La Nausée* l'illusion littéraire de souveraineté. Pour Roquentin, l'homme sans origines, la vie est un scandale. Même les orgasmes les plus “nobles” de l'être humain trahissent une animalité écœurante : les yeux ressemblent à des écailles de poisson et les mains… à des crabes.

Les animaux aquatiques en général, et les crustacés en particulier, occupent dans l'imaginaire de Sartre une place cruciale. Ils sont liés à la sexualité, au dégoût, à l'absurdité, à l'horreur de vivre – en un mot, à ce qu'il appelle l'*immanence*. Sartre lui-même, raconte Beauvoir dans ses Mémoires, a traversé en 1935 une crise psychotique au cours de laquelle il s'est senti poursuivi par des pieuvres, des crabes et des homards ; ces hallucinations, une fois maîtrisées grâce à un bref séjour à l'hôpital psychiatrique, resurgiront par la suite dans presque toutes ses œuvres de fiction.

Or c'est à partir de cette crise que Sartre éprouvera le besoin – constant, incoercible – d'une autre femme dans sa vie (on pourrait même se demander si ce n'est pas la présence constante de ces "autres femmes" qui a conduit Beauvoir à formuler le concept de "la femme comme Autre"). Quelle était la fonction de ces "femmes obscures et noyées" ? Sartre l'explique lui-même, avec sa candeur inimitable :

> C'était une fois de plus réaliser l'accord de l'art et de l'amour. Ecrire, c'était saisir le sens des choses et le rendre au mieux. Et séduire, c'était la même chose, tout uniment [...]. Il me fallait, du côté de la femme, une naïveté totale. Dans cette œuvre d'art impérissable que je tentais de construire, la femme représentait la matière brute que je devais informer.

La "matière brute", voilà effectivement une fonction que le Castor – compagnon et jumeau de Poulou – ne saurait jamais remplir. Mais il faut bien qu'elle s'en accommode : car avoir des histoires et en écrire, vivre des intrigues et en inventer, seront deux gestes désormais indissociables dans la vie de Sartre. Ce sera aux "autres femmes" de figurer le précipice vertigineux de l'immanence et de la sexualité (avec elles, il fera l'amour).

Bien sûr, Beauvoir aura des "histoires", elle aussi... mais ses amours contingentes à elle viendront plus tard et seront plus ponctuelles, alors que celles de Sartre se succéderont, se chevaucheront, se superposeront et s'échelonneront sur les cinquante années de leur vie de couple.

Beauvoir n'a pas manqué d'interroger Sartre à leur sujet et – cela va sans dire – de publier sa réponse.

"Les qualités que je pouvais demander aux femmes, explique-t-il, les qualités plus sérieuses, vous les aviez, selon moi. Par conséquent, ça libérait les autres bonnes femmes qui pouvaient simplement être jolies, par exemple [...]. Ce qui m'intéressait dans le fond, c'était de retremper mon intelligence dans une sensibilité."

Ainsi, Beauvoir devait à tout prix étouffer sa sensibilité (et sa sensualité) à elle ; parce que, d'elle, Sartre avait besoin pour une tout autre raison : ayant d'abord retrempé son intelligence dans la sensibilité des autres femmes, il devait la *re*-retremper dans l'intelligence de Beauvoir. Sous prétexte de "transparence", il lui racontait toutes ses aventures par le menu... La première fois, avec Olga Kosaciewicz, Beauvoir avoue que cela lui coûte.

> Par son acharnement à la conquérir, Sartre dotait Olga d'un prix infini ; soudain il m'était défendu de prendre à la légère ses opinions, ses goûts, ses dédains ; voilà qu'ils définissaient un système de valeurs, et ce système contredisait le mien. Je ne m'arrangeais pas volontiers de ce changement [...]. Peu à peu, pourtant, je cédai. Il m'était trop nécessaire de m'accorder en tout avec Sartre pour voir Olga avec d'autres yeux que les siens.

Deux êtres qui s'aiment ne font qu'un : lequel ?

Faisant plus tard le bilan de cet épisode, Beauvoir ira jusqu'à avouer qu'"il était abusif de confondre un autre et moi-même sous l'équivoque de ce mot trop commode : *nous* [...]. Je trichais quand je disais : «On ne fait qu'un.»" Mais elle n'avait d'autre choix que de "tricher" puisque, ayant confondu son sort à celui de Sartre, elle n'aurait pas pu se regarder dans la glace si leur relation s'était désagrégée. L'image de la gémellité avec lui étant son étoile fixe, elle était prête à marcher dans n'importe quelle boue plutôt que d'en détourner les yeux.

Mieux : elle pouvait "purifier" la boue *en la couchant par écrit* (son premier roman, *L'Invitée*, est justement consacré à l'"épisode Olga"). Beauvoir note scrupuleusement dans son journal les menus événements de la vie quotidienne, et "recycle" cette matière plus tard, aussi bien dans ses Mémoires que dans sa fiction. De cette façon, elle peut être fidèle à la fois au pacte et au projet commun formé avec Sartre – tout en réussissant, à l'intérieur même de cette fidélité, à s'en plaindre et à prendre sa revanche ! Le portrait peu flatteur qu'elle trace de Sartre sous les traits de Pierre dans *L'Invitée* est la réponse directe à ce qu'il lui a fait subir.

Beauvoir avait commencé à rédiger ce livre en 1937-1938, alors même que le couple s'efforçait de devenir un trio, mais il n'est paru qu'en 1943, l'année de la création des *Mouches* de Sartre. Or les deux histoires se ressemblent de manière troublante : il s'agit de deux "déclarations d'indépendance" qui ont pour condition le meurtre d'une femme. Françoise, l'*alter ego* de Simone dans *L'Invitée*, tue Xavière, l'*alter ego* d'Olga. (Et, pour que les choses soient parfaitement claires, Simone dédie le livre à cette dernière.) Quant à Oreste dans *Les Mouches*, c'est bien sûr à sa propre mère qu'il donne la mort.

Le "complexe d'Electre" est désormais thématisé explicitement. Electre elle-même, c'est bien connu, est incapable de tuer Clytemnestre ; elle couve sa vengeance et attend le retour de son frère. Ce n'est pas Electre mais Oreste que Sartre choisit pour incarner l'Homme moderne, pour la bonne raison que l'Homme moderne, sans ambiguïté possible, est un *homme*.

Quand Oreste arrive enfin et prend connaissance du crime que sa sœur veut le voir commettre, il demande – avant de lui révéler son identité : "Et si Oreste était las de tout ce sang, ayant grandi dans une ville heureuse ? – Alors, répond Electre, je lui cracherais au visage et je lui dirais : «Va-t'en, chien, va chez les femmes, car tu n'es rien d'autre qu'une femme.»" N'être qu'une femme et n'être qu'un chien, c'est (selon l'Electre de Sartre) la même chose. Mais Oreste n'est ni chien ni femme : il se secoue, il s'exécute. Et, après avoir dûment massacré Clytemnestre et l'amant de celle-ci, il déclare : "Nous sommes libres, Electre. Il me semble que je t'ai fait naître et que je viens de naître avec toi."

C'est exactement cette (re)naissance que Simone de Beauvoir attend de Jean-Paul Sartre. Saura-t-il lui (re)donner la vie – une vie non pas physique cette fois-ci, mais faite de volonté et d'exploits ?

Saura-t-il la (re)mettre au monde – mais pour l'éternité – grâce aux livres que, sous sa tutelle, elle écrira ? Saura-t-il, en un mot, être *la mère de son esprit* ? (Beauvoir dit que dans ses rêves, la nuit, sa mère "jouait souvent le rôle essentiel : elle se confondait avec Sartre".)

C'est en supprimant son origine biologique, nous dit Sartre dans *Les Mouches*, que l'homme devient son propre auteur (et celui de la femme). Oreste est orphelin, au même titre et pour les mêmes raisons que Roquentin : c'est la condition de sa "liberté". Mais… Electre ? Eh bien, Electre est moins sûre d'elle. (Elle tremble.) Terrifiée par les Erinyes, filles de la Nuit, déesses du remords, elle n'arrive pas à revendiquer fièrement sa participation au crime.

On dirait que les femmes ont du mal à être non seulement Pygmalion (ce qui implique de donner symboliquement la vie – voir les affres d'Elizabeth Barrett), mais aussi Oreste (ce qui implique de donner symboliquement la mort – voir les doutes débilitants de Virginia Woolf). Et c'est logique parce que, chez une femme, le geste matricidaire est toujours aussi, jusqu'à un certain point, suicidaire. Comment Electre ferait-elle, en effet, pour célébrer le meurtre de Clytemnestre ? Comment userait-elle des mêmes termes que son frère pour lancer un défi à Jupiter ? "Il ne fallait pas me créer libre, dit Oreste. […] A peine m'as-tu créé que j'ai cessé de t'appartenir […]. Car je suis un homme, Jupiter, et chaque homme doit inventer son chemin." "Eh bien, Oreste, soupire le dieu suprême. Tout ceci était prévu. Un homme devait venir annoncer mon crépuscule. C'est donc toi ? Qui l'aurait cru, hier, en voyant ton visage de fille ?"

L'homme existentialiste dément son visage de fille. Il dément ses boucles blondes. Il prouve qu'en dépit des apparences il ne dépend en rien du féminin ; qu'il est un *self-made man*, inventeur de son propre chemin et produit de sa propre volonté.

Mais comment devient-on une *self-made woman* ? Eh bien, en tuant "l'autre femme". Dans *L'Invitée*, ce n'est pas la jalousie – Dieu nous en garde ! – qui pousse Françoise à assassiner Xavière ; il s'agit, exactement comme pour le meurtre de Clytemnestre par Oreste, d'un geste d'auto-engendrement. Voici la déclaration finale du livre :

> Son acte n'appartenait qu'à elle [...]. C'était sa volonté qui était en train de s'accomplir, plus rien ne la séparait d'elle-même. Elle avait enfin choisi. Elle s'était choisie.

Beauvoir refuse avec véhémence d'être "séparée d'elle-même". Grâce à la transformation de sa souffrance (jalousies, colères, doutes, désir de mort) en philosophie et en littérature, elle parvient, année après année, à colmater les brèches. Pour finir, elle érige la transparence en idéal, non seulement entre elle et Sartre, mais entre elle et le monde : c'est en rendant publique – en *publiant* – sa vie privée, qu'elle peut, sinon en oblitérer les tourments, du moins les ratifier.

Ainsi, ce qui était déjà la démarche de Zelda Fitzgerald dans *Accordez-moi cette valse* sera celle de Simone de Beauvoir dans presque toutes ses œuvres romanesques. Mais régler ses comptes avec le passé, châtier symboliquement autrui en exposant ses ignominies aux yeux du monde… est-ce vraiment là un geste de créateur ?

LE 29 MARS 1988

Jean-Paul Sartre a écrit lui aussi, pendant la guerre, un roman basé sur l'"épisode Olga" : *L'Age de raison*. Il y prend bien plus de libertés avec les faits que Beauvoir dans *L'Invitée*, mais ce n'est pas pour autant un meilleur roman : à chaque page affleurent les concepts théoriques de l'œuvre philosophique qui lui est rigoureusement contemporaine : *L'Etre et le Néant*. Encore et encore, l'existence physique est décrite dans les deux livres en termes de "chute" ; l'homme s'appréhende comme "tombé au milieu des choses", et la conscience est irrémédiablement "engluée" dans le corps : à nouveau, on sent la proximité du christianisme ; à nouveau, on constate combien systématiquement la peur du corps entraîne le mépris des femmes.

Mathieu, le héros de *L'Age de raison*, est justement prof de philo. Au bout d'une âpre lutte de conscience, il affirmera sa liberté en abandonnant son amie Marcelle ("sa lucidité, son compagnon, son témoin, son conseiller, son juge")… parce qu'elle est enceinte. ("Si j'étais elle, se dit Mathieu en apprenant la nouvelle, j'aurais envie de taper sur toute cette viande.") Du côté de l'"En-soi" et de "l'authenticité" se trouvent Mathieu, sa crise d'identité, son désabusement vis-à-vis de l'engagement politique, son refus des entraves familiales. Du côté du "Pour-soi" et de la "facticité" sont Marcelle, sa mère invalide, sa chambre rose humide et palpitante – et surtout, bien entendu, sa grossesse. Marcelle dira : "Je me dégoûte un peu moi-même, je me fais l'effet d'être un gros tas de nourriture."

Mais comment croit-il être lui-même *né*, l'homme qui écrit de telles phrases ? Ah ! j'oubliais : c'est un petit Jésus…

Et moi ? Le "gros tas de nourriture" que je suis en ce moment me dégoûte-t-il ? Eprouverais-je le désir de taper sur "toute cette viande" ? Oh ! que non… Je dirais même qu'au contraire je ne m'aime jamais autant que lorsque je suis enceinte. Etre gentille avec moi-même a un sens en ce moment, parce que c'est être gentille avec quelqu'un d'autre. Ne pas fumer, ne pas boire, ne pas forcer, ni fatiguer, ni maltraiter ce corps… J'aimerais parvenir à le respecter toujours autant.

Du reste, tout le monde (sauf exception : tel cet ivrogne hargneux qui a marmonné en me croisant dans la rue : "Il t'a bien gonflée, hein !") – tout le monde est gentil avec une femme enceinte. Non seulement prévenant mais chaleureux : des inconnus, surtout des femmes, m'adressent la parole au café, au restaurant, dans les salles d'attente – elles me posent des questions, me parlent de leurs propres grossesses, me souhaitent bonne chance – je voudrais que la vie soit toujours aussi généreuse avec cet être que je porte ! Pourquoi une existence vaut-elle tellement moins dès qu'elle cesse d'être intra-utérine ?

LE 30 MARS 1988

Simone de Beauvoir a-t-elle été enceinte juste avant la guerre, comme Marcelle dans *L'Age de raison*, et s'est-elle fait avorter ?

Je ne sais pas.

Elle a dit que oui – lorsqu'en 1971 elle a signé la pétition dite des "343 salopes". (Mais, pour beaucoup de signataires, cette déclaration était un acte de pure solidarité féminine : il s'agissait de faire abroger l'archaïque et inique "loi de 1920" interdisant l'avortement.) Ce que je sais, c'est que son rôle aux côtés de Jean-Paul Sartre excluait *structurellement* la maternité, qui est l'unique différence significative entre les hommes et les femmes.

Bien sûr, elle n'a jamais nié être une femme. "J'ai cumulé, à partir de vingt ans, explique-t-elle ingénument dans ses Mémoires, les avantages des deux sexes. Après *L'Invitée* mon entourage me traita à la fois comme *un* écrivain et comme *une* femme." Voilà les deux sexes : le premier est composé d'écrivains, et le deuxième de femmes. "Ce fut particulièrement frappant en Amérique, poursuit Beauvoir. Dans les *parties*, les épouses se réunissaient et parlaient entre elles tandis que je causais avec les hommes, qui me manifestaient cependant plus de courtoisie qu'à leurs congénères."

L'avantage d'appartenir au deuxième sexe, c'est qu'on vous traite avec courtoisie. Cela comporte toutefois un certain nombre d'inconvénients qu'on doit s'efforcer de surmonter, dont le principal est que le *corps* des membres du deuxième sexe, bien que physiquement attirant (d'où la courtoisie), est doté de tout un attirail pour la reproduction de l'espèce – et, jusqu'à un certain point, handicapé par cet équipement.

Le Deuxième Sexe, publié quatre ans après *L'Etre et le Néant*, emprunte explicitement à celui-ci son vocabulaire et ses valeurs. Les descriptions angoissées que fait Sartre du vagin comme "bouche vorace qui avale le pénis", ou de "l'obscénité du sexe féminin" comme "celle de toute chose béante", sont égalées sinon surpassées par l'évocation beauvoirienne du "rut féminin" comme "la molle palpitation d'un coquillage". La femme, insiste Beauvoir qui en est une, "guette comme une plante carnivore, le marécage où insectes et enfants s'enlisent ; elle est succion, ventouse, humeuse, elle est poix et glu, un appel immobile, insinuant et visqueux".

Le Deuxième Sexe est en fait un livre aussi profondément divisé que son auteur. Chaque fois que Beauvoir considère l'expérience féminine de l'extérieur, dans sa généralité, elle reprend le discours uniformisant que critique en principe son introduction, et qui fait de l'homme un idéal pour les deux sexes. Par contre, chaque fois qu'elle décrit l'expérience féminine de l'intérieur, comme quelque chose de personnel et de vécu, elle la valorise en en laissant entrevoir la positivité. Il est donc logique que le sujet sur lequel elle ne franchit jamais la ligne soit la maternité – phénomène qui lui semble, à elle comme à Sartre, la négation par excellence de la liberté et du libre choix du sujet par lui-même. C'est pourquoi Beauvoir décrit la gestation comme "un travail fatigant qui ne présente pas pour la femme un bénéfice individuel", et affirme que, de toute façon, "de la puberté à la ménopause, [la femme] est le siège d'une histoire qui se déroule en elle et qui ne la concerne pas personnellement".

Je répète – à nouveau incrédule – cette phrase en pensant à toi, l'être dont les menus remuements font ma joie secrète en ce moment, toi qui m'accompagnes et me fais sentir ta présence dans les moments les plus incongrus ; je parle et tu es là, et tu me donnes des forces, de l'humour, de la distance, tu ramènes tout à sa juste mesure, tu m'as rendu l'appétit et surtout le sommeil qui me manquait si cruellement ces derniers mois, tu as calmé mes larmes de rage au milieu de la nuit, tu m'as restitué mon équilibre dans le monde, rendue à moi-même avant même de naître, tu as fait tout cela, et je serais en ce moment *le siège d'une histoire qui se déroule en moi et qui ne me concerne pas personnellement* ?

Quant au chapitre intitulé “La mère”, il démarre avec une demi-page sur la contraception, suivie de quinze pages sur l’avortement ; la grossesse, elle, est essentiellement une “épreuve”. “Celles qui traversent le plus facilement l’épreuve de la grossesse, explique Beauvoir, ce sont d’une part les matrones totalement vouées à leur fonction de pondeuse *[sic]*, d’autre part les femmes viriles qui ne se fascinent pas sur les aventures de leur corps [...] : Mme de Staël menait une grossesse aussi rondement qu’une conversation.” De quel mépris ne témoigne pas, dans cette phrase, l’universitaire émancipée et intransigeante pour toutes les générations de poules poufiasses qui l’ont précédée ! En clair, Mme de Staël était virile parce qu’elle savait mener une conversation, et femme parce qu’elle savait mener une grossesse. Encore une fois, le premier sexe retombe sur ses pieds, du côté de l’esprit.

Suis-je, moi, en train de mener ma grossesse “rondement” ? Suis-je bien certaine de ne pas me “fasciner sur les aventures de mon corps” ? Non, je n’en suis pas certaine du tout. Est-ce *très mal* de “se fasciner” sur cette aventure, une des plus bouleversantes (y compris intellectuellement, spirituellement, “existentiellement”) qui se puissent vivre ?

LE 31 MARS 1988

Ce que tout le monde retient du *Deuxième Sexe* est la boutade géniale : “On ne naît pas femme, on le devient." Et cependant, s'il existe un livre au monde qui s'acharne à prouver qu'*on naît femme*, c'est bel et bien *Le Deuxième Sexe*. Il suffit d'en lire le tout premier chapitre, "Les données de la biologie", pour se demander, accablée, comment une personne décrétée féminine lors de sa venue au monde parvient jamais à surmonter ce handicap écrasant. "Dès sa naissance, l'espèce a pris possession d'elle [...]. Au moment de sa puberté, l'espèce réaffirme ses droits [...]. Ce n'est pas sans résistance que la femme laisse l'espèce s'installer en elle", etc.

Le mot "espèce" – sous la plume de Beauvoir et de Sartre comme dans la bouche des écoliers – est une injure. ("Prétendras-tu que je fais l'amour ? demande Frantz à Leni dans *Les Séquestrés d'Altona*. Tu es là, je t'étreins, l'espèce couche avec l'espèce – comme elle le fait chaque nuit sur terre un milliard de fois...")

Mais pourquoi la femme relèverait-elle de l'espèce davantage que l'homme ? L'étalon se considère-t-il comme plus cheval que la jument, sous prétexte qu'il n'a qu'une participation ponctuelle au processus reproducteur ?

Non, parce que l'étalon ne réfléchit pas à ces choses. L'homme, lui, y réfléchit. Mais la femme aussi, y compris quand elle est enceinte. (La preuve.)

En réalité, les fonctions de l'esprit ne sont ni plus ni moins bestiales que celles du corps. Le langage est une capacité innée, instinctive, de l'animal qui se nomme être humain : il imprègne toutes ses expériences, et notamment ses expériences corporelles telles que la sexualité (qui devient de ce fait l'érotisme) et la mort (qui devient de ce fait la "mortalité").

Je suis (humaine), donc je pense. Ce n'est pas parce que je fais l'amour, ou un bébé, que je deviens moins humaine... sauf à identifier l'humain avec la maîtrise absolue. On peut perdre la maîtrise de son corps et devenir encore plus humain qu'avant – c'est ce que, après d'autres, j'ai découvert grâce à la maladie.

"La femme comme l'homme *est* son corps, mais son corps est autre chose qu'elle", dit encore Beauvoir. Du coup, ce n'est qu'après la ménopause que "la femme se trouve délivrée des servitudes de la femelle [...]. Elle n'est plus la proie de puissances qui la débordent, elle coïncide avec elle-même." Ouf ! A cinquante ans, enfin sujet !

Le souci obsédant de Simone de Beauvoir a été justement de "coïncider avec elle-même" – *et* avec Sartre. Voilà, à mon avis, la véritable raison pour laquelle, dans leur couple, un enfant était littéralement impensable. Non parce qu'il aurait détourné ces créateurs de leur œuvre, mais parce qu'il aurait été *l'ombre dans le miroir*. L'absolument neuf. La chose qui ne se serait jamais laissé capter dans les livres, plaquer sur la page, dire dans la transparence ; qui aurait marqué l'échec du mythe de la gémellité sur lequel était fondée leur entente.

Car l'enfantement, loin d'être la pure répétition biologique – le "ressassement de l'espèce", comme ils aimaient à le dire –, implique au contraire l'acceptation d'une *véritable différence*, une altérité par rapport à laquelle les notions de supériorité et d'infériorité sont dépourvues de sens. Etre parent, c'est entretenir un rapport à autrui qui ne relève *pas* – du moins pas forcément – de l'altruisme ni de l'aliénation. C'est un aspect de l'humanité qui s'est incarné traditionnellement, historiquement, chez les femmes plutôt que chez les hommes, et qui n'a pas à être bradé.

LE 1er AVRIL 1988

Ce que ne pouvait pas savoir Simone de Beauvoir, c'est que la maternité ne draine pas, toujours et seulement, les forces artistiques ; elle les confère aussi.

Combien d'amies – âgées de vingt, trente ou quarante ans – m'ont dit ces derniers temps, en apprenant la nouvelle de ma grossesse : "Ah ! je ferai un (autre) enfant quand je serai sûre d'avoir trouvé ma voie / ma voix..." !

Mais l'enfant n'entre jamais dans ce genre de calcul ; il en transforme les postulats. Impossible de peser le pour et le contre ; de prévoir : "Quand j'aurai prouvé *ceci*, je pourrai me permettre *cela*." Car le *cela*, loin de se contenter de prélever du temps au *ceci*, abolit jusqu'au *je* qui pouvait, telle une balance, tenir un enfant dans une main et un livre dans l'autre.

Quand je retrouverai ce cahier, après Pâques – après, précisément, une semaine d'immersion totale dans la vie de famille –, mon corps aura épaissi encore un peu plus… Déjà, dans la rue, dans le métro, je n'appartiens plus à la catégorie des "jeunes femmes abordables". L'image mentale que j'ai de mon corps (car je me "sens" encore mince) ne correspond plus à l'image que me renvoient les regards, y compris le mien propre dans la glace…

Cette fausseté flagrante de l'image du corps n'est pas sans rappeler l'effet de ma myélite : pour l'examen très raffiné de la résonance magnétique nucléaire, j'ai été enfournée dans un tube (rempli de lumière et des *Mazurkas* de Chopin) afin qu'un ordinateur puisse fabriquer des images synthétiques de mon cerveau et de ma moelle épinière. Après m'avoir préalablement attaché la tête avec du sparadrap et avoir disposé mon corps en une ligne parfaitement droite, on m'a intimé l'ordre de ne pas bouger. Au bout de deux heures et demie, je suis sortie du tube en me sentant coupable : j'étais persuadée que mon corps, droit comme un *i*, s'était mué imperceptiblement en un *s*, et qu'il allait falloir tout recommencer. Quelle n'a pas été ma stupéfaction lorsque, la tête libérée, j'ai pu constater que mon torse et mes jambes étaient restés exactement dans l'axe où on les avait placés !

Pendant les vacances de Pâques, un an plus tard, à l'apogée de mon euphorie romanesque, je parlais dans mon carnet intime d'une autre sorte de tube… un tube pour l'esprit et non le corps :

Le 23 avril 1987
Ecrire : creuser un tunnel à travers l'air. L'air est là, c'est le langage infini et arbitraire, on peut le traverser sans creuser quoi que ce soit, on peut parler "comme on respire". Mais, dès qu'on commence à creuser, les problèmes se posent : ce devrait être un tunnel de quelle largeur ? de quelle hauteur ? de quelle longueur ? Et on rencontre des obstacles, et les murs du tunnel s'effritent, et ses tournants nous coincent, et on se démène, et on se débat… et à la fin, après une longue lutte, on voit la lumière au bout du tunnel. Ensuite, d'autres pourront s'y engouffrer à leur tour pour découvrir le plaisir du solide, de l'inamovible, de la forme *au milieu de l'air amorphe. D'autres liront nos livres et auront, lorsqu'ils émergeront à nouveau dans la langue orale, un autre regard sur "les mots en l'air".*

Je ne le savais pas encore, mais le "tunnel" que j'avais commencé à creuser allait bientôt se refermer derrière moi sans s'ouvrir devant, et j'allais me trouver dans le noir, emmurée vivante, entourée par des mots, des mots et encore des mots… d'une opacité totale.

LE 11 AVRIL 1988

"Vous en êtes où ?" N'importe qui, me regardant, a le droit de me poser cette question. "Cinq mois aujourd'hui même", ai-je répondu ce matin à la dame du laboratoire.

Seulement cinq mois ! C'est fou… pendant plus de cent jours encore, ça va pousser sans que j'y puisse quoi que ce soit… Je suis araignée, pieuvre, crabe : les bras et les jambes autour du centre demeurent mobiles, souples, élastiques, tandis que le ventre s'enfle et s'arrondit, devient chaque jour plus imposant – "ostentatoire", m'a dit M. hier soir. Je comprends que cela fasse peur aux hommes ! même à moi, cela fait peur… Chaque femme enceinte est secrètement persuadée qu'elle demeurera toujours enceinte, que son corps sera définitivement encombré, empêché, ralenti… Et, *a contrario*, chaque femme qui n'est pas enceinte a du mal à imaginer qu'elle le sera ou l'a été (quoi de plus *ontologique* que le corps ?).

Et si l'on dit : "Neuf mois ce n'est rien, au vu d'une vie humaine", comment ne pas ajouter aussitôt : "Une vie humaine, ce n'est rien" ? Si l'on parvient à réduire à néant ces millions d'instants tellement divers, pourquoi le reste ne serait-il pas néant aussi ? C'est pour *les autres* que la grossesse se divise prestement en trois trimestres, mauvais-bon-mauvais comme une sonate en trois mouvements, rapide-lent-rapide. Comment ose-t-on balayer ainsi les innombrables vicissitudes de cet état – nausées, vertiges, douleur des reins, crampes et spasmes… mais aussi euphories, rêveries, émerveillements, pléthores, plénitudes – par les mots "*x*-ième trimestre" ? Chaque grossesse est aussi différente d'une autre grossesse que chaque sonate d'une autre sonate.

La première fois qu'elle fut enceinte, Sylvia Plath écrivit, à propos de sa "maison obscure" :

Elle recèle tant de caves,
tant de galeries entortillées !
Je suis ronde comme une chouette,
je vois par ma propre lumière.
Un jour je pourrais bien pondre des chiots
Ou mettre bas un poulain. Mon ventre bouge.
Il faut que je trace d'autres cartes.

Malheureusement, ces "autres cartes", elle n'aura guère eu le temps de les tracer. Il faudra que d'autres femmes les tracent, chacune les siennes…

LE 13 AVRIL 1988

Devisant l'autre jour avec une amie aux cheveux blancs dont j'admire depuis longtemps la sagesse, j'ai avoué : "Dans mes moments de découragement, je me dis parfois que, à mon âge, Sylvia Plath était morte depuis quatre ans. – Mais tu as appris une chose très importante qu'elle n'a jamais sue, m'a répondu mon amie. Tu as appris comment faire pour ne pas te tuer."

La mort que Sylvia Plath s'est donnée à l'âge de trente ans est très probablement une des raisons pour lesquelles elle est mieux connue en France que son mari Ted Hughes. Celui-ci est pourtant poète lauréat d'Angleterre depuis 1985 ; il n'y a pas de doute qu'ils ont formé, pendant les sept tumultueuses années qu'a duré leur mariage, un des couples littéraires du XXe siècle dans lesquels le talent a été le plus également distribué.

La vie de Plath, qui s'est terminée il y a un quart de siècle, est plus facile à connaître que celle de Hughes encore vivant, pour la bonne raison qu'elle en a transcrit des reflets, copieusement et régulièrement, d'une part dans un journal et d'autre part dans des lettres à sa famille. (Fait singulier : Hughes détient le copyright exclusif des œuvres de Plath ; c'est donc lui qui a pris la décision d'éditer ces écrits intimes – documents précieux mais seulement jusqu'à un certain point, puisqu'il en a supprimé tous les passages qui lui paraissaient compromettants, et en l'indiquant lui-même.)

Sylvia Plath grandit dans une famille de la classe moyenne sur la côte nord du Massachusetts. Comme Simone de Beauvoir, elle est convaincue dès l'enfance qu'elle a hérité son cerveau du côté paternel et tout le reste du côté maternel. (Sa mère Aurelia avait été l'étudiante d'Otto Plath, un biologiste de renom, et celui-ci l'avait contrainte à renoncer à ses études lorsqu'ils ont décidé de fonder un foyer ensemble.) Mais la petite Sylvia dispose, pour élaborer son complexe d'Electre, d'un atout qui faisait défaut à la petite Simone : son père meurt, d'une gangrène du pied mal soignée, lorsqu'elle a neuf ans. La mort, la Grande Absence – Electre le sait, qui a vu périr Agamemnon presque sous ses yeux –, ça vous rend un père encore plus puissant que l'absence quotidienne. Longtemps, Sylvia sera secrètement persuadée qu'Aurelia est responsable de la disparition de son père. Aurelia joue pourtant mal le rôle de Clytemnestre : étant elle-même une femme intelligente et sensible, elle tient à construire avec sa fille une relation faite non de haine mais de proximité, de confiance et de confidences. Seulement, à mesure qu'elle grandit, Sylvia se sent de plus en plus menacée, justement par cette proximité. Aurelia a beau encourager constamment sa créativité et faire des sacrifices pour lui permettre d'aller dans les meilleures universités ; rien n'y fait : Sylvia percevra toujours ses efforts intellectuels comme le moyen d'échapper au monde maternel, le monde des bonnes manières et des bonnes ménagères – auquel elle veut aussi, désespérément, appartenir.

A l'université au début des années cinquante, Sylvia manifeste non seulement une vive intelligence, mais aussi une forte aspiration à l'autonomie ; l'idéal ambiant du mariage ne la fait guère vibrer. "Je ne suis pas seulement jalouse, écrit-elle dans son journal intime en septembre 1951, je suis vaniteuse et orgueilleuse. Je ne consentirai pas à voir mon mari tripoter ma vie, m'enfermer dans le cercle plus large de ses intérêts à lui, et me nourrir par procuration des récits de ses exploits réels." Et, quelques mois plus tard :

> Non, il y aura plutôt deux cercles qui se chevauchent, qui auront donc un terrain commun fort et

inamovible, mais aussi chacun un arc indépendant qui se lance vers le monde [...]. Deux étoiles, polarisées [...], dans les moments de communication totale, se fusionnant presque en une seule. Mais la fusion est une impossibilité indésirable – et assez intolérable. Donc il n'en sera pas question.

Voilà son projet de vie à l'âge de vingt ans : l'amour dans l'indépendance. Voilà la voix de Plath quand elle est sur le versant rose : forte, optimiste, sûre de ses dons et de ses droits. Mais il y a déjà à cette époque, et il y aura toute sa vie, un versant noir, une voix de dépression et d'autodénigrement, un désir irrésistible de se détruire.

Novembre 1952

J'ai peur. Je ne suis pas solide, mais creuse. Je sens derrière mes yeux une caverne engourdie, paralysée, un abîme infernal, un néant gesticulant. Jamais je n'ai écrit. Jamais je n'ai souffert. Je voudrais me tuer, échapper à toute responsabilité, retourner en rampant dans le ventre de ma mère.

L'équivalence entre la mort et le retour au ventre maternel, qui revient constamment sous la plume de Plath à cette époque (et n'est pas sans rappeler certain fantasme de Beauvoir), jouera plus tard un rôle essentiel dans sa complicité amoureuse et artistique avec Ted Hughes.

En juillet 1953, entre deux semestres à l'université, Sylvia voit refuser sa candidature pour un cours de création littéraire qu'elle convoitait particulièrement. Rejetée par le professeur, un écrivain de renom, elle décide finalement de passer l'été à la maison : de "retourner en rampant dans le ventre de (sa) mère".

(En juillet 1953, je *suis*, moi, dans le ventre de ma mère. Celle-ci n'a que vingt-deux ans, et je suis sa deuxième enfant. Elle se demande si elle parviendra jamais à terminer son mémoire de maîtrise en sciences politiques.)

Sylvia Plath se laisse envahir par le doute et la haine de soi, elle cesse de manger et sombre chaque jour un peu plus dans le désespoir.

> Arrête de penser égoïstement aux rasoirs et aux blessures que tu t'infligerais et aux façons de mettre fin à tout cela [...]. Tu ne dois pas chercher à t'évader ainsi. Tu dois réfléchir...

Après ces mots, le journal s'interrompt pendant deux ans. Sylvia fait une tentative de suicide. Une vraie, qui manque tout juste de réussir, et lui laisse au visage une cicatrice permanente.

Le gouvernement des Etats-Unis, cet été-là, avait mis à mort Julius et Ethel Rosenberg sur la chaise électrique. Quand Sylvia se retrouve enfermée avec l'accord de sa mère dans un hôpital psychiatrique et soumise à des traitements d'électrochoc (avec anesthésie insuffisante), elle sent peut-être qu'on la punit pour un crime aussi odieux que le leur : la trahison, non pas de secrets atomiques, mais de cette "femme mystifiée" qui est alors le modèle américain de la féminité.

Elle ne sera plus jamais la même. Quand le journal reprend, c'est une voix différente qui parle : une voix plus humble, plus grave, et – curieusement – moins "féministe" qu'avant le traumatisme. Comme si, après avoir frôlé la mort de près, elle se reprochait d'avoir été trop ambitieuse. Elle parle de son nouveau *boyfriend* comme d'un ange doté de "feu, d'épées et de puissance flamboyante" ; elle lui demande : "Comment se fait-il que je découvre si lentement à quoi servent les femmes ?" Selon son amie Nancy Hunter Steiner, avec qui elle partage une chambre à cette époque, "Sylvia avait décidé que son mari serait un homme très grand ; elle parlait, à moitié en plaisantant, de produire une race de super-enfants, aussi superlativement grands qu'intelligents. Ces enfants, selon ses prédictions, seraient tous des garçons." Fantasmant Ted Hughes avant même de le connaître, Plath ne s'en cache pas : elle cherche un mari qui ait les mêmes proportions gigantesques qu'a prises son père mort.

Même l'exil n'y change rien : en Angleterre, où elle poursuit ses études à l'université de Cambridge, elle réitère le même vœu jour après jour :

Le 19 février 1956

[…] Et je pleure pour qu'un homme me tienne dans ses bras – un homme qui serait un père…

Le 25 février 1956

Mon Dieu comme j'aimerais faire la cuisine et m'occuper d'une maison, et faire surgir la force dans les rêves d'un homme, et écrire, pourvu qu'il puisse parler et marcher et travailler et vouloir passionnément s'occuper de sa carrière.

Le soir même, elle rencontre Ted Hughes.

(En février 1956, ma mère est enceinte pour la troisième fois. Le jour où elle pourra reprendre ses études semble s'éloigner de plus en plus. Selon tous les psychologues et sociologues de l'époque, elle n'a qu'à faire la cuisine, à s'occuper de sa maison et à faire surgir la force dans les rêves de son mari.)

Né en 1930 et élevé dans les landes du Yorkshire, dans le Nord de l'Angleterre, Hughes est un homme très grand, débordant de vitalité, un passionné de la nature et des animaux. Après avoir étudié la littérature, l'archéologie et l'anthropologie à Cambridge, il a tourné le dos au rationalisme occidental pour se plonger dans des recherches mystiques : le tarot, l'astrologie ou les Veda indiens le fascinent au même titre que l'hypnose et l'écriture automatique. Par ailleurs, c'est un poète déjà reconnu à Cambridge, et Plath a admiré ses poèmes. Elle vient à une fête exprès pour le rencontrer… En l'embrassant la première fois, elle le mord jusqu'au sang.

Le 26 février 1956

Ah ! me donner à toi, dans le fracas et la bagarre […]. Il a dit mon nom, Sylvia, en me cognant dans les yeux avec un regard noir et malicieux, et j'ai envie de tenter – serait-ce une seule fois – ma force contre la sienne.

A sa mère, elle écrit : "C'est le seul homme que j'aie rencontré jusque-là qui soit assez fort pour être mon égal." Comme dans les journaux et lettres de Beauvoir un quart de siècle plus tôt, l'amour du "grand homme" est décrit dès le début en termes de rapport de forces. Mais, là où Beauvoir avait dit : "Je ne suis plus sûre de ce que je pense, ni même de penser", Plath, elle, se sent inspirée par l'énergie créatrice de Hughes. "Pour la première fois, raconte-t-elle à Aurelia, je peux me servir de tout mon savoir, de toute ma force et de toute mon écriture [...]. Plus il écrit des poèmes, et plus il écrit des poèmes [...]. Tous les jours je suis remplie de poèmes : ma joie produit des tourbillons de mots."

Seulement, il y a les mots, et puis il y a les mets. Deux poètes qui vivent ensemble, ce sont encore deux corps. Alors que tous les deux écrivent, c'est surtout la poétesse qui prépare les repas. Il est clair, d'après ses lettres à Aurelia, que Sylvia trouve cet état de choses tout naturel.

Le 21 avril 1956

> [...] je fais griller des steaks et des truites sur mon réchaud à gaz et nous mangeons bien. Nous buvons du porto dans le jardin en lisant de la poésie ; on cite à n'en plus finir : lui récite un vers de Thomas ou de Shakespeare et il me dit : "Continue !" [...]. Si tu trouves un moment, pourrais-tu m'envoyer mon *Joy of Cooking* ? C'est le seul livre qui me manque vraiment.

(Ma mère a très probablement envoyé des lettres semblables à sa mère à elle… Le rêve de mes parents, alors que ce n'était pas un rêve à la mode, avait été de créer un couple basé sur l'égalité, un mariage qui favoriserait le plein épanouissement des dons de chacun. Lorsqu'ils se sont mariés, tous deux avaient entamé une carrière universitaire brillante. Mais seule ma mère savait raccommoder les chaussettes, laver le sol et faire mijoter un ragoût…)

Les poèmes de Plath, exactement contemporains de ces lettres, laissent transparaître une tout autre image de l'appétit féroce de son mari :

Lui, piqué par la faim, dur à assouvir,
Est si bien assorti à ma chance noire
(Avec une chaleur qu'aucun homme ne pourrait avoir
Tout en restant bon),
Que le seul mérite possible, c'est d'être de la viande
Assaisonnée pour son approbation […]
Et, bien que chaque repas regorge de morceaux de choix,
Il n'épargnera pas
Ni ne privera son désir, jusqu'à ce que
Le garde-manger saccagé soit nu comme un os.

"Le glouton" (1956)

Consommation : d'un mariage, d'un repas, d'un sacrifice. La femme qui donne à manger s'identifie parfois à ses mets de la même manière qu'une femme qui écrit s'identifie à ses mots. Comment être sûre de ne pas être spoliée, dévastée, dépouillée par l'autre ? Comment préserver un “soi” face à cet amour cannibale ?

Un léopard est à mes trousses
De lui un jour viendra ma mort [...]
Dans le sillage de ce chat féroce
Torches embrasées pour son plaisir,
Des femmes gisent, ravies et consumées,
Devenant les proies de son corps affamé [...]
Je tends mon cœur pour tenir sa cadence,
Pour étancher sa soif, je gaspille mon sang ;
Il mange et doit manger encore,
Il exige un sacrifice total [...]

“Poursuite” (1956)

Sylvia Plath et Ted Hughes se marient le 16 juin 1956.

LE 14 AVRIL 1988

Que dévore Ted Hughes ? Non seulement les steaks et les truites que lui prépare Sylvia Plath, mais aussi les idées et les souvenirs de celle-ci, grâce à ce qu'il appelle leur “unique esprit partagé”. Comme chez Castor et Poulou, c'est l'homme qui emploie le concept de *fusion* (deux êtres qui ne font qu'un), tandis que la femme parle en termes de *ressemblance* et semble tenir à préserver, malgré tout, une certaine dualité.

“Ted est le seul homme que j'aie jamais rencontré, écrit Sylvia à Aurelia en juillet 1956, dont je préfère la compagnie à ma solitude ; c'est comme vivre avec la contrepartie mâle de moi-même [...]. Sans son aide je ne pourrais jamais devenir quelqu'un d'aussi bien." Et à nouveau, en septembre : "Je ne peux pas un seul instant penser à lui comme à autre chose que la contrepartie mâle de moi-même, avec toujours quelques pas d'avance sur moi sur le plan intellectuel et créateur, de sorte que je me sens très féminine et admiratrice."

On n'est vraiment pas très loin du "double, plus accompli que moi" de Simone de Beauvoir. Et, de même que celle-ci avait voulu que Sartre lui "donne la vie" comme Oreste à Electre, de même, Sylvia rêve que Ted "accouche" d'elle comme Adam d'Eve :

Comment sinon joyeuse
Pourrait être cette femme d'Adam
Quand le monde entier répond à ses paroles,
Bondissant pour louer le sang d'un tel homme !

"Ode à Ted" (1956)

"Je peux apprécier la légende d'Eve tirée de la côte d'Adam comme je ne l'avais jamais fait jusque-là, renchérit-elle dans une lettre à Aurelia ; cette foutue histoire est vraie ! C'est là ma place."

Le thème adamique, comme celui des fauves et des rapaces, Hughes le partage avec Plath. Mais, là où celle-ci l'exprime au premier degré, en termes d'idéal paradisiaque, celui-là le tourne chaque fois en dérision, parfois de manière grinçante :

Non, le serpent n'a pas
Séduit Eve avec la pomme.

Tout cela n'est que
Corruption des faits.
Adam a mangé la pomme.
Eve a mangé Adam.
Le serpent a mangé Eve.
Ceci est l'intestin enténébré...

"Théologie" (1961)

Ce poème de Ted Hughes laisse entrevoir ce qui rapproche peut-être le plus les deux poètes au début de leur mariage : un fort sentiment d'ambivalence envers l'"intestin enténébré", le féminin maternel. Cette ambivalence s'exprime chez Hughes dans des métaphores toutes sartriennes : "Vous avez une fois parlé de la tradition dominante de la poésie anglaise comme d'une affreuse pieuvre maternelle et suffocante", lui fait remarquer son exégète Ekbert Faas au cours d'une interview. "En disant pieuvre, répond le poète, je parlais de la fantastique puissance magnétique qu'a cette tradition pour s'emparer des poètes et les tenir." Hughes n'élucide pas de quoi il parlait en disant maternelle, mais l'association est claire : il s'agit de la menace poisseuse et suffocante que représente si souvent, pour l'esprit, la *mater.*

Pour une femme, cette même ambivalence – coextensive du complexe d'Electre – implique toujours une scission : c'est justement ce qui, depuis longtemps, partage en Sylvia Plath le versant rose et le versant noir. A la surface, elle continue d'être optimiste, efficace, aimante, la bonne petite fille à sa maman – mais, en dessous, il y a une terrifiante violence destructrice. En cela elle ressemble fortement à Virginia Woolf ; et, plus tard, Ted Hughes emploiera à son sujet l'image du volcan que Woolf avait utilisée à propos d'elle-même : “L'opposition entre une défense chatouilleuse et fastidieuse et un volcan imminent, écrira-t-il, est un élément constitutif de tous ses poèmes des premières années.” Seulement, là où Woolf savait qu'il lui fallait “marcher tout doucement sur ce volcan”, Hughes incite Plath à le laisser entrer en éruption.

Comme son propre travail littéraire ne pâtit pas de cette même division, Hughes écrit beaucoup et bien. Plath dit qu'il est “aussi prolifique que les étoiles filantes au mois d'août” et décrit ses poèmes “comme des explosions contrôlées de dynamite”. Quand son premier recueil reçoit un prix, elle s'en réjouit : “J'aime mieux, écrit-elle à Aurelia, si l'un de nous seulement doit réussir, que ce soit lui : c'est pourquoi j'ai pu l'épouser, sachant qu'il était meilleur poète que moi et que je n'aurais jamais à restreindre mon petit don mais pourrais le pousser et le travailler jusqu'au bout et sentir Ted toujours en avance.”

Mais les poèmes de Sylvia laissent à penser qu'elle redoute ce qui pourrait arriver si elle poussait *trop* son “petit don”, se montrant trop intelligente ou insolente vis-à-vis de son mari. Dans “L'homme de neige sur la lande”, par exemple, rédigé à la même époque que cette lettre à Aurelia, une jeune femme quitte la maison à la suite d'une dispute conjugale et se promène seule sur une lande enneigée :

[…] Un géant surgit au loin, à la hache de pierre
Haut comme le ciel […]
[…] ô elle ne sentit
Aucun amour dans cet œil,
Pire – elle vit, suspendus à sa ceinture cloutée,
Des crânes tondus de femmes :
Lugubres, les langues sèches claquèrent leur honte :
"Notre esprit se moquait
Des rois, dévirilisait les fils de roi : nos talents
Amusaient les salons des cours
Pour cette effronterie nous écaillons ces cuisses de fer."

Qu'est-ce qui, chez son mari, provoque ou explique un tel effroi ?

Ted Hughes n'est pas un Jean-Paul Sartre, au contraire : à bien des égards, le philosophe français incarne la chose même contre laquelle le poète anglais s'acharne, à savoir le rationalisme occidental. Et pourtant, les deux écrivains conceptualisent de façon très semblable non seulement la *mater*, mais aussi le rapport que celle-ci entretient avec la création artistique ou intellectuelle.

Violemment opposé aux valeurs de la société qui l'entoure, Hughes attribue tous les maux modernes à la Réforme protestante et à l'idéologie qui la sous-tend : "La misogynie subtilement divinisée de la Réforme, écrit-il, est en proportion directe avec son rejet fanatique de la Nature, dont le résultat a été d'exiler l'homme de la Mère-Nature – aussi bien la nature intérieure que la nature extérieure [...]. Depuis que le christianisme s'est durci en protestantisme, nous pouvons suivre la vie souterraine et hérétique de la Nature, liguée avec tout ce qui est occulte, spiritualiste, diabolique, émotif, bestial, mystique, féminin, fou, révolutionnaire et poétique."

Même si elle se veut antimisogyne, et même si tous ses éléments sont positivement connotés pour Ted Hughes, cette liste d'adjectifs dans laquelle la féminité est associée à la bestialité et à la folie ne peut pas être prise pour un credo féministe. Que le poétique relève du même ordre que le féminin n'implique nullement que les femmes soient des auteurs privilégiés de poésie.

LE 15 AVRIL 1988

Hier soir, je ne suis pas allée à l'ouverture du Salon du livre. Ah ! l'effarante quantité d'individus dans le monde qui, comme moi, ont passé ces derniers mois à inventer personnages, intrigues, métamorphoses et métaphores... rien que d'avoir à les imaginer, ces piles de romans nouveaux à perte de vue, m'a épuisée.

Mais le même épuisement m'attendait au tournant, ce matin, dans le cabinet de l'échographiste... M. et moi, qui entretenons l'illusion de vivre un événement unique, avons dû patienter au milieu d'une foule de femmes enceintes avec leur compagnon, chaque couple aussi ridiculement émerveillé que nous. Quand notre tour est venu enfin, nous avons appris que l'enfant avait une "croissance au-dessus des normes habituelles" : toutes les mesures dépassaient en effet de quelques millimètres la limite supérieure prévue pour un fœtus de son âge. Pour une raison que je ne parviens pas à élucider, ce constat purement objectif m'a remplie d'orgueil : toute la journée je me suis pavanée. Comme si, en soi, c'était mieux de mettre au monde un enfant de quatre kilos que de trois, un livre de quatre cents pages plutôt que de trois cents !

J'ai passé l'après-midi avec D., qui avait lu mon manuscrit pendant les vacances de Pâques et m'en a longuement parlé. En dépit de quelques réticences, il pense que c'est un roman qui mérite de vivre. Son diagnostic – "nullement monstrueux" – m'a rassurée exactement comme l'image du bébé à l'écran l'avait fait : tous les membres, tous les organes vitaux sont là ; ça finira par faire quelque chose de viable…

En voilà donc deux bons "échos" !

LE 18 AVRIL 1988

Elle ne peut pas faire tout le chemin […]
Elle vient en chantant elle ne sait rien faire d'un instrument
[…]
Elle vient muette elle ne sait rien faire des mots […]
Elle est venue amoureuse elle n'est venue que pour ça

S'il n'y avait pas eu d'espoir elle ne serait pas venue
Et il n'y aurait pas eu de cris dans la ville
(Il n'y aurait pas eu de ville).

"La chanson basse de Corbeau" (1970)

Qui, dans ce poème de Ted Hughes, est "elle" ? La Mère ? La Nature ? La Femme ?

Tout cela à la fois.

Elle-même impuissante à créer de la culture, "elle" est la seule fondation sur laquelle l'édifice culturel puisse être érigé. L'homme doit agir sur cette matrice naturelle afin de la transformer en art ; ainsi, dans l'optique de Hughes, c'est le poème qui est féminin et non pas le poète. *Agir* sur une matrice, ce n'est en définitive pas la même chose que d'*avoir* une matrice...

Or Sylvia Plath veut être cette antithèse vivante : *un poète femme*. Contrairement à Beauvoir, qui se flattait d'unir en elle "un cœur de femme, un cerveau d'homme", elle tient à prouver qu'il est possible de posséder un cerveau de femme. "Je serai une des rares femmes poètes au monde, écrit-elle à Aurelia, à se réjouir pleinement d'être une femme, au lieu d'une pseudo-homme amère ou frustrée ou tordue." Et cependant, une autre lettre sur le même thème nous rappelle que la femme, même poète, est chose créée plutôt que créatrice souveraine : "[Ted] voit dans mes poèmes et travaillera avec moi pour me transformer en une femme poète à ébahir le monde ; il voit dans mon caractère et ne tolérera aucun égarement par rapport à mon vrai, mon meilleur moi." Dès le début, c'est Hughes qui décide quel est son "vrai", son "meilleur moi" ; il lui donne des exercices de concentration et d'observation, lui dresse des tableaux de l'histoire de la poésie anglaise, lui sert "d'entraîneur intellectuel" comme Sartre l'avait fait pour Beauvoir.

Tout en acceptant cette position d'élève-produit de Hughes (et en en tirant des bénéfices certains), Plath la commente dans ses poèmes sur un mode dissonant. "Soliloque du solipsiste", par exemple, présente la situation du point de vue de l'*auctor* mâle et se termine sur cette note passablement sarcastique :

Moi,
Je sais que tu apparais
Toute vive à mes côtés
Niant être jaillie de ma tête
Prétendant sentir
Un amour assez brûlant pour prouver vraie la chair
Même s'il est clair
Que toute ta beauté, tout ton esprit sont un cadeau, ma chère
De moi.

Si Hughes ne va pas jusqu'à croire que toute la beauté et tout l'esprit de son épouse sont un cadeau de lui, un poème datant de la même époque que ce "Soliloque" et intitulé "Les *girlfriends* de Fallgrief" suggère qu'il les trouve peut-être superflus :

[...] Toute femme qui naît, dit-il, ayant
Ce que toute femme qui naît ne peut qu'avoir

Détient une part du monde qui vaut bien plus
Que ce qu'esprit ou jolie mine peuvent faire valoir…

Le nom de Fallgrief signifie "chute-chagrin". Est-ce cela, sa chute et son chagrin ? le fait que sa femme ne se contente pas d'avoir "ce que toute femme qui naît ne peut qu'avoir" : un utérus ?

"On a l'intention de faire sept enfants, écrit Sylvia à sa mère, après avoir publié chacun un livre et voyagé un peu." Les lettres comme les journaux de Plath, pendant les deux premières années de son mariage, parlent du désir d'enfants comme d'une chose évidente, une sorte de récompense qu'elle méritera dès qu'elle aura fait ses preuves en tant que poète. Qu'en était-il de Hughes ? Dans une lettre à des amis lors de la procédure de divorce, plusieurs années plus tard, Plath dira qu'il n'avait pas voulu d'enfants du tout… ce qui, étant donné sa vision de la *mater*, n'est guère surprenant.

Poème après poème, en effet, les protagonistes mâles de Hughes sont noyés dans la boue par des femmes hystériques accrochées à leur cou ; ou, cherchant à assassiner leur mère, ils finissent par se tuer eux-mêmes ; ou, s'efforçant d'échapper à leur mère, ils se retrouvent dans son ventre. "Corbeau raconte saint Georges" est l'histoire d'un homme menacé successivement par trois monstres hideux ; dans une frénésie de terreur et de dégoût, il parvient à les tuer tous ; à la fin du poème, entouré de membres mutilés, il "lâche son épée et quitte, hagard, la maison / où son épouse et ses enfants gisent dans leur sang". Et, dans son adaptation de l'*Œdipe* de

Sénèque, Hughes va beaucoup plus loin que le dramaturge latin dans la gynophobie, faisant endosser à Jocaste toute la responsabilité de la tragédie : "C'est ici – ça – l'endroit que haïssent les dieux – là où tout a commencé", dit-elle, avant de plonger l'épée dans son propre vagin, "ce ventre enténébré qui engloutit tout ordre et distinction".

Hughes est bien évidemment conscient de la prévalence de cette imagerie matricidaire dans sa poésie ; selon lui, elle illustre le crime commis par l'idéologie patriarcale, à savoir la destruction de la déesse-mère : "Le christianisme, affirme-t-il dans un essai sur Shakespeare, destitue la Mère-Nature et engendre sur son corps prostré la Science, qui s'emploie ensuite à la détruire." Mais cette image en rappelle fortement une autre, celle de la Méduse (déjà abattue par Jean-Paul Sartre) : en effet, du "corps prostré" de cette Gorgone surgit… *Pégase, le cheval ailé de l'imagination poétique*. Hughes tire des crimes qu'il dénonce une grande partie de son inspiration ; sa poésie rejoue, de manière inlassable, le meurtre même qu'elle vitupère.

Loin de la déranger, cette attitude "arrange" Sylvia Plath pendant les deux premières années de son mariage. C'est volontiers qu'elle abandonne les contraintes de la vie universitaire et suit Ted Hughes sur le chemin de l'occultisme, s'essayant à l'astrologie, à la magie et au tarot pour faire jaillir des idées de poèmes. Par ailleurs, elle ne cesse d'insister sur le plaisir qu'elle tire du rôle féminin qu'elle joue à ses côtés, tapant ses manuscrits et lui faisant à manger, tout en poussant jusqu'au bout son "petit don" à elle.

Mais en 1958, année pendant laquelle les deux poètes enseignent la littérature aux Etats-Unis, Plath commence à aller mal et à s'en plaindre : elle se sent, dit-elle dans son journal, "à l'écart de moi-même, scindée, une ombre". N'ayant pas encore compris la nature de cette scission, elle produit un symptôme pour l'exprimer – le même symptôme que Zelda Fitzgerald lors de ses internements psychiatriques : l'eczéma. En mai, elle écrit : "J'ai envie de me gratter jusqu'à ce que ma peau soit arrachée" – et, deux mois plus tard, sans faire le rapprochement :

> Le 7 juillet 1958
>
> Le danger, en partie, je crois, est de devenir trop dépendante de Ted. Il est didactique, fanatique [...]. Entre nous il n'y a aucune barrière – c'est un peu comme si aucun de nous deux – et surtout moi – n'avait de peau, ou comme si on avait une seule peau à nous deux et qu'on se heurtait et se frottait sans cesse l'un contre l'autre.

Sylvia Plath ne tolère déjà plus ce que Simone de Beauvoir avait toléré toute sa vie : le fait d'avoir à "ne faire qu'un" avec son compagnon ; elle est moins douée que le Castor pour vivre dans la peau d'un autre ; ça coince, ça grince, ça gratte, elle sent bien que ce n'est pas sa peau à elle... L'eczéma exprime à la perfection la tentative de Plath pour préserver une frontière qui empêchera son identité de se couler complètement dans celle de son mari. Là où Beauvoir et Sartre exaltaient la transparence et l'identité, Plath se sent de plus en plus envahie par les mots et les valeurs de Hughes. Elle décide de ne plus lui montrer ses poèmes : "Je dois être moi-même – me faire moi-même – et non plus me laisser fabriquer par lui." Le "Soliloque du solipsiste", en d'autres termes, ne la fait plus rire.

Quant à l'attitude de Hughes envers l'union conjugale, elle suit la même bifurcation que celle de Sartre. Le poème "Chanson d'amour" décrit avec une grande violence les efforts d'un homme et d'une femme pour atteindre l'union physique et affective, se mordant et se rongeant et se suçant jusqu'à ce qu'ils aient échangé bras, jambes, visage et cerveau. En revanche, l'union spirituelle – ou "télépathique" – avec Plath a considérablement accru les capacités poétiques de Hughes. Il le dit textuellement, en janvier 1961, dans une interview à la BBC intitulée *Poets in Partnership* :

> A part les expériences de ma propre vie, je dispose aussi, d'une certaine façon, de celles de la vie de Sylvia [...]. Deux êtres qui ont ce genre d'empathie, et qui sont compatibles de cette façon spirituelle, constituent en fait une seule personne, une seule source de pouvoir à laquelle ils puisent tous deux, et on peut tirer une matière incroyablement détaillée de cet unique esprit partagé. Et je suis sûr que c'est la source d'une très grande partie de ma poésie à moi ; je ne sais pas si l'inverse est vrai ou non mais je suppose que oui.

Quand on demande à Sylvia si l'inverse est vrai, elle répond un peu évasivement que, étant plus "pratique" que Ted et "pas tout à fait aussi abstraite", elle s'est mise à s'intéresser aux abeilles qu'élevait son père et à l'image de la ruche grâce à la passion de son mari pour les animaux. Ce qui, décidément, n'est pas la même chose. Du reste, chaque fois que l'intervieweur suggère que les deux poètes ont des styles similaires, Sylvia insiste sur le fait qu'ils écrivaient tous deux depuis dix ans avant même d'entendre parler l'un de l'autre, et qu'ils auraient sans doute été semblables (à supposer qu'ils le fussent) même s'ils ne s'étaient jamais rencontrés.

Nous voilà bien loin du vocabulaire de la "contrepartie mâle" utilisé par Plath cinq ans plus tôt. Que s'était-il passé entre-temps ? Pourquoi Plath, à la différence de Beauvoir, éprouve-t-elle maintenant le besoin d'affirmer son indépendance et sa différence par rapport à Hughes, plutôt que de se complaire dans l'attitude "féminine et admiratrice" à son égard ? La réponse à cette question peut se résumer en un seul mot : la maternité. En devenant mère, Sylvia Plath a "trahi" le pacte de gémellité qui la liait à Ted Hughes, révélant le caractère spécieux de sa symétrie. Son abandon par Ted – et, jusqu'à un certain point, son suicide – est la suite sinon inévitable, du moins logique, de cette "trahison".

LE 19 AVRIL 1988

Je ne dirai pas, dans ce journal, à quoi ressemble ma vie avec M. Par respect pour lui, et parce que nous ne sommes pas, comme Beauvoir et Sartre, dans le mythe de la transparence : ni l'un vis-à-vis de l'autre, ni de notre couple vis-à-vis du public. Je dirai seulement qu'il a, pour un homme, une rare autonomie matérielle. Même dans son for intérieur, il n'a pas la conviction que les courses, la cuisine, la couture, le ménage et le soin des enfants sont "plutôt" des activités féminines. Il *fait* toutes ces choses, sans volontarisme, sans héroïsme, sans ostentation et sans commentaire, en les aimant plus ou moins. Comme une femme les fait : parce qu'elles sont partie intégrante de la vie.

Si cet état de choses est exceptionnel de nos jours, il était pour ainsi dire inouï dans les années cinquante.

1958 marque le début des conflits graves, dans le mariage des Hughes comme dans celui de mes parents. Ces conflits sont à la fois mesquins et monumentaux : ils concernent, précisément, l'entretien matériel (nourriture, habits, logement)... Ils concernent le confort dont le corps a besoin pour que l'esprit puisse prendre son essor. Beauvoir et Sartre les avaient évités en vivant à l'hôtel et en mangeant au restaurant, déléguant à autrui les corvées matérielles et confortant ainsi leur rêve d'être de purs esprits. Les Fitzgerald et les Woolf les avaient évités grâce à un personnel domestique nombreux. Les Hughes et les Huston étant dans l'impossibilité matérielle de choisir l'une ou l'autre de ces solutions, des scènes de ménage (au sens propre : sur le thème du ménage) ne pouvaient manquer d'éclater.

> Le 13 mars 1958
>
> Dispute avec Ted au sujet des boutons de ses vestes (que je dois absolument coudre)…
>
> Le 17 décembre 1958
>
> Dispute avec Ted au sujet […] des boutons ; lui disant à Marci et Mike que je cache ses chemises, déchire ses chaussettes trouées, ne couds jamais ses boutons. Sa motivation : je pensais que ça t'inciterait à le faire.

Sous-jacente et concomitante à ces disputes conjugales, dans le cas de Plath comme dans celui de ma mère, est l'image terrible de “la” mère, celle de la génération d'avant : la “bonne” mère altruiste qui connaissait sa place et acceptait comme naturellement siennes toutes les tâches de la quotidienneté ; l'“Ange du foyer” qui avait su renoncer à ses propres ambitions et à ses propres rêves pour favoriser l'épanouissement des autres…

Voilà : le complexe d'Electre est mûr : il peut éclater, spectaculaire, au point d'occuper tout le devant de la scène. Le père adoré a été remplacé par un mari rival ; et la fille, devenue femme, est ahurie de se retrouver à la place exécrée de sa propre mère. Accablée par le poids des corvées, elle prend refuge dans la partie la plus *intellectuelle* de son corps : les nerfs. Elle vit sur les nerfs, devient pure conductrice de douleur. Comme Electre, dont le nom a bel et bien la même racine que "électrique" : *electrum*, l'ambre, première substance avec laquelle les Grecs ont appris à produire de l'électricité… par friction.

Le 13 mars 1958

> Hier c'était l'horreur – Ted a invoqué la Lune et Saturne pour expliquer la malédiction [*the curse*, désignation courante des règles, en anglais] qui m'avait tendue comme un fil de fer et pincée sans merci…

C'est lors du premier jour de ses règles, preuve de féminité et de non-conception, que le corps de Sylvia Plath devient un fil de fer. Exactement comme le mien, ce jour-là, fait sauter des ampoules. Journée d'*Electre-icité* par excellence. Le mois suivant, c'est encore pire : Sylvia compare sa souffrance à celle de la Petite Sirène "quand elle a échangé sa queue de poisson contre les jambes blanches d'une jeune fille".

Marcher sur des lames de couteau. Avoir du métal dans le corps. Des jambes qui ne sont pas des jambes mais une substance qui transmet l'électricité. Quitter sa mère – la mer, le monde des sirènes, des crabes et des pieuvres ; tourner le dos à son origine et accepter la douleur fulgurante : le prix à payer pour aimer un homme. Le prix de la féminité.

Lui, le prince, est humain. C'est de naissance qu'il a des jambes, et il marche dessus sans y penser. Mais la Petite Sirène – Electre – Sylvia Plath – toute femme qui rejette sa mère – doit refouler un hurlement à chaque pas.

Les disputes continuent. On n'en saura pas tout, car le mari-éditeur a choisi de supprimer certains détails. (Et c'est son droit, même si on pourrait être tenté de le traiter de "veuf abusif"...)

> Le 2 septembre 1958
>
> Utiliser l'imagination. Ecrire et travailler pour plaire. Ne pas critiquer, ne pas le harceler. [Omission] Lui est un génie. Moi son épouse.

> Le 14 septembre 1958
>
> J'ai choisi une voie difficile qui doit être entièrement frayée par moi-même, et il ne faut *pas* le harceler [omission]. Toute chose que Ted n'aime pas, c'est qu'on le harcèle ; lui, bien sûr, du haut de son siège, peut me tanner au sujet des repas légers, des cols de chemise, des exercices d'écriture...

En clair, Sylvia se sent de plus en plus écrasée par la volonté de son mari – sur le plan matériel aussi bien que spirituel. Il lui dit non seulement ce qu'il faut cuisiner et comment, mais ce qu'il faut écrire et comment... Et les "exercices d'écriture" vont très loin : Hughes a commencé à hypnotiser Plath. Tous les moyens sont bons pour l'aider à démolir les barrages de la conscience et à faire jaillir son "vrai moi", enfoui dans les ténèbres de l'inconscient.

“Les dons psychiques de Sylvia, écrira-t-il après la mort de celle-ci, lui ont donné accès à des profondeurs jusque-là réservées aux primitifs prêtres extatiques, aux chamams et aux sages [...]. Mais elle n’avait aucun des garde-fous ni des contrôles habituels pour se protéger de sa propre réalité.”

Sylvia est consciente de n’avoir pas ces garde-fous : trop souvent, elle est directement aux prises avec les “profondeurs” terrifiantes, incapable de les travailler, les transformer, les sublimer en art. “Si seulement je pouvais faire entrer tout cela dans un roman, note-t-elle dans son journal – cette peur, cette horreur – une grenouille est assise sur mon ventre.”

Elle ne parviendra à écrire le roman en question, *La Cloche de détresse*, que quatre ans plus tard. Dans l’immédiat, pour secouer la grenouille, elle accepte un emploi dans un hôpital psychiatrique à Boston – et, quelques semaines plus tard, sans en dire un mot à Ted ni à sa mère (avec qui elle parle pourtant au téléphone tous les jours), elle entreprend elle-même une psychothérapie.

Le compte rendu dans son journal de la première séance est rédigé sur un ton d’exultation : “Mieux que l’électrochoc : «Je vous donne la permission de détester votre mère.»” Peut-être parce que Aurelia avait consenti au traitement d’électrochoc infligé à sa fille cinq ans plus tôt, des images d’électricité reviennent chaque fois que Sylvia parle de sa mère avec ressentiment ou colère. Son “complexe d’Electre” était surdéterminé.

LE 22 AVRIL 1988

Depuis que j'écris ici sur Sylvia Plath, j'ai de nouveau perdu le sommeil. Visiblement, mon cerveau est chamboulé par cette histoire ; elle me fait peur. Car je l'avais "comprise", et même rédigée sous une autre forme, *avant* de tomber malade ; mais, jusqu'à ces derniers jours, je n'avais pas vu qu'elle me touchait en raison des ressemblances qu'elle présentait avec celle de ma propre famille.

Peut-être parce que, tout au long du printemps quatre-vingt-six, je continuais à insister sur la métaphore de l'arbre…

Le 8 avril 1986
Devant mes yeux, une photo étonnante de femme-tronc qu'A. vient de m'envoyer – elle l'avait prise au Maroc pendant les vacances de Noël : au lieu d'être comme moi un corps de femme qui ressemble à un arbre, c'est un arbre qui ressemble à un corps de femme. Noueux, tordu et ridé, certes, mais on ne peut pas s'y tromper : même la vulve y est. Les pieds se perdent dans des feuillages, mais on distingue nettement les deux grosses jambes croisées, les hanches, le torse… et puis c'est tout, cela s'arrête là, la femme-arbre est "tronquée" et n'a ni tête ni bras… En d'autres termes, tout ce qui est humain chez moi est invisible chez elle.

D., le mari de A. et un de mes plus vieux amis à Paris (celui qui m'a rassurée sur mon roman la semaine dernière), a été fasciné par cette métaphore.

Chaque fois qu'il venait s'asseoir à mon chevet, il me poussait à en explorer les ramifications, persuadé qu'elle avait tout à voir avec mon "déracinement" géographique. Quelques mois après ma guérison, il m'a dédié un récit intitulé "Touchons du bois" dans lequel l'héroïne s'accroche à un arbre en l'appelant "Maman"...

Il me revient soudain que ce même D., qui a justement joué le rôle de Ted Hughes dans mon émission de radio sur Sylvia Plath, avait eu beaucoup de mal avec un de ses poèmes : on avait dû reprendre l'enregistrement une bonne dizaine de fois avant d'en obtenir une version utilisable. Or ce poème suggère que les femmes ne sont pas les seules à prendre leurs mères pour des arbres...

Il y avait un homme
Pouvait pas se débarrasser de sa mère
comme s'il était sa plus haute branche
Alors il la martela, la mit en pièces
à coups de nombres, d'équations et de lois
qu'il inventait et qu'il appelait vérité [...]

Avec tous ses gosses sur les bras, pleurant comme un spectre, elle mourut.

Sa tête à lui tomba comme une feuille.

"Fable revanche" (1970)

Un des grands thèmes abordés par Sylvia lors de sa première séance de psychothérapie, en décembre 1958, tourne précisément autour de ses "idées de la virilité : conservation des pouvoirs créateurs (sexe et écriture). Pourquoi est-ce que je me fige de peur dans mon esprit et dans ce que j'écris, me disant : *Regarde, pas de tête, à quoi peut-on s'attendre d'une fille sans tête ?*"

Ted Hughes, lui, sait que sa tête fait partie du corps de sa mère. De ce savoir il tire des poèmes d'une rare et belle violence.

Sylvia Plath en tire une pulsion suicidaire.

Moi – femme-arbre, femme-tronc, comme sur la photo prise par A. – "regarde, pas de tête !" – j'en tire une maladie neurologique ?

LE 25 AVRIL 1988

La journée d'hier – premier tour de l'élection présidentielle – a ressemblé à s'y méprendre au 16 mars 1986. Beau dimanche ensoleillé. Je vote dans mon quartier, et, après, nous passons la matinée en famille au bois de Vincennes. Tandis que les autres jouent au foot et au Frisbee, grimpent et glissent sur le toboggan, je m'installe avec un livre sur un banc au soleil. Handicapée : alors par la maladie, maintenant par la grossesse. Je *suis* cette personne qui voudrait courir et ne le peut pas. Je *suis* ce corps empêché, de même que la mère de Lucien Fleurier *est* cette grosse masse rose affalée sur le bidet. *A quelles illusions dois-je renoncer devant ce constat d'évidence ?*

Le soir, nous allons au cinéma : en principe c'est à dix minutes à pied, mais je cale au bout de cinq, et M. doit rentrer chercher la voiture. Ce n'est pas la fatigue – je me sens tout à fait réveillée – mais mon ventre se contracte, devenant dur et pesant, et il n'est pas agréable de marcher avec un bloc de ciment au milieu du corps. Nul doute que je ne "coïncide pas avec moi-même" (but de la vie selon Beauvoir) – si tant est que "moi-même" veuille dire, et ne dire que : mon désir, mon esprit, ma volonté.

Malgré son ressentiment envers la bienveillance paralysante d'Aurelia, l'attitude de Sylvia Plath à l'égard de la maternité *pour elle-même* est diamétralement opposée à celle de Simone de Beauvoir. Informée en juin 1959 qu'elle n'ovule pas, elle est atterrée à l'idée qu'elle pourrait être stérile, et, dans ses commentaires à ce sujet, elle valorise explicitement la *non-coïncidence*. "Pour une femme, écrit-elle dans son journal, être privée de la Grande Expérience pour laquelle son corps est formé [...], c'est une Grande Mort et un gâchis. Une femme peut devenir pendant neuf mois quelque chose d'autre qu'elle-même, puis se séparer de cette altérité, la nourrir, lui être une source de lait et de miel. Etre privée de cela, c'est réellement la mort." Une semaine plus tard, elle ajoute : "Si je ne pouvais pas avoir d'enfants [...], je serais morte [...] ; mon écriture un *ersatz* creux et insuffisant pour la vraie vie, les vrais sentiments."

Un mois plus tard, elle est enceinte. Et son pouvoir procréateur, loin d'être antinomique avec son pouvoir créateur, ne fait qu'intensifier celui-ci. Se sentant en train de devenir la chose même qu'elle disait "détester", elle permet à son ambivalence d'éclore en des métaphores étincelantes. En septembre elle va jusqu'à envisager d'écrire une "diatribe de dix pages contre la Mère ténébreuse. La Maman. Mère des ombres." Le 3 octobre, elle en esquisse un premier jet (sous forme de "monologue d'une folle") ; et, dès le lendemain, reviennent les images d'électricité.

> Le 4 octobre 1959
>
> Terminé la nouvelle de la Maman, en réalité un simple compte rendu de fantasmes symboliques et horrifiants. Puis j'ai été électrisée, ce matin, de lire dans une étude de cas de Jung la confirmation de certaines images de mon histoire [...], l'image de la mère ou de la grand-mère dévorante : rien qu'une bouche.

La nouvelle en question a été perdue, mais Plath allait se servir des mêmes images quelques jours plus tard dans son cycle "Poème pour un anniversaire" :

Le mois de floraison est terminé. Le fruit cueilli,
mangé ou pourri. Je suis toute bouche [...]

Mère, tu es la seule bouche
Dont je voudrais être la langue.
Mère d'altérité. Mange-moi [...]

Maman, ôte-toi de ma ferme,
Je deviens quelqu'un d'autre.

Ce cycle marque un tournant dans l'attitude de Plath envers la "Mère des ténèbres" – et aussi le point de non-retour dans sa relation avec Hughes. Elle est effectivement en train de devenir quelqu'un d'autre ; quelqu'un qui ne peut plus fonctionner selon le mode du mimétisme et du mensonge.

Le couple retourne à Londres et Sylvia donne naissance à une fille en avril 1960. (Ted assiste à l'accouchement ; il hypnotise même Sylvia pour le rendre plus facile...) A partir de ce moment, l'inégalité objective entre les poètes s'accroît, et la fiction de leur ressemblance devient plus difficile à entretenir. Ted commence à travailler à l'extérieur de la maison, dans le studio d'un ami. Plath s'acharne comme d'habitude, dans ses lettres à sa mère, à prouver qu'elle est parfaitement comblée : "C'est impossible pour lui de travailler dans ce lieu exigu avec moi en train de faire le ménage et de m'occuper du bébé [...]. Je m'aperçois que mon premier souci, c'est que Ted ait de la tranquillité" ; "J'émerge à peine de sous la montagne de faire-part pour le bébé, de lettres de remerciement, et de réponses à la correspondance volumineuse de Ted" ; "Je suis très excitée de constater qu'avoir des enfants stimule mon écriture, et que le seul obstacle est le manque d'espace."

Hughes confirmera, plus tard, cette influence positive de la maternité sur la poésie de Plath : "Avec la naissance de sa première enfant, écrira-t-il, elle naquit à elle-même, et put tourner à son avantage toutes les forces d'une éducation hautement disciplinée, hautement intellectuelle qui, jusque-là, avait surtout travaillé contre elle, mais sans laquelle elle n'eût guère pu entrer avec tant d'assurance dans les régions qu'elle abordait maintenant. La naissance de son deuxième enfant, en janvier 1962, compléta cette préparation." Le problème, c'est que "les régions qu'elle abordait maintenant" étaient celles-là mêmes qui avaient toujours… *médusé* Ted Hughes.

Grâce, peut-être, au bonheur réel que lui procure le fait d'être mère, Plath est en train de comprendre beaucoup de choses sur les valeurs viriles auxquelles, jusque-là, elle avait voué un culte. Elle commence à remettre en cause la toute-puissance de son père – et, partant, de son mari. Dans une magnifique élégie sur la maternité intitulée *Trois femmes* (rédigée dans la foulée d'une opération de l'appendice suivie d'une fausse couche), elle décrit ses "anges" autrefois brûlants – père mort et amant – comme "froids" :

Suis-je une pulsation
Qui s'affaiblit de plus en plus devant l'archange froid ?
Est-ce lui mon amant ? Cette mort est-elle cette autre mort ?
Quand j'étais enfant, j'ai aimé un nom mordu par le lichen.
Ce serait donc l'unique péché, ce vieil amour mort pour la mort ?

Son amour pour la mort, dit-elle, est mort. Elle revendique désormais la figure maternelle dans toute son ambiguïté : *à la fois* vie et mort, nature et culture, chair et poésie.

Le mieux que l'on puisse faire avec cette ambiguïté, c'est en effet de la revendiquer. C'est ce que fait déjà ma fille : je retrouve cette entrée dans mon carnet intime de l'an dernier…

Le 8 mai 1987
Tard le soir, avec L. qui ronfle dans mon lit… nous passons le week-end toutes les deux dans mon studio. Merveilleuse fin d'après-midi à la place des Vosges, elle courant après les moineaux – "Je suis méchante avec les oiseaux, hein, maman ?" – moi riant aux éclats…

Plus tard, elle me dit son hypothèse sur sa naissance : "Autrefois tu étais très amie avec Cruella [*la furie, démente et sadique, des* Cent Un Dalmatiens], *vous vous êtes approchées l'une de l'autre, et je suis sortie d'entre vous deux."*

Plath a mis trente ans pour en arriver là, mais elle y est parvenue. Cruella, c'est la "mauvaise mère", la femme fatale (au sens de meurtrière). Dans le film de Walt Disney, elle enlève des dizaines de petits chiots pour les tuer et se faire un manteau avec leurs peaux. C'est une *vamp*, image hideuse et terrifiante de la séduction féminine (Plath dira, et c'est le même mot : un *vampire*) ; sa bouche grimaçante dégouline de rouge à lèvres couleur sang.

Je perds vie après vie. La terre noire les boit.
Elle est le vampire de nous tous.
Elle nous maintient, nous engraisse, elle est bonne. Sa bouche est rouge.
Je la connais. Je la connais intimement.
Vieille gueuse givrée et stérile, vieille bombe à retardement.
Les hommes ont abusé d'elle.
Elle les mangera.

Trois femmes (mars 1962)

De nombreux poèmes de Hughes, surtout dans le recueil *Corbeau*, semblent répondre directement aux thèmes de *Trois femmes* : les hommes y sont décrits comme des êtres plats, en carton, qui inventent armes et abstractions pour se protéger des "bombes à retardement" entre les cuisses des femmes. Dans "Fragment d'une tablette ancienne", la juxtaposition chez la femme du corps et de l'esprit devient monstrueuse et suscite une horreur toute sartrienne :

En haut – les lèvres familières, leur duvet délicat
En bas – de la barbe entre les cuisses.
En haut – le front, cet étonnant coffret de pierres précieuses
En bas – le ventre et son nœud de sang.
En haut – bien des froncements de sourcils douloureux
En bas – la bombe à retardement de l'avenir [...]
En haut – un mot et un soupir
En bas – des gouttes de sang et des enfants [...]

La plupart des poèmes de *Corbeau* ont été écrits après la mort de Plath. Mais en février 1962, un mois après que Sylvia eut mis au monde leur deuxième enfant, Hughes rédige une pièce radiophonique intitulée *La Blessure*, à partir d'un rêve dans lequel la dissection d'une femme vivante est conduite sous les auspices d'une assemblée scientifique internationale. Et le corps de la femme s'avère contenir non pas "des gouttes de sang et des enfants", mais des dents en or, des gencives en plastique, des yeux en verre, un crâne en plaques d'acier, une mâchoire assemblée par rivets et des artères en caoutchouc. Dans le monde onirique de Ted Hughes, tout comme dans *L'Eve future* de Villiers de L'Isle-Adam, la femme retrouve son statut de créature artificielle, objet fabriqué de part en part par l'homme.

Trois femmes de Plath est accepté par la BBC au moment même où *La Blessure* de Hughes est diffusée : rien ne pourrait mieux traduire la brèche ouverte dans le *partnership* des poètes. Dans ses lettres, le ton optimiste de Sylvia atteint des sommets d'hystérie :

> Le 16 avril 1962
>
> En ce moment j'attends le retour de Ted qui a passé la journée à Londres, où il devait faire une émission pour la BBC, un enregistrement, et voir l'exposition des gravures de Leonard Baskin [ces mêmes gravures qui inspireront *Corbeau*] [...]. J'ai des enfants si adorables et une maison si charmante, maintenant il ne me manque plus que de les partager avec des parents que j'adore.

La “maison si charmante” est dans le Devon : sur l’insistance de Hughes, le couple a quitté son appartement londonien pour s’installer à la campagne. Mais, presque aussitôt après, Ted s’est mis à faire des voyages fréquents à Londres, où il a commencé à voir une autre femme. Sylvia se retrouve plus seule que jamais – seule, c’est-à-dire avec les deux bébés, le jardin, la maison… et son désir d’écrire.

(En 1958, ma mère – forte de ses trois maternités – recommence à étudier à plein temps et accepte, en outre, de donner quelques cours du soir. Jamais elle ne s’est sentie aussi pleine d’énergie et d’espoir. Mais son couple est en train de se désintégrer.)

Sylvia travaille d’arrache-pied à un roman, *La Cloche de détresse* (livre qu’elle signera, pour que sa mère ne le lise pas, d’un pseudonyme). Dans ses lettres à son frère, elle le décrit nonchalamment comme un roman alimentaire ; en fait, il s’agit de l’histoire de sa crise suicidaire de 1953, qu’elle veut enfin confronter et surmonter. Mais on ne retourne pas impunément au passé – même armé de tous les outils, patiemment forgés, de son métier d’écrivain ; l’évocation de sa dépression ramène Sylvia dangereusement près d’une nouvelle crise.

Tout au long du printemps 1962, elle assure Aurelia que tout va bien – “Je crois que tu peux voir quelques-unes des raisons de mon si grand bonheur” ; “Ceci est la période la plus riche et la plus heureuse de ma vie. Les bébés sont tellement beaux" ; à peine deux mois plus tard, elle entame une procédure de divorce.

(Au cours de l'été 1959, ma mère entame une procédure de divorce.)

Le 27 août 1962

> Je ne peux tout simplement pas continuer à vivre la vie dégradée et torturante qui a été la mienne ces derniers temps [...]. J'ai trop de choses à perdre, et je suis une personne trop riche pour vivre comme une martyre.

L'homme qui donne la vie est devenu l'homme qui donne la mort. Il s'agit maintenant de survivre en affirmant qu'on n'a besoin ni de sa mère (sécurité matérielle), ni de son mari (sécurité intellectuelle)... il s'agit de *se sauver.*

(Ma mère se sauve à l'autre bout du monde. Elle n'habitera plus jamais à moins de cinq cents kilomètres des trois enfants qu'elle a faits avec mon père, du moins tant qu'ils seront des enfants. Elle sauve sa peau. Ma myélite était-elle une dernière tentative désespérée pour la faire "revenir" ? Un dernier appel à l'aide ?)

Sylvia Plath n'appellera pas sa mère à l'aide. Quand Aurelia téléphone pour suggérer qu'elle revienne aux Etats-Unis, elle écrit un poème terrible intitulé... "Méduse".

[…] Mon esprit tourne autour de toi,
Vieux nombril de calcaire, câble atlantique […]

Tu t'es ruée vers moi, écumante par-delà la mer,
Grasse et rouge tel un placenta […]

Va, ô tentacule d'anguille, va !
Il n'y a rien entre nous.

Elle vient d'être rejetée, pour la deuxième fois, par l'homme qui incarnait pour elle la poésie ; ce n'est pas le moment de se réfugier, pour la deuxième fois, dans les bras de sa mère. "L'Amérique est hors de question pour moi, explique-t-elle dans une lettre à Aurelia (après avoir déversé son vitriol dans le poème). Si je commence à courir maintenant, je ne m'arrêterai plus jamais. J'entendrai parler de Ted toute ma vie : son succès, son génie […]. Je dois me faire une vie à moi le plus vite possible […]. La chair est tombée de mes os, mais je suis une lutteuse […]. Tout est en train de se briser."

Et c'est pendant que tout se brise que Sylvia Plath écrit les plus beaux vers de sa vie. Elle se lève tous les matins à 5 heures, avant le réveil des enfants, et travaille aux poèmes qui formeront le recueil posthume d'*Ariel* : poèmes entièrement exempts de la facilité, de la rigidité structurelle, de la préciosité de ses premières années. "Des choses formidables, dit-elle à Aurelia – comme si la domesticité m'avait étouffée." Elle revendique enfin pour elle-même le terme de "génie d'écrivain", et affirme : "Je n'ai pas d'autre désir que celui de construire une nouvelle vie."

C'est là, du moins, la version consignée dans ses *Letters Home*. Ce que contenait son journal intime de la même époque, on ne le saura jamais : des deux derniers cahiers, l'un a "disparu", et Ted a brûlé l'autre – de peur, dit-il, que leurs enfants n'aient à en souffrir plus tard. Mais il publie *Ariel* en affirmant que, là et seulement là, Plath avait enfin abandonné ses "masques".

Il faut une singulière capacité de distanciation pour écrire, comme Hughes le fait en 1965 – poète parlant d'un autre poète et non pas homme parlant de son ex-femme :

> La chose véritablement miraculeuse chez Sylvia Plath, c'est le fait que, pendant deux années, alors qu'elle était presque totalement prise par les enfants et le ménage, elle a subi une évolution poétique dont on ne connaît pour ainsi dire pas d'équivalent, pour ce qui est de sa soudaineté et de sa totalité [...]. Toutes les différentes voix de son talent ont convergé en une seule, et pendant six mois, jusqu'à un jour ou deux avant sa mort, elle a écrit avec la pleine puissance et la pleine musique de sa nature extraordinaire.

Pendant les six mois auxquels Hughes fait allusion sur ce ton émerveillé, c'est-à-dire très exactement la période allant de son départ jusqu'à la mort de Sylvia, elle ne mange plus, elle ne dort plus, elle écrit furieusement en maltraitant son corps et en l'imaginant démembré ou électrocuté ; la majorité des poèmes d'*Ariel* ressemblent à des lettres de suicide. Avant de se gazer, elle s'était saignée à mort, et elle l'avait dit :

Le jet de sang c'est la poésie
Impossible de l'arrêter
Tu m'offres deux enfants, deux roses.

"La bonté" (1er février 1963)

Quelques jours plus tard, l'écoulement des mots voit arriver sa propre fin :

La femme est accomplie
Son corps
Mort porte le sourire de la perfection [...]

Chaque enfant mort se blottit, serpent blanc,
A chaque petit biberon
Vide désormais.
Elle les a repliés
Dans son corps comme se ferment
Les pétales d'une rose dans un jardin [...]

"Le bord" (5 février 1963)

Si l'on suit le raisonnement de Hughes, d'après lequel poésie, féminité et folie sont inséparables, on peut interpréter le suicide de Sylvia Plath comme un retour au ventre maternel, une sorte de poème paroxystique, l'ultime régression vers la *mater*. Si on écoute Plath elle-même, qui, depuis *Trois femmes* jusqu'à "Daddy", dénonce les "archanges froids" et leur obsession du pouvoir et de la mort, alors on peut voir son geste de glisser la tête dans le four après avoir ouvert le gaz comme une accusation contre celui qui l'avait transformée en victime absolue – en, dit-elle, "une Juive". La vérité se situe sans doute quelque part entre ces deux hypothèses. Personne n'est jamais responsable du suicide de quelqu'un d'autre ; ce qui est certain, c'est que Hughes a abandonné Plath au moment où elle découvrait ses vraies forces – des forces vives de femme, amante et mère –, et que cet abandon n'était pas pour rien dans la résurgence de ses tendances autodestructrices. Plath – son corps, son malheur, sa morbidité, la terrifiante proximité dans laquelle elle vivait avec la mort –, après avoir servi de substrat matériel et donc de substance poétique à Hughes, s'était mise à se nourrir d'elle-même.

LE 27 AVRIL 1988

Le soir du jour où j'avais écrit ces pages, la télévision a rendu hommage à la philosophe Simone Weil, cette femme morte en exil à Londres, comme Sylvia Plath, et, comme elle, par l'effet de sa propre volonté. Je n'ai pas pu ne pas faire le rapprochement entre ces deux corps immolés (à vingt ans de distance : 1943, 1963) sur l'autel de l'esprit, ces deux martyres qui, ayant cessé de manger et de dormir, ont produit des pages d'une intensité sidérante avant de s'éteindre, âgées de trente ans à peine.

Tout, pourtant, sépare les projets de vie de Plath et de Weil. Car, s'il y a déjà relativement peu de femmes poètes, il y a encore bien moins de femmes philosophes… Tout se passe comme si l'abstraction requise par l'activité philosophique impliquait une mise à distance (pour ne pas dire une mise à mort) du corps féminin en tant qu'emblème de la *mater*.

Par définition, l'abstraction est la capacité de délaisser le concret, de tourner le dos au réel, au particulier, au tangible, pour s'élever vers les cieux de la vérité générale. Les hommes – à qui on ne dit pas que leur destin est essentiellement voire exclusivement lié à leur corps (sa beauté, sa fécondité) – peuvent s'adonner à cette activité tout en menant une vie physique normale. Les femmes, apparemment, ne le peuvent pas. Pour rendre possible une vie de l'esprit, elles renoncent toujours, à un degré plus ou moins extrême, aux possibilités de leur corps.

Première étape : le renoncement à la maternité. C'est le cas de toutes les femmes philosophes, depuis Gabrielle Souchon au XVIIe siècle jusqu'à Simone de Beauvoir au XXe (il est encore trop tôt pour savoir ce qu'il en est des philosophes vivantes).

Deuxième étape : le renoncement à l'érotisme, ou tout au moins à l'hétérosexualité. (Le paysan philosophe Gustave Thibon raconte comment, quand Weil habitait chez lui dans le Sud de la France, elle avait été "draguée" par un ouvrier agricole. L'échange qui s'ensuivit, cité par Thibon comme preuve du sens de l'humour de la philosophe, est plutôt glaçant : "Non. – Mais je vous paierais. – Non, non. – Mais pourquoi ? – Parce que, voyez-vous, ces choses-là ne m'intéressent pas le moins du monde.") A partir de ce deuxième renoncement, on glisse tout naturellement vers le mysticisme ; ce n'est pas par hasard si presque toutes les femmes philosophes avant le XXe siècle ont vécu dans des couvents : Héloïse, Sor Juana Inés de la Cruz, sainte Thérèse d'Avila, Catherine de Sienne…

Troisième étape (souvent franchie justement par les mystiques) : le renoncement à la nourriture, au sommeil et à toute espèce de confort matériel. L'exaltation de l'esprit (éventuellement dans une fusion extatique avec Dieu) devient alors si violente, si accaparante, que le corps est littéralement ravagé, consumé, et pour finir offert en holocauste.

L'émission de télévision consacrée à Simone Weil, laissant presque entièrement de côté le contenu de sa pensée philosophique et politique, s'est évertuée à retracer pour nous ce chemin de croix, aux allures inéluctables et donc sacrées, d'une *femme qui pense*.

LE 28 AVRIL 1988

Comme le savait Georges Bataille, la surexcitation du corps produit les mêmes résultats que sa privation extrême. (Du reste, Bataille avait rencontré Simone Weil et été impressionné par sa "merveilleuse volonté d'inanité".) Exactement comme l'ascèse, la volupté fait basculer le physique dans le psychique : à force d'irriter les sens, que ce soit par le jeûne ou l'ivresse, par la chasteté absolue ou la débauche effrénée, on aboutit à une véritable frénésie spirituelle aux effets parfois spectaculaires.

Si "on" est une femme, comme Simone Weil ou sainte Thérèse, la privation est une voie vers l'absolu infiniment moins périlleuse que l'excès. La plupart des femmes qui ont emprunté cette dernière voie se sont gravement esquintées... Colette Peignot et Unica Zürn, qui ont tenté de le faire aux côtés d'un homme, y ont laissé la vie.

(Hier soir, à la Sorbonne, j'ai fait un exposé sur le couple Bellmer / Zürn et, après la clôture de la séance, une femme est venue me demander : "Comment, avec ce que vous avez dans le ventre en ce moment, supportez-vous d'avoir de telles idées dans la tête ?" Justement, c'est parce que j'ai "quelque chose dans le ventre" que je peux réfléchir en ce moment aux choses les plus pénibles.)

Colette Peignot meurt dans le lit de Georges Bataille, d'une tuberculose, à l'âge de trente-cinq ans. Unica Zürn meurt en se jetant par la fenêtre de l'appartement de Hans Bellmer, à l'âge de cinquante-quatre ans. Ni dans un cas ni dans l'autre, on n'a le droit de dire que l'homme ait été responsable de la mort de la femme ; et cependant, dans les deux cas, cette mort apparaît comme la seule issue des liens tissés entre les partenaires.

Si Peignot ne s'est pas suicidée, du reste, ce n'est pas faute d'avoir essayé. Avant de connaître Bataille, elle avait été amoureuse d'un autre écrivain, Jean Bernier, et s'était tiré une balle dans la poitrine – manquant le cœur et ne touchant qu'une côte – pour simplifier la vie de cet homme qui n'arrivait pas à choisir entre elle et une autre femme. "Je veux que ta vie soit la plus *unie* possible en ce moment, lui avait-elle écrit, qu'il n'y ait plus *nous trois*. Il ne faut pas – pour ta vie *infinie*, pour ton *travail*." Et, dans d'autres lettres : "Mourir, ce n'est pas désespérer sombrement, c'est participer à ta vie" ; "Mourir : ma mort consacrera sa vie, il saura que je l'ai aimé" ; "C'est ta vérité, Jean, et qu'importe si je tombe sur ce chemin, c'est qu'il n'y a rien de valable pour la vie en moi."

Dans le genre "vocation sacrificielle", on ne fait pas mieux. Mais d'où surgit ce genre de "vocation" ?

Colette Peignot est née en 1903 dans la bonne bourgeoisie catholique française ; elle aurait pu devenir la meilleure amie de Simone de Beauvoir – et de fait les deux femmes se ressemblent à plus d'un égard. Mais la Première Guerre bouleverse totalement l'existence de sa famille : son père ainsi que trois de ses oncles y sont tués. A partir de ce moment, Colette elle-même, comme elle l'écrira plus tard dans *Histoire d'une petite fille*, "n'habitai[t] plus la vie mais la mort".

> Aussi loin que je me souvienne, les cadavres se dressaient tout droit devant moi [...]. Ils discouraient tendres, aimables et sardoniques, ou bien à

> l'image de ce Christ l'éternel humilié, l'insane bourreau, ils me tendaient les bras.

Aux familles bourgeoises que la guerre avait privées de leurs hommes, l'Eglise envoyait un aumônier comme guide spirituel, pour les maintenir dans le droit chemin. C'est ainsi qu'un certain abbé D. est venu s'installer chez les Peignot... en principe pour inculquer le catéchisme aux jeunes filles, en réalité pour pratiquer sur elles des attouchements sexuels. Colette en a été profondément révoltée.

Par contraste, l'initiation de Georges Bataille à l'érotisme a été verbale et non physique (le même contraste avait séparé les expériences de Virginia et de Leonard Woolf) : les "Réminiscences" de Lord Auch, auteur pseudonyme du premier roman de Bataille, *Histoire de l'œil*, évoquent une scène traumatisante dont tout laisse à penser qu'elle provient de l'adolescence de Bataille lui-même :

> Une nuit, nous fûmes réveillés, ma mère et moi, par des discours véhéments que le vérolé hurlait de sa chambre : il était brusquement devenu fou. J'allais chercher le docteur [...]. Il s'était retiré avec ma mère dans la chambre voisine lorsque l'aveugle dément cria devant moi avec une voix de stentor : "Dis donc, docteur, quand tu auras fini de piner ma femme !" Pour moi, cette phrase qui a détruit en un clin d'œil les effets démoralisants d'une éducation sévère a laissé après elle une sorte d'obligation constante [...] de trouver continuellement son équivalent dans toutes les situations où je me trouve.

Ayant quitté la ville de Reims avec sa mère lors des bombardements, y abandonnant son père aveugle et syphilitique, Georges Bataille cherchera d'abord à retrouver cette intensité *dans* la religion : après la guerre, il devient séminariste et a l'intention de se faire prêtre. La jeune Colette Peignot, tout au contraire, se détourne de la religion après sa découverte de la sexualité. Quand elle parle à sa mère des gestes de l'abbé D., celle-ci refuse tout simplement de la croire : ce moment marque un tournant dans la destinée de la jeune fille ; d'une certaine façon, tout le reste de son histoire en découle.

> [...] puisqu'elle m'accusait encore d'être "ignoble" en répétant que les prêtres sont sacrés, je n'aurais aucune pitié d'elle. Enfin, elle supplia que nous passions à un autre ton "quand je pense à ce que j'ai fait pour toi et à la manière dont tu me parles, tu as un cœur de pierre". Appuyée sur une commode, je répondis : "Non, de marbre, c'est plus froid." Alors l'atmosphère devint électrique [...]

Dans une scène haineuse entre mère et fille, l'atmosphère devient *électrique* : quoi de plus prévisible ? Et ce cœur de marbre que revendique la jeune fille explique en grande partie la capacité ahurissante qu'elle aura, plus tard, à se transformer en objet, statue, chose. Elle vient de rompre avec la chair : sa propre chair, qui lui vient de sa mère. Celle-ci, comme toute Clytemnestre qui se respecte, "revendiquait ses droits à ma tendresse, elle qui m'avait «donné la vie et tant soignée». J'eus un rire étrange et répliquai [...] «j'aurais mieux aimé ne pas être née».” La scène se termine par une saisissante *désincarnation de la fille*.

> Je sortis, sans pitié, sans larme. Pour une fois que je parlais, j'avais tout dit et la malédiction finale avait vidé mon corps de muscles, de sang et d'os. J'éprouvais un soulagement qui me soulevait de terre, une allégresse mate, sans résonance possible.

Devenue pur esprit, l'adolescente entame une rébellion non seulement contre le christianisme et contre sa mère, mais aussi, par extension, contre la bourgeoisie en général et les femmes en général. Elle devient, à peu près simultanément, athée, révolutionnaire et misogyne. Et (comme toujours chez les femmes misogynes) cela la rend étrangère à elle-même. Ses comportements “masochistes” pourront du coup aller très loin, et sembler faits exprès pour asseoir et corroborer les thèses de l'érotisme noir.

Or, c'est en partie grâce à l'abjection *réelle* de Colette Peignot que Georges Bataille va réussir à élaborer son œuvre – qui, tout comme l'œuvre de Jean-Paul Sartre, comporte deux versants. Il y a la fiction pour évoquer la *mater* nauséabonde (le héros de *Ma mère* se nommera non pas *Roq*uentin mais *Pierre*, et nombre des romans érotiques de Bataille seront publiés d'abord sous le pseudonyme de *Pierre Angélique*) ; et il y a la théorie pour exercer sur elle son *auctor*ité. Mais, loin de concevoir l'esprit et le corps comme antithétiques, Bataille affirmera au contraire que l'expérience spirituelle la plus intense se produit dans l'exacerbation des sensations physiques – la jouissance devenant, dès lors, inséparable de la prière, et les deux, intrinsèquement liées à *la conscience de la mort*.

A la différence de Sartre, qui reconduit inconsciemment les dichotomies chrétiennes dans sa philosophie (transcendance *vs* immanence), Bataille saura en exploiter avec génie un autre trait caractéristique, à savoir l'*ambivalence*. Son procédé systématique, dans ses romans comme dans ses essais, est la juxtaposition de termes contradictoires : il met l'abject à la place du divin, la putain Dirty sur le piédestal de la Vierge Marie, et se prosterne devant (la femme restant aussi idéelle et dépourvue de subjectivité dans un cas que dans l'autre). La bestialité est effectivement tout aussi susceptible de nous conduire au sacré que l'angélisme, étant donné que la bête et l'ange peuvent, l'une comme l'autre, représenter "l'expérience des limites" – *celles de l'humain*. Les femmes sont appelées à figurer ces limites – pour les chrétiens, dans la pureté ; pour Bataille dans l'impureté – *afin que l'homme puisse éprouver son humanité*.

Il se trouve que Colette Peignot sera d'accord – et très douée – pour prendre des poses bestiales et angéliques. Elle rencontre Bataille d'abord en 1931, au retour de l'Union soviétique, où un séjour de plusieurs mois lui a fait perdre sa foi dans le communisme... C'est cette même foi, d'origine et d'essence religieuse, qu'elle va transférer sur le penseur de l'érotisme noir. Ils commencent à s'aimer en 1934, peu après qu'une "illumination" a fait prendre à Bataille une tournure d'esprit mystique. Il travaille sur l'idée du sacré comme fusion, et notamment sur l'acte sexuel comme une des instances suprêmes (avec le sacrifice, la guerre et la mort) de cette fusion sacrée. Aux yeux de Colette Peignot, il apparaît comme un dieu – elle le dit explicitement, et dans les mêmes termes que Zelda Fitzgerald lorsqu'elle délire : un dieu-soleil dont la brillance l'éblouit. Toutefois, elle exprime quelques réserves vis-à-vis de sa théorie :

> Mardi 10 juillet 1934
>
> [...] Même si je devais dire ou écrire quelque chose qui me perde irrémédiablement à vos yeux il faudrait que cela soit [...]. Je me méfie terriblement de "comme s'il n'y avait plus deux mais un", mais vous comprenez dans quel sens je me méfie. Le plus valable serait d'échanger et non identifier mais j'ai peur d'un malentendu maladroit de ma part et j'ai déjà envie de déchirer cette lettre.

Apparemment Peignot – comme Plath, comme Beauvoir – préfère l'*échange* à l'*identité*, la gémellité à la fusion, les étoiles polarisées à la nébuleuse indistincte. Mais elle doute trop d'elle-même pour insister sur cette divergence ; celle-ci à peine énoncée, elle la minimise et serait prête à la supprimer ("j'ai déjà envie de déchirer cette lettre"). Or détruire ses propres mots, c'est *toujours* porter atteinte à soi. A son corps.

Faisant plus tard le bilan de sa vie avec Peignot, Bataille – comme Hughes, comme Sartre – insistera sur le caractère fusionnel de leur relation, tout en notant, le plus tranquillement du monde, son asymétrie :

> Nous avons souvent cru, Laure et moi, que la cloison qui nous séparait se brisait [...]. Laure a même été révoltée par ce qu'elle ressentait parfois comme une perte d'elle-même anéantissante.

Ce sont Georges Bataille et Michel Leiris qui ont rebaptisé Colette Peignot après sa mort, l'affublant du prénom "Laure" qui était le titre d'un court texte érotique qu'elle avait rédigé. Peignot avait tout fait pour se distancer de cette femme-objet en écrivant son histoire à la troisième personne ; eux n'ont eu de cesse que de la rabattre sur son personnage, allant jusqu'à substituer le *nom* de celui-ci au sien propre.

Donc, elle s'appelle Laure désormais.

Laure comprend dès le début l'enjeu de cet amour. Elle est extrêmement intelligente. Elle sait qu'il s'agit pour elle de jouer un rôle dans le cirque érotique dont Bataille détermine la chorégraphie. Elle y participe de son plein gré. Elle sera Dirty – oui, d'accord, s'il a besoin de cela pour faire son cirque... Mais cela l'attriste :

> *Archange ou putain*
> *je veux bien*
> *tous les rôles me sont prêtés*

la vie jamais reconnue
La simple vie
que je cherche encore
Elle gît
tout au fond de moi
leur péché a tué toute pureté.

Bataille n'a pris connaissance des écrits de Laure (épars, fragmentaires, souvent des griffonnages quasi illisibles) qu'après sa mort. Mais il se sert, dans ses romans, des épisodes réels qu'elle lui raconte – le prêtre lubrique de son enfance deviendra *L'Abbé C*, par exemple, et Barcelone, où elle s'est rendue à la veille de la guerre civile, formera la toile de fond pour *Le Bleu du ciel*. Ce dernier livre a en fait deux héroïnes : Dirty et Lazare. Le modèle de celle-là est Laure, et de celle-ci... Simone Weil. Et, si antithétiques qu'elles puissent paraître (l'une belle et vautrée dans la sensualité, l'autre laide et vouée au militantisme), ces "modèles" se ressemblent à plus d'un égard : Laure, comme Simone, est tuberculeuse ; Simone comme Laure aspirent à être moins que rien ("un chien", dira la philosophe ; "une chienne", dira la libertine) ; l'une comme l'autre poursuivent avec ardeur sa propre destruction. "Ce livre, écrira Laure à Bataille après avoir lu *Le Bleu du ciel*, je ne le supporte pas plus que je ne me supporte."

Pour ce qui est des théories de Bataille, Laure en est non seulement la destinataire privilégiée, mais le laboratoire où a lieu leur vérification expérimentale. (Et cela est grave, étant donné l'état fragile de sa santé : les excès de boisson, les nuits blanches passées à traîner de café en chambre d'hôtel ne pouvaient avoir le même sens pour elle, tuberculeuse, que pour lui, bien portant.) Le livre dans lequel Bataille déclare que "l'amant ne désagrège pas moins la femme aimée que le sacrificateur sanglant l'homme ou l'animal qu'il immole" ne sera publié qu'en 1957, mais Laure comprend dès 1935 que dans une conception religieuse, sacrificielle de la sexualité, c'est toujours la femme qui devra être dissoute... Comment s'étonner, dès lors, qu'elle se soit méfiée de la "fusion" ?

LE 30 AVRIL 1988

Avant-hier soir – soudain, au lit – après que la lumière et M. se furent éteints – résurgences abominables de la folie de l'année dernière. Le même état, mais par flashes seulement, et le matin au réveil c'était parti. Comme décrire cela ? Des salves, des rafales de peur. Une peur intransitive, qui ne remplit pas mais *remplace* l'être. C'est parce que je m'étais rendu compte que l'anniversaire imminent de cet état, fin mai, pouvait être un moment dangereux. Est-ce que je joue avec le feu, ici ? Il faut absolument en finir avec Colette Peignot et Unica Zürn, être revenue à des histoires plus positives, avant d'atteindre ces dates-là. (Comme d'habitude, je livre combat aux forces de l'irrationnel en brandissant de dérisoires équations mathématiques.)

En 1936, Georges Bataille et Colette Peignot, avec Michel Leiris, André Masson et quelques autres amis, fondent l'"Acéphale". Parmi les projets les plus secrets de cette société secrète figurait, dit-on, l'idée d'un sacrifice humain ; mais, aucun des membres ne s'étant proposé pour jouer le rôle de la victime, on a dû se contenter de mettre à mort un mouton.

Le dessin de l'Acéphale exécuté par André Masson représente, cela n'a rien de surprenant, un homme sans tête. ("A quoi peut-on s'attendre d'une fille sans tête ?" demandait Sylvia Plath...) Plus surprenant, peut-être, est le fait que l'homme en question soit *un arbre*. ("Sa tête à lui tomba comme une feuille", disait Ted Hughes...) Il a des branches à la place des mains et des racines à la place des pieds ; son ventre béant laisse entrevoir un paysage escarpé. Une série de notes sur l'Acéphale, trouvées parmi les papiers de Laure, précisent que "le soufre est une matière qui provient de l'intérieur de la terre et n'en sort que par la bouche des volcans. Cela a évidemment un sens en rapport avec le caractère chtonien du mythe que nous poursuivons. Cela a aussi un sens que les racines d'un arbre s'enfoncent profondément dans la terre."

En clair, là où Sartre et Beauvoir s'efforçaient de nous affranchir de cette terre en nous pinçant le nez devant ses effluves de maternité et de mortalité, Bataille va nous mettre le nez dedans.

> L'existence de l'homme [affirmera-t-il par exemple dans un court texte intitulé *La Mère tragédie*] n'échappe pas plus à l'obsession du sein maternel,

> qu'à celle de la mort : elle est liée au tragique dans la mesure où elle n'est pas la négation de la terre humide qui l'a produite et à laquelle elle retournera. Le plus grand danger est l'oubli du sous-sol sombre et déchiré par la naissance même des hommes éveillés. Le plus grand danger est que les hommes, cessant de s'égarer dans l'obscurité du sommeil et de la mère-tragédie, achèvent de s'asservir à la besogne utile.

D'évidence, une telle thèse n'était pas faite pour plaire au chantre de la transcendance et de ses victoires sur l'immanence (que celle-ci s'appelle "mère-tragédie", "mère-pieuvre" ou "mère-crabe"). Dès 1943, Sartre publie un article virulent dans *Les Cahiers du Sud* pour dénoncer Bataille comme "nouveau mystique". Pourtant, il y a un point commun crucial entre la théorie existentialiste et l'érotisme noir, à savoir que, dans les deux systèmes de pensée, "la mère", à force d'être métaphorisée, est totalement muette. Qu'elle soit innommable ou indicible, qu'on la fuie ou qu'on la fouille, qu'on la piétine ou qu'on la baise dans des spasmes de terreur, elle est et demeure le contraire de toute intelligence et de toute parole. De même, les conceptions que se font Sartre et Bataille de la sexualité comme telle sont étonnamment semblables : c'est toujours le vertige du précipice, le risque d'évanouissement de la conscience dans la chair, suivi du triomphal "retour sur soi" indispensable à la réflexion et à l'écriture.

Tout cela, Laure le sait, et elle l'accepte avec une grande lucidité mêlée de masochisme. Elle rédige elle-même quelques poèmes et fragments de prose dans la meilleure tradition de l'érotisme noir. Seulement, l'harmonie des thèmes et des comportements entre elle et son amant ne peut subsister qu'à deux conditions : premièrement, dans la déchéance à laquelle elle consent, elle doit se sentir adorée par Bataille. Deuxièmement, elle doit demeurer *l'unique*. Et ces deux conditions, à partir d'un moment qu'on peut situer autour de 1937, commencent à s'effriter. En témoignent aussi bien ses lettres que les entrées dans son "Petit Carnet rouge".

> Lundi 16 mai (1938)
>
> Si je ne communique pas je me laisse embrouiller – cette plante qui pourrit tout ce qui lui sert de support – la vie à deux vide de sa substance l'un des deux –

Comme Plath, Peignot dit qu'elle a l'"impression d'être dévorée", "mangée" par l'homme qui l'aime. Et sa maladie s'aggrave sous les effets de la débauche.

> L'extrême fatigue *aussi* me rend saoule. Il faut être très fort physiquement pour se saouler sans se diminuer le lendemain et chaque jour un peu plus [...]. Horreur de me saouler pour "faire comme lui" et d'en sortir antipathique à moi-même.

Elle commence à voir les pièges de l'érotisme tel que le pratique Bataille ; à se rendre compte que, s'il peut servir de "gouffre au désespoir", il n'est "absolument pas compatible avec la vie agissante, forte". Plus important encore, elle comprend que, pour une femme, "jouer aux pires jeux de la désagrégation de l'homme" n'est rien d'autre qu'une "*forme de suicide*".

Elle a raison : là où eux viennent se pencher au bord du gouffre, elle *est* le gouffre. C'est le contraire du "jumeau", du "témoin", du miroir. Etre le gouffre de quelqu'un suppose que vous lui soyez énigmatique, impénétrable. Le mystère projeté dans vos profondeurs, une fois épuisé, devra être projeté dans les profondeurs d'une autre, *afin que soit préservé le sacré*. Le propre d'une femme-gouffre est donc de devoir être remplacée.

(Sans date)

> Georges, maintenant c'est si clair.
> Tu penses avoir asservi à jamais *mon existence* – tu la vois tout enfermée, finie, délimitée – les limites que tu prévois, qui te sont connues et puis tu pars… vivre vrai et en secret – ou du moins tu crois à cela […]. Le temps le plus *chrétien* de ma vie c'est auprès de toi que je l'ai vécu. – Le culte de cette fausse victime sans aucune *fierté*… ÉCRIS des livres, fabrique-toi un roman ce pauvre être qui n'a existé que grâce à ma JALOUSIE.

Dès lors que Bataille commence à sortir avec une autre femme – à pratiquer ce que Laure appelle "l'adultère du crémier du coin", il cesse d'être Dieu. Laure perçoit le mécanisme très catholique grâce auquel, à partir des femmes qui participent à ses débauches en acceptant d'incarner l'indicible, *il écrit des livres*.

> Pour t'affirmer libre tu as besoin d'imaginer des chaînes qui seraient moi. Ainsi il y a quelque chose à briser, un ordre des choses établies à *transgresser* [...]. Je dois entraver tes plaisirs afin qu'ils se trouvent décuplés [...]. Au lieu d'un libertinage qui pourrait être une sorte de mouvement puissant et heureux *même sans le Crime* tu veux qu'il y ait un fond amer *entre* nous. Tu me présentes une apparence de gosse qui sort du confessionnal et va y retourner. Une apparence de prêtre à cochonneries.

Laure est revenue à son point de départ, au "prêtre à cochonneries" qui avait mis en branle toute la machinerie de sa révolte. Pour finir, Bataille n'est qu'un deuxième abbé D., un "homme de Dieu" qui a besoin de lire les soubresauts de sa propre mortalité sur le corps d'une femme. Et elle, qui avait pensé se préserver en mimant tour à tour la putain et l'archange, le cadavre et la chienne, découvre qu'elle n'est pas sortie indemne de ces mises en scène.

(Sans date)

> A Michel Leiris
> [...] J'ai tout essayé : de me perdre et d'oublier, de ressembler à ce qui ne me ressemble pas, de finir... et quelquefois je me rencontrais si drôlement étrangère, ça devenait criminel.

En se divisant contre elle-même, au lieu de devenir plus forte et plus rusée que les hommes, Laure n'a réussi qu'à s'éparpiller et à se perdre. Exactement comme ses écrits, elle est en fragments. Et comment pourrait-il en être autrement, puisque, au lieu d'*écrire* le texte, elle est appelée à le *figurer* ? Chaque fois qu'elle prend la plume, elle se heurte à ce dilemme :

> Pourquoi, en allant jusqu'au bout de ma pensée, ai-je toujours l'impression de trahir ce que j'aime le plus au monde et de me trahir moi-même sans que cette trahison soit "évitable" ?

Comme Elizabeth Barrett, Colette Peignot contient une "âme dans son âme", un Apollon Phébus qui décoche des flèches pour abattre toutes ses idées. Et, comme chez Virginia Woolf, l'identification entre Laure et ses écrits est violemment négative.

> L'œuvre poétique est sacrée en ce qu'elle est la création d'un événement topique, "communication" ressentie comme la *nudité*. Elle est viol de soi-même, dénudation, communication à d'autres de ce qui est raison de vivre, or cette raison de vivre se "déplace".

Lorsque, parcourant les papiers de Laure après sa mort, Bataille tombe sur ces phrases-là, il éprouve, dit-il, une des plus violentes émotions de sa vie. Lui-même vient d'écrire une définition du sacré en tant que "moment privilégié d'unité communielle, moment de communication convulsive de ce qui ordinairement est étouffé". Ayant réussi à "déchiffrer péniblement" le texte de Laure, il déclare péremptoirement : celui-ci "ne diffère en rien [...] de mon propre texte".

Mais il en diffère, et de façon significative : le mot "communication" désigne, pour Bataille, l'unité communielle (la fusion, encore une fois), alors que pour Laure il désigne un rapport possible aux autres – mais qui a pour condition le *viol de soi-même*. Bataille, qui n'a pas besoin d'autodestruction pour écrire, ira "jusqu'au bout de ses pensées", de son œuvre et de sa vie. "En vérité, en mourant avant lui, écrira avec une complaisance frôlant le cynisme le propre neveu de Laure, Jérôme Peignot, Laure a justifié les livres de Bataille qui, par toutes les boucles de leurs mots, crient cette implication de la mort dans l'amour."

Est-ce la mort d'une femme qui justifie les livres d'un homme, ou bien l'inverse ? Le tout dernier poème de Laure évoque un mystérieux "rayon d'hommes" qui est peut-être une métaphore pour ces livres :

[...] En haut
c'était le rayon d'hommes, des milliers de vêtements
une pièce toujours fermée, surchauffée
seule présence vivante : elle
elle parcourait les espaces vides entre les mannequins
portant tous son masque.

LE 2 MAI 1988

Il va bien falloir que j'accepte d'entrer dans le mois de mai. Je m'accroche à ce cahier pour essayer de comprendre ce qui s'est passé l'année dernière, et il ne me déçoit pas. Voilà : hier, dans le "fauteuil à lectures", avec L., je lisais à voix haute *Alice au pays des merveilles*, et nous sommes arrivées au passage où la Reine de cœur hurle à tout bout de champ : "Qu'on lui coupe la tête !" Tiens, me suis-je dit. *Encore* une mauvaise mère qui coupe la tête à ses enfants ? Comme la mère fantasmatique de Plath, de Hughes et de tant d'autres écrivains ? Mais pourquoi s'agit-il précisément de la Reine de *cœur* ? D'évidence, pour souligner qu'il s'agit bien de la bonne mère aussi, celle qui nous tient par le sentiment, celle à laquelle on ne peut échapper sans lui briser le cœur…

Et soudain (tout en transmettant à mes lèvres et à mes cordes vocales les ordres nécessaires pour produire une description de la partie de croquet à laquelle Alice devait maintenant se joindre), mon cerveau a fait une association fulgurante : Mais c'est comme ce poème anglais, l'histoire de la jeune fille qui exige de son fiancé qu'il lui apporte la tête de sa mère comme preuve de son amour. Il rentre en courant chez lui, tue sa mère, lui arrache le cœur de la poitrine et le met sur un plateau. En se dépêchant pour retrouver sa bien-aimée, il trébuche et s'étale de tout son long. Le cœur maternel roule sur le sol, émet un petit son plaintif et demande : "Tu ne t'es pas fait mal, mon fils ?"

Le détail le plus formidable dans cette histoire est évidemment la substitution, par le fils, du cœur au cerveau. L'homme sait que c'est par le cœur que sa mère le tient. Peut-être, nous autres femmes, avons-nous besoin de couper la tête à nos mères précisément parce que la menace qu'on sent émaner d'elles est celle de la décapitation… ?

Je m'en tiendrai là. Je pourrais ajouter que, dans la matinée d'hier, j'ai lu un article sur une sculpture de la guillotine, assortie d'un plein panier de têtes coupées… mais ce ne serait plus pertinent. *Parce que* je ne suis pas folle en ce moment, je ne perçois pas toutes les associations que me fournit mon cerveau comme "hautement significatives".

Lorsque Sylvia Plath, en 1959, dit avoir été "électrisée" de trouver presque mot pour mot, dans une étude de cas de Jung, des images qu'elle avait inventées pour sa nouvelle matricidaire, elle parle de façon scientifique. Les connexions qu'opère le cerveau, les liens de ressemblance qu'il établit entre une chose et une autre, sont très littéralement des *synapses* (comme l'indique, dans les BD, l'ampoule au-dessus de la tête des personnages qui viennent d'avoir une idée). Et, du reste, le rapport mère-fille est peut-être *la* connexion par excellence : lien de continuité *et* de ressemblance physique, rapprochement paradigmatique entre soi et l'autre, au risque de la superposition, de la confusion – *moi / ma mère*, la décharge mortelle – "Non, c'est *elle*, ce n'est pas moi ! Cette femme qui me ressemble, je la hais, je la rejette" –, énoncé qui déclenche une sorte de court-circuit cérébral, car si l'embranchement fondamental est arraché, le soi se désintègre – ou devient, à tout le moins, désintégrable.

En temps normal, les synapses se produisent de manière plus ou moins prévisible : tel visage "nous rappelle" tel autre, tel événement nous ramène en mémoire des événements semblables – et cela se passe de manière quasi instantanée parce que effectivement électrique. Mais tous les temps ne sont pas le "temps normal". Il y a aussi des temps anormaux. Le temps du rêve en est un, le temps de certaines drogues en est un autre, le temps de la gestation – d'un livre ou d'un enfant – en est un autre encore.

Quand Plath fait le rapprochement entre sa lecture de Jung et la nouvelle qu'elle vient d'écrire, elle est encore dans le temps normal – ou, tout au plus, le temps thérapeutique de la psychanalyse. Elle profite de cette coïncidence pour aller plus loin dans sa remise en cause des valeurs de sa mère Aurelia. En revanche, quand, Hughes parti à Londres, Plath brûle tous les papiers qu'il a laissés dans leur maison du Devon et croit reconnaître, dans la forme que dessinent les cendres, l'initiale de la femme pour laquelle il l'a plaquée… alors, elle n'est plus dans le temps normal, ni dans le temps thérapeutique, ni dans le temps créateur. Elle est entrée dans le temps de la folie, le temps nervalien de "l'analogie universelle", le temps merveilleux et abominable où *tout signifie*.

Voilà ce qui m'est arrivé l'année dernière au mois de mai ; et la raison en est *l'interpénétration absolue du psychique et de l'organique*.

Dans un premier temps, les événements et les personnages de mon roman avaient stimulé mon cerveau à tel point que le sommeil m'était devenu impossible.

Dans un deuxième temps, l'usage constant de somnifères à dosage croissant ne m'a permis, nuit après nuit, mois après mois, qu'un sommeil sans rêves. Empêchés de faire leur travail de symbolisation pendant la nuit, les rêves ont commencé à faire irruption dans la vie diurne.

Arrivée au mois de mai, j'évoluais – bien que réveillée, et même perpétuellement surexcitée – dans un monde entièrement onirique (ou romanesque, ce qui revient au même) : un monde où aucune rencontre, aucune phrase ne se produisait "par hasard", où tout renvoyait à tout (et surtout aux histoires qu'étaient en train de vivre mes personnages), où chaque détail pouvait et devait être interprété. J'étais "électrisée", en permanence, par les associations que produisait mon cerveau – autant de "coïncidences" littéralement foudroyantes. Tout me touchait, tout me concernait. Jamais la vie ne m'avait paru si haute en couleur, si imprégnée de beauté, de musique, de poésie. Chaque journée était d'une intensité plus brûlante que la précédente ; chaque émotion – amoureuse, littéraire, esthétique – atteignait tout de suite à la limite du soutenable.

A la fin du mois, cette limite allait être franchie.

LE 12 MAI 1988

Le fait d'avoir écrit ces quelques pages, il y a dix jours, m'a donné un tel élan que j'ai pu réellement m'immerger dans le roman pour la première fois depuis septembre dernier. Jusque-là, je n'avais réussi à le retravailler que de l'extérieur, raturant et déchirant les pages avec beaucoup de mauvaise joie. Maintenant, je retourne à l'intérieur des personnages pour rajuster leurs phrases, reconsidérer leurs actions et leurs réactions... C'est l'écriture qui, tout doucement, me guérit de la peur de l'écriture.

Et puis il y a eu un entassement de "choses de la vie" – nouvelle fièvre de L., conférence à Bruxelles, fin de semestre universitaire (avec l'incontournable pile de copies à corriger) –, de sorte que je me retrouve soudain au début du fameux troisième trimestre de la grossesse, qui, comme le premier, est bien connu pour être plus dur que le second !... Un des signes en est que j'ai mis une demi-heure à tracer ces quelques mots, m'interrompant constamment pour chercher une position plus confortable. D'habitude, j'écris à ma table, perchée au bord d'une banquette sans appui aucun pour le dos, mais, là, je suis calée dans un fauteuil avec un coussin sous les reins, et j'ai plaqué mon sous-main sur le tiroir ouvert du pupitre. Pour l'heure, ça me convient... après, je réviserai.

Six mois, donc. Les escaliers sont désormais un calvaire ; les transports en commun à l'heure de pointe, une véritable torture. Le soir, je demande souvent à M. (et même à L.) de m'aider à me lever de mon fauteuil ; ça me fait mal de serrer les muscles de l'abdomen. Et l'enfant bouge avec tant d'énergie que c'en est visible de l'extérieur : je peux suivre la bosse sur mon ventre tandis qu'elle se déplace de gauche à droite ou de haut en bas et, si je suis en train de lire, le livre ou le journal tressaute en réponse aux mouvements que lui imprime cet être invisible.

Qui est-ce ? Cette énigme me bouleverse. C'est déjà un bébé presque viable (L. m'a demandé l'autre jour, comme en passant : "Maman, si tu mourais maintenant, est-ce que le bébé vivrait ? – Ce serait difficile mais pas impossible", ai-je répondu sur un ton qui se voulait neutre), déjà un être absolument singulier. Qu'elle est ridicule, l'idée sartro-beauvoirienne de l'enfantement comme "ressassement de l'espèce" ! Les différents enfants d'un même parent se ressemblent sûrement bien moins que les différents livres d'un même auteur !

Enfants *vs* livres : mon amie P., qui est auteur de nouvelles, est venue parler à mes étudiants la semaine dernière ; elle a dit que si elle s'était consacrée entièrement à la maternité pendant sept ans avant de commencer à écrire, c'est que, pour elle, ces deux activités étaient foncièrement incompatibles. Une mère doit incarner, face à son enfant, la responsabilité, la solidité, le sens des réalités. Un écrivain est un peu enfant lui-même : casse-cou, capricieux, rêveur, aventurier… Il doit pouvoir perdre les pédales ; une mère n'en a pas le droit.

En effet : c'est face à L. que la folie a été le plus intolérable. Ma fille est devenue, à cette époque, "maternelle" à mon égard (encore ce matin elle m'a dit : "Ne sors pas les cheveux mouillés, tu vas attraper froid"). La pire journée de toutes, la journée tout au long de laquelle j'ai regardé le monde réel avec une nostalgie indicible, persuadée qu'il ne me serait plus jamais permis de l'habiter – que les arbres, les façades des immeubles, les devantures des magasins, les conversations, les mille petites négociations rassurantes de la vie quotidienne, resteraient définitivement hors de mon atteinte – la journée où, longeant le boulevard avec une difficulté à marcher qui était une difficulté à être, me retenant à chaque pas et à chaque seconde – ou plutôt retenant l'Autre, cet ennemi qui était venu me squattériser – de me précipiter sous les roues d'un autobus ou d'une voiture – ce jour-là, quand je suis arrivée enfin à la maison, pas spécialement en retard mais éreintée, ayant dépensé toute mon énergie à me sauver de moi-même, L. s'est jetée sur moi en s'écriant : "Mais maman, où étais-tu ? J'avais peur que tu te sois fait écraser par une voiture !"

Elle avait quatre ans.

Electrisée, j'étais. Moins parce que, sans dire un mot, j'avais apparemment réussi à lui communiquer l'image précise de la mort qui m'obsédait depuis une demi-heure que par cette spectaculaire interversion des rôles.

Je remonte quelques jours en arrière… Qui était cet “Autre”, l’ennemi qui avait élu domicile dans mon esprit ?

Le 20 mai 1987
Cerveau machine folle depuis février. J’ai l’impression qu’il va faire éclater mon crâne à force de tourner trop vite. Impossible, quelle que soit ma bonne volonté, de dormir sans somnifères le soir d’un jour où j’ai écrit…

La psychanalyse s’est-elle penchée sur la question de la relation entre un auteur et ses personnages ? On dirait que tel ou tel personnage joue *tel ou tel aspect de l’enfance ou de la vie inconsciente : et, pour peu qu’on les laisse libres, ils se comportent de façon aussi inattendue que les personnages d’un rêve…*

Ce jour-là, je devais subir une épreuve : accompagner au piano une amie flûtiste qui donnait un concert. Cadre informel, morceaux familiers – trois fois rien, en somme ; mais, depuis un mois, cette échéance était suspendue au-dessus de ma tête comme un arrêt de mort. La seule idée de me retrouver devant un public en attente, les mains suspendues au-dessus d’un clavier, face à une partition de Bach, transformait tous les os de mon corps en glace.

Quelques heures avant le concert, sentant le besoin de me réchauffer, je me suis mise sous la douche. Longuement je me suis frottée et savonnée de la tête aux pieds. Ensuite j’ai appelé mon médecin : “Dois-je prendre un calmant ? – Non, il vaut mieux pas ; essayez plutôt de faire un peu de jogging." J'ai mis une cassette et, toute seule et nue devant la glace, je me suis mise à courir sur place. J'ai couru vingt minutes en levant mes genoux jusqu'au menton. Ensuite je me suis arrêtée, terrorisée : mon cœur battait à tout rompre mais je ne ressentais pas la moindre fatigue. Ce n'était plus moi qui courais. J'avais été "montée" par une force inconnue. J'étais devenue un cheval.

Le 24 mai 1987
L'image du cheval s'impose de plus en plus. A M., j'ai dit que mon corps était fouetté par mon cerveau comme une vieille rosse par un charretier sadique – "Allez-y ! Allez-y ! Allez-y !" A mon père, au téléphone, j'ai dit que, quand mon cerveau n'était pas attaché à la charrette du roman, il galopait dans tous les sens comme un cheval fou.

(Alors, le cheval, est-ce le corps ou bien l'esprit ?)

Le lendemain, je me suis livrée à des associations libres en anglais, et, ayant couvert mon carnet de souvenirs, d'associations, de flèches et de points d'exclamation, est apparue enfin la raison pour laquelle, le jour de mes treize ans et une semaine à peine après mes premières règles, je me suis découvert une allergie aux chevaux qui ne m'a plus quittée depuis.

A partir de cet instant et pendant une bonne quinzaine de jours, mon inconscient s'est mis à dégurgiter son contenu en des gerbes affolantes. Le mur habituellement étanche entre lui et la conscience était criblé de trous, et les choses passaient dans les deux sens : tout ce que j'entendais et voyais me pénétrait instantanément au plus profond ; la chanson *Horses* de Patty Smith (encore des chevaux !) faisait déferler à même mes méninges ses images atroces de défonce à l'héroïne ; les images des films que je voyais étaient comme des pelles s'enfonçant directement dans les décombres de mon enfance, retournant pierres et poutres pour révéler vipères, vermine, viscères, étranglements et lèvres ensanglantées. Le point culminant de ce saccage : un film, *La Comtesse aux pieds nus*. Ava Gardner. Maria. *Ave Maria*. La vierge, la mère vierge. Vedette de Hollywood, *sex-symbol* totalement pure et vertueuse. Son père tue sa mère, elle le fait acquitter. Ayant épousé un comte émasculé, ayant décidé de porter l'enfant d'un autre pour que son mari ait une descendance, elle se fait étrangler par le comte en proie à une crise de jalousie.

Une femme enceinte est assassinée par l'homme qu'elle aime.

En sortant de la salle de cinéma, je me suis effondrée.

M., les bras de M., son réconfort, sa voix. A la maison il m'a préparé une tisane, cherchant à me distraire en parlant de choses et d'autres. Mais je n'étais plus là ; je ne le voyais et ne l'entendais que de très loin ; à ma place il y avait la peur en chair et en os. Je n'ai pas pu me mettre au lit sans veilleuse : j'avais trois ou quatre ans, et le noir était peuplé de monstres.

Au réveil, le lendemain matin, la ronde infernale a recommencé. Mes idées se chevauchaient, se poursuivaient en une course effrénée à travers ma tête, j'avais du mal à en formuler une avant qu'elle ne soit violemment chassée par une autre. Chaque heure correspondait, me semblait-il, à une année de psychanalyse. Il n'était plus question d'écrire ; je ne pouvais plus que griffonner des mots à toute vitesse. Les pages du cahier, quand je les relis aujourd'hui, sont non pas incohérentes mais plates et immobiles, alors que chaque mot, à l'époque, était de feu. Mon esprit ressemblait aux contrôles d'un avion ou d'un navire militaire au moment d'une alerte : clignotements de lumières, sonneries stridentes... De plus en plus souvent, sans provocation ni prétexte, mes dents se mettaient à claquer et mon cœur à tambouriner des rythmes erratiques. La nuit, j'écoutais dans l'affolement cette musique intérieure déchaînée, syncopée, incontrôlable ; seule l'agression des somnifères me conférait le bref répit du néant. Le jour, mon corps n'était plus à moi : ses signaux physiques d'alerte se déclenchaient tout seuls, entraînant un emballement mental qui à son tour accélérait le souffle, le pouls, le débit de ma parole et de ma pensée... J'avais de plus en plus de mal à manger et à dormir, car je ne *ressentais* aucunement la faim ni le sommeil.

Un jour, après avoir mordu dans une galette, j'ai interrompu mon déjeuner solitaire en me demandant : “Pourquoi la mâcher, pourquoi l'avaler ? *A quoi ça sert ?* Après, il va falloir avaler encore une *autre* bouchée, je suppose ? Ah ! non..." – et je me suis mise à faire les cent pas dans mon studio, en proie à une détresse inexprimable.

Un autre jour, je devais monter chez moi chercher un livre – M. m'attendait en bas dans la voiture – j'ai grimpé les six étages à toute vitesse et sans ralentir (j'aurais pu gravir à la même allure, je crois, les mille sept cents marches de la tour Eiffel, comme un possédé du vaudou peut se démener toute la nuit sans s'essouffler) – seulement, arrivée en haut de l'escalier, mon cœur battait très fort, et, comme les battements de cœur sont souvent associés à la peur, j'ai été envahie – invertissant cause et effet – d'une terreur nauséabonde. Secouée de tremblements, j'ai réussi à tourner la clef dans la serrure, à allumer la lumière dans ma propre cuisine et à vérifier que nul loup-garou, nul assassin, nulle bombe ne m'y attendait pour mettre fin à mon existence. Mais, une fois le livre sous le bras, j'ai dégringolé les étages avec l'empressement et le soulagement d'un cambrioleur amateur.

Presque toutes les entrées dans mon carnet pendant cette période sont en anglais.

Le 4-5 juin 1987
...je découvre de première main le sens de Dr Jekyll et Mr Hyde. Mon visage ne se couvre pas de poils et mes dents ne deviennent pas des crocs ; au lieu de cela, mon cœur se met à cogner, mes tripes à palpiter, ma tête à tourner, mes dents à claquer – et j'ai envie de tuer – je suis poussée à tuer – moi-même et les autres – dès que quelqu'un s'approche de moi je

me sens en danger de mort – les couteaux et les balcons sont spécialement épouvantables (parce que "je" ne veux pas commettre ces crimes, je reçois l'ordre de les commettre ; je m'épuise à résister à ces ordres et à préserver un semblant de normalité)...

A partir de là, lentement – grâce à un instinct de survie encore plus féroce que le désir de mort surgi du fond de l'enfance, ce magma de douleur et de rage bouillonnant sous mes strates de pierre précieuse (ma "culture"), ce volcan demeuré absolument innocent et immobile durant toutes mes tentatives de psychanalyse, et dont je venais d'entrapercevoir pour la première fois la vivacité et la violence – à partir de là, lentement – grâce aussi à l'amour, et à l'amitié vraie, grâce à des mains guérisseuses posées sur mon corps, grâce à la langue étrangère qui sait si bien lécher mes blessures –, j'ai pu reprendre les rênes.

Redevenir maître de mon propre cheval.

Remonter sur mon corps et le ramener dans des sentiers familiers : les rythmes humains du manger et du dormir, de la circulation du sang et de l'air. Il m'avait désappartenu beaucoup plus gravement encore pendant la maladie mentale que pendant la maladie physique. Là où celle-ci m'avait transformée en arbre, me vissant au sol, celle-là m'avait fait quitter la terre, me catapultant dans les airs du verbe, jusqu'à ce que je ne puisse plus rien faire d'autre que suivre, hallucinée, les ricochets entre mot et mot, signe et signe, symbole et symbole.

Restait à sonder le mystère du lien entre les deux. Leurs similitudes inquiétantes : le caractère “électrique” des anomalies elles-mêmes ; les incidences psychiques de leurs remèdes, ainsi que des remèdes à ces remèdes… *Où s'arrête le corps et où commence l'esprit ?* La myélite avait-elle surgi à la faveur d'une prédisposition délirante, ou bien mon délire était-il une séquelle différée de la myélite ?

Et mon roman, dans tout cela ? Etait-il un symptôme parmi d'autres de la maladie… ou bien une étape de sa guérison ?

LE 16 MAI 1988

Plus mon ventre m'encombre, moins je m'y identifie : lire, écrire, penser et parler sont désormais ce que je fais le plus facilement, alors que tout déplacement physique me gêne…

Je me rends compte que le “complexe d'Electre”, si fréquent chez les femmes écrivains, ne m'est à peu près compréhensible que parce que mon propre roman familial est tellement atypique. Je n'ai connu ni le père-divin-absent-idéalisé ni la mère-pieuvre-engloutissante. Grâce au caractère vraiment exceptionnel de la vie de mes parents, j'ai eu affaire à une réalité plus mitigée, moins prévisible. Une mère intellectuelle : étudiante, professeur, et puis… absente (c'est presque une contradiction dans les termes, la “mère absente”) ; vivante, mais ailleurs ; “en voyage” ; auréolée du prestige des pays exotiques. Une mère-idée, une mère-esprit, une mère-lettre ; livre ; symbole. Un père, certes intellectuel aussi, mais au contraire très proche. S'occupant de mon corps. Peut-être pas en faisant la cuisine, mais à travers bien d'autres gestes : soignant mes maladies d'enfance, pansant mes blessures, me coupant les ongles et les cheveux, m'apprenant à nager, m'entraînant avec lui dans des randonnées en forêt ou en montagne, encourageant mes prouesses sportives. A partir de l'âge de six ans, donc : un père totalement présent, corps et esprit ; une mère présente exclusivement par l'écriture.

Je ne dis pas que c'est "la bonne solution" (il ne manquerait que ça) ! Simplement, c'est une solution si radicalement éloignée des normes qu'elle m'a permis de révoquer en doute la "normalité" de celles-ci.

Plus l'équation homme-esprit / femme-corps est forte dans la tête d'un(e) enfant, plus rude sera la névrose qu'il ou elle produira pour venir à bout de la partie de soi que son sexe est censé refouler : telle est une des lois que je crois observer régissant la création artistique. Elle est illustrée à merveille par le couple surréaliste qu'ont formé Hans Bellmer et Unica Zürn.

LE 18 MAI 1988

Deux artistes, donc. Deux artistes qui ont écrit des livres (à la différence cruciale de Camille Claudel et Auguste Rodin, ou Sonia et Robert Delaunay), nous permettant d'appréhender, autrement qu'à travers la spéculation pure, ce qui les a liés l'un à l'autre ; ce qui les a déliés aussi.

Tous deux sont nés en Allemagne, Bellmer en 1902 et Zürn en 1916. Ils ne se rencontreront qu'assez tardivement, en 1953, mais à partir de ce moment ils vivront ensemble – pour le meilleur, et surtout pour le pire – jusqu'à ce que la mort les sépare. Violemment.

Unica Zürn raconte l'essentiel de son enfance dans un livre intitulé *Sombre printemps*. "L'essentiel", en l'occurrence, ce sont moins les faits que les fantasmes. Du reste, les faits évoqués dans ce livre ne peuvent tous être véridiques, puisque l'héroïne se suicide à la fin en se jetant par une fenêtre à l'âge de douze ans, alors que l'auteur ne se suicide en se jetant par une fenêtre qu'à l'âge de cinquante-quatre ans. Par ailleurs, *Sombre printemps*, comme *L'Homme jasmin* et tous les autres écrits intimes de Zürn, est rédigé à la troisième personne. Ce n'est pas là une technique romanesque ; le "elle" d'Unica par rapport à son "je" a la même fonction que le nom de "Laure" dans les fragments érotiques de Colette Peignot : c'est un vêtement, une carapace protectrice.

Sombre printemps pourrait servir de manuel aux psychanalystes désireux de se familiariser avec le complexe d'Electre – si tant est qu'un jour de tels psychanalystes existent. Il débute ainsi : "Son père est le premier homme dont elle fait la connaissance." D'emblée, on est en terrain familier, où résonnent des échos de Sylvia, Laure et autres Simone : "Elle le préfère aux femmes qui l'entourent habituellement." Comme ce père est écrivain, grand voyageur et habituellement absent, "elle connaît l'attirance qui rayonne de ceux qui se font rares et mystérieux. C'est sa première leçon." Sa deuxième leçon, symétrique et inverse, lui sera infligée lorsque sa mère, un beau matin, l'attire dans son lit et l'embrasse avec passion. "Une aversion insurmontable pour la mère, pour la femme s'éveille en elle." Résultat de ces deux leçons : lorsqu'une tante lui fait cadeau d'une nouvelle poupée, elle la torture en lui *extirpant les yeux* et en lui *ouvrant le ventre*.

Hans Bellmer, à cette époque (mettons 1925), n'a pas encore construit sa célèbre *Poupée*. Mais toutes les motivations pour la construire sont déjà en place : il émerge, lui, d'un "Œdipe" aussi gratiné que l'"Electre" de sa future compagne. Avec sa mère, il a vécu un amour imprégné de tendresse, de douceur et d'impressions sensuelles : velours et soie chatoyants, caresses et chants liquides. Il voue en revanche une haine meurtrière à son père, homme sévère et autoritaire, homme élevé selon les préceptes rigides de la "pédagogie noire" qui avait cours en Allemagne depuis le XIXe siècle ; homme qui, selon toute probabilité, se vengeait sur ses deux fils de ce qu'il avait lui-même subi aux mains de ses parents. C'est ainsi, et ainsi seulement, que le complexe d'Œdipe atteint sa forme extrême

– celle que Freud, qui en élabore la théorie pendant ces mêmes années et dans la même aire géographique, décrit comme un mécanisme universel de l'enfance.

Hans et son frère sont martyrisés par ce père-Loi, ce père-Dieu coléreux, ce père inflexible dont la cruauté est à la mesure de sa faiblesse. Face à lui, expliquera Hans plus tard, "nous savions être tout : caoutchouc, crasse ou verre, fil de fer et cuivre. A vrai dire, nous avions probablement un air plutôt adorable, plus fillette que redoutable comme nous eussions préféré l'être."

Là encore, terrain connu. "Poulou" ressemblait, lui aussi, à une fillette, alors qu'il aspirait à être redoutable. Mais Poulou était le fils selon le Nouveau Testament ; son père était Amour, Absence, Idée ; et son complexe à lui était celui de Jésus-Christ. Ici, nous avons affaire à un fils selon l'Ancien Testament : un Isaac, un fils que son père est prêt à mettre à mort afin de prouver sa soumission filiale à un autre Père, plus terrifiant encore et plus punisseur. (De même, on l'oublie trop souvent, Œdipe avait été condamné à mourir par son père Laïus.)

Sous le regard et sous les coups d'un tel père, Hans apprend à être caoutchouc, crasse ou verre. Et toute sa démarche artistique ultérieure consistera à traiter le corps humain comme s'il était caoutchouc, crasse ou verre. Bellmer sera un Pygmalion à rebours ; la question qu'il se posera est la suivante : la chair vivante peut-elle se transformer en marbre ou en ivoire ?

Le jeune Hans entre dans une école technique où il reçoit une formation d'ingénieur – son père, lui-même ingénieur, s'étant catégoriquement opposé à sa vocation d'artiste. Le garçon devient homme. En 1927, il épouse une femme du nom de Margarete et travaille comme dessinateur dans une agence de publicité ; avec ses amis George Grosz et Otto Dix, il partage la haine du fascisme montant. L'avènement de Hitler en 1933 marquera le vrai début de sa vie d'artiste, car il décide alors d'interrompre toute forme de travail "utile à l'Etat".

Seulement, il a en commun avec Hitler d'être le fils d'un père dont la violence atteint des degrés pathologiques. Toute proportion gardée, on pourrait dire que, là où Hitler imposera aux Juifs le martyre qu'il a subi, obligeant tous les Allemands à prouver leur "pureté aryenne" jusqu'à la troisième génération (précisément ce qu'il ne pouvait faire lui-même), Bellmer, lui, imposera son propre martyre aux femmes. Chacun punit ainsi la partie exécrée de lui-même, perçue comme faible, passive et veule.

Cela commence en 1933. C'est cette année-là que Bellmer assiste – avec sa nièce Ursule, jeune fille de seize ans qui s'est installée chez lui et avec qui il a une relation chargée d'ambiguïté – à une représentation de l'opéra d'Offenbach *Les Contes d'Hoffmann*. Bellmer est vivement frappé par le premier acte, "Olympia", l'histoire de l'étudiant Nathanaël qui tombe éperdument amoureux d'une poupée mécanique, au point de délaisser sa fiancée vivante. Presque aussitôt après cette représentation, Bellmer commence la construction de sa *Poupée* à lui. Ursula sera exclue de son atelier tout le temps que dure le travail, et plusieurs amis relèveront "une étrange ressemblance" entre elle et la jeune fille démontable.

Mais cela est secondaire ; le principal, c'est que Bellmer vient de trouver le véhicule culturel adéquat à sa névrose. C'est un wagon qu'il accroche à un train déjà long – toute une série d'histoires extraordinaires dans lesquelles un homme fabrique une femme idéale, c'est-à-dire artificielle, supérieure aux modèles en chair et en os qui "nous" entourent. Lui-même citera, parmi les équivalents littéraires de sa *Poupée*, *L'Eve future* de Villiers de L'Isle-Adam ; l'autre Adam (sans L'Isle), tout comme Pygmalion, est un des avatars de ce même mythe.

Sigmund Freud, lorsqu'il analyse "L'Homme au sable" d'E. T. A. Hoffmann et les effets d'"inquiétante étrangeté" qu'il suscite, affirme que le père de Nathanaël et le scientifique fou Coppélius sont en fait tous deux le père, scindé par l'ambivalence du fils en "mauvais" (Coppélius, qui menace l'enfant de l'aveugler) et "bon" (le père qui, par son intervention, lui sauve les yeux). De plus, Coppélius traite Nathanaël comme une poupée, faisant semblant de lui dévisser les bras et les jambes ; Olympia n'est rien d'autre que l'attitude féminine qu'avait Nathanaël lui-même envers son père dans la petite enfance. D'où l'amour proprement fou qu'il vouera à la poupée mécanique, amour qui est entièrement de type narcissique. Exactement de la même façon, Hans Bellmer – figé par son père dans une position passive de crainte et d'humiliation – sera à tout jamais incapable de reconnaître, en la femme, une autre, un sujet : "L'homme épris d'une femme et de soi-même, écrira-t-il, ne désespère qu'assez tard de polir l'aveugle miroir de plomb que la femme représente, pour s'y exalter, pour la voir exaltante."

Dans "L'Homme au sable", le jeune héros devient fou et finit par se suicider ; Freud dit avoir connu bien des malades, fixés comme Nathanaël au père par le "complexe de castration", dont l'histoire était moins fantastique mais non moins triste que la sienne. Bellmer, lui, n'est pas un malade mais un artiste ; il ne serait pas abusif de dire, dans son cas au moins, qu'il n'est pas malade *parce qu'*il est artiste. Son histoire ressemble de manière saisissante à celle de l'étudiant Nathanaël ; et sa *Poupée* ainsi que toutes les femmes désarticulées, ligotées, tordues, brisées et brillamment réassemblées par son art sont autant d'avatars de la "fillette" qu'il avait été sous les coups de son père. Ce corps devenu pure matière, passive et insensible, "ce n'est pas moi, c'est elle".

En 1934, Bellmer publie à ses propres frais *Die Puppe*, texte dans lequel il retrace la genèse de cette œuvre. Il y fait état d'une courte période de souveraineté dans son enfance, période pendant laquelle, subjugué par les "écrivains de pacotille", les “magiciens” et les “confiseurs”, il avait passé des heures à jouer avec des kaléidoscopes, des cylindres, des anneaux et des costumes d’Indiens. Mais ce sentiment de suprématie s’était fané quand son monde avait été envahi par l’univers des petites filles, univers de spirales et de pigeons blancs, de roses et de mains entrelacées.

Bellmer, comme Sartre, est écœuré par la douceur. Les petites filles le font enrager. “Si là n’était pas la promesse”, écrit-il,

> c’est qu’il fallait la chercher plutôt à l’intérieur, comme les panoramas dans mes boîtes à miroirs. Mais les petites filles [...] n’étaient ni des boîtes, ni des réveille-matin, et n’offraient pas le moindre truc permettant de tourner en activité destructrice ou créatrice les intentions qui s’attachaient à leurs charmes.

On ne peut pas ouvrir les petites filles vivantes pour voir comment ça marche à l’intérieur (ceux qui le font sont non des artistes mais des malades). Il faut donc construire des petites filles éventrables – et le *ou* placé par Bellmer entre “destructrice” et “créatrice” est d’une justesse lumineuse, car construire, c’est aussi, nécessairement, détruire.

> Ne serait-ce pas le triomphe définitif sur les adolescentes aux grands yeux qui se détournent, si, sous le regard conscient pillant leurs charmes, les doigts agressifs assaillaient la forme plastique et construisaient lentement, membre à membre, ce que le sens et le cerveau s’étaient approprié ?

Pour que l'esprit puisse engendrer la matière, la matière *doit* être privée d'esprit – et donc de regard. Les "grands yeux" des adolescentes, par nécessité, "se détournent" ; l'artiste seul sera doté d'un "regard conscient", de "sens" et de "cerveau". (C'est pour la même raison qu'Unica Zürn extirpe les yeux de sa poupée.)

Quelques années après *Die Puppe*, en 1937, Bellmer explicitera plus avant sa conception de l'art, affirmant que "l'imagination puise exclusivement dans l'expérience corporelle – à condition d'être distincte de celle-ci – d'une façon très concrète probablement, qui resterait à élucider". D'évidence, afin de s'assurer que l'imagination demeure "distincte" du corps, il vaut mieux que le corps en question soit celui d'un autre. Un corps auquel l'imagination ne peut s'identifier, dans lequel elle ne risque pas de s'abolir. L'*autre* corps. Celui de la femme. (Comme chez Sartre, là encore.)

Une fois qu'il a maîtrisé l'apparence extérieure, poursuit Bellmer, l'artiste pourra

> effeuiller les pensées retenues des petites filles, et rendre visible, de préférence par le nombril, le tréfonds de ces pensées, panorama révélé dans la profondeur du ventre [*Bauch*, utérus] par une multicolore illumination électrique.

En d'autres termes, les pensées du corps féminin – dans la mesure où elles existent – se trouvent dans le ventre, et il s'agit pour l'artiste d'illuminer cette profondeur. (C'est pour la même raison qu'Unica Zürn ouvre le ventre de sa poupée.)

Ainsi, dans une autre réalisation de la poupée intitulée *Panorama*, Bellmer installe au niveau du ventre tout un jeu de lumières et de miroirs : la femme est devenue kaléidoscope, elle appartient enfin au monde des petits garçons ; il suffisait d'éclairer son mécanisme intérieur pour en dissiper tout le mystère.

Bien sûr, l'artiste affirme aussi par là que, dans ce ventre, il ne se passe rien, qu'il ne peut rien s'y passer. Que le ventre féminin est création (d'artiste) et non pas créateur (de vie nouvelle). Que les femmes ne sont *que* la somme de leurs parties, quels que soient le nombre et l'agencement de celles-ci. Qu'elles ne peuvent pas vous faire ce coup en traître qui consiste à fabriquer, elles, des membres dans les ténèbres et le sang. La fascination obsessionnelle d'un homme pour le corps des fillettes s'accompagne presque toujours d'une ambivalence envers le féminin maternel. "Ce qui a probablement poussé à la genèse du *Panorama*, écrit encore Bellmer, c'est le sentiment que le tronc rigide, et donc le ventre, était dépourvu de toute fonction."

Pour la construction de ce *Panorama* comme pour celle de la *Poupée*, Hans Bellmer bénéficie de la collaboration enthousiaste de son frère, celui-là même qui avait partagé avec lui les tortures paternelles.

Vers cette même époque, le frère d'Unica Zürn la viole.

Jamais, avec lui, elle ne pourra collaborer dans la création d'un objet d'art où sera malmené le corps de l'autre. Elle *est* cet autre, cet objet qui permet aux hommes d'exprimer frustration et vengeance. Nulle part, dans la culture qui l'entoure, elle ne trouvera l'équivalent d'une Galatée, d'une Eve future ni d'une Olympia, lui racontant qu'elle a le droit de détruire et de reconstruire le réel à sa guise. Le *Frankenstein* de Mary Shelley ne constitue pas vraiment un précédent à imiter. Alors, très logiquement, "elle regrette d'être une fille. Elle voudrait être un homme."

"Mon père disait : «Simone a un cerveau d'homme. Simone est un homme.» Pourtant on me traitait en fille."

Exactement comme Beauvoir, Unica Zürn témoignera dans ses jeux d'enfance d'une prédilection pour les rôles de victime qui lui permettent de souffrir, *en les maîtrisant*, des martyres sensationnels. Dans ses fantasmes masturbatoires, elle élaborera des mises en scène effrayantes dans lesquelles elle subit, avant la mise à mort, de raffinées tortures sexuelles. Lorsque, à force d'onanisme, ses joues deviennent pâles et ses yeux cernés, "son père s'éprend de sa grâce fragile et l'appelle «petit elfe d'ivoire»". La désincarnation sera désormais son but : il s'agit de devenir ivoire effectivement, comme la statue de Pygmalion (ou bien marbre, comme Laure ?), une chose de plus en plus blanche et éthérée... en un mot, un ange. Et, comme son effort conscient sera de tendre vers l'angélisme, de l'inconscient – et notamment dans son art – surgira, puissante et menaçante, la Bête.

La bestialité, cristallisée sans doute au moment de la scène dans le lit maternel, sera à tout jamais pour Unica l'image de l'horreur absolue. Fantasmer, dessiner, rêver ou écrire cette bestialité, signifie justement pour elle, *n'avoir pas à la vivre*. Etre violée par son frère est insupportable *parce que c'est du réel*, et qu'à tous égards le réel est inférieur à l'imaginaire, comme la présence à l'absence, le corps à l'esprit, la mère au père.

Il s'ensuit très logiquement que le paroxysme du bonheur, c'est la non-existence physique. Voilà pourquoi, tombant amoureuse d'un homme pour la première fois, la fillette héroïne de *Sombre printemps* est "tellement émue qu'il lui soit apparu qu'elle en mourrait volontiers sur-le-champ". On voit que cette fillette aura de quoi plaire à l'inventeur de la *Poupée*.

LE 20 MAI 1988

Lorsqu'ils se rencontrent à une exposition, à Berlin en 1953, Bellmer vit en France depuis quatorze ans déjà. Il a quitté l'Allemagne à la veille de la guerre, après que sa première femme Margarete a succombé à une tuberculose. A Paris, le milieu surréaliste l'a accueilli à bras ouverts : *Le Minotaure* (revue dirigée par Georges Bataille et Michel Leiris) avait publié sa *Poupée* dès 1935. Avec Max Ernst, allemand comme lui, Bellmer passe une partie de la guerre au camp des Milles dans le Midi ; en 1940 il épouse une Française pour se faire naturaliser. Elle "lui donne" (selon l'expression consacrée) des jumelles, qu'il aime à la folie. Mais lorsqu'il la quitte, en 1946, pour s'installer définitivement à Paris, les termes du divorce lui interdisent tout droit de visite à ses filles. Cela ne devait en rien arranger son ambivalence envers la fécondité : une de ses gravures particulièrement glaçante montre, à l'intérieur de l'utérus d'une femme, des squelettes jumeaux…

Chez lui comme chez bien d'autres, cette ambivalence s'exprime parfois comme éloge de l'androgynat. "Le masculin et le féminin sont devenus des images interchangeables, écrit-il par exemple ; l'un et l'autre tendent à leur alliage dans l'hermaphrodite." Ailleurs, dans une de ses "Lettres d'amour", il devient clair que doter une femme de pénis, c'est aussi la priver de maternité :

> Dès que je serai immobilisé sous la jupe plissée de tous tes doigts et las de défaire les guirlandes dont tu as entouré la somnolence de ton fruit jamais né, alors tu souffleras en moi ton parfum et ta fièvre pour que, en pleine lumière, de l'intérieur de ton sexe sorte le mien.

A nouveau, l'implication est que, si seulement on avait les appareils adéquats, le corps féminin finirait bien par dégurgiter son secret, à savoir qu'il n'a *pas* de secret et ne diffère en rien du corps masculin.

Unica Zürn n'est pas moins obsédée par la différence sexuelle que Hans Bellmer. Petite fille, elle aimait à contempler, depuis son lit, la fenêtre de sa chambre : “Par sa forme la croisée lui fait penser à l’homme et à la femme : la ligne verticale est l’homme, l’horizontale la femme. Le point de croisement des deux lignes représente un mystère.”

Du premier mariage d’Unica, on ne sait que peu de chose. On sait qu’elle a eu de ce mariage, à Berlin pendant la guerre, deux enfants : un garçon et une fille. (Et que, parallèlement, elle a produit des films, exposé ses dessins, commencé une œuvre.) Bien plus tard seulement, dans le récit de sa folie, *L’Homme jasmin*, elle expliquera comment l’homme qu’elle aimait, et qui fut le père de ses enfants,

> me plongea un couteau dans le cœur [...] Mon cœur [...] a depuis été souvent criblé de coups [...] Maintenant je suis presque soulagée de savoir que les yeux ont aussi chacun un cœur. Si les cœurs de mes yeux s’en sont allés aussi, c’est qu’ils valaient sûrement mieux que mon cœur porté au suicide.

Elle se sépare de ce mari parce qu’il la trompe, mais c’est lui qui obtient la garde des enfants. (Elle est donc, comme Bellmer, un parent empêché.) Serait-ce cela, le “couteau dans le cœur” auquel elle fait allusion ? Et celui qui, plus tard, la prive des “cœurs de ses yeux”, ne serait-ce pas Hans Bellmer ?

Les adolescentes de Bellmer détournent le regard.

La cécité, l’interruption du voir et du savoir, la statufication de soi : condition *sine qua non* de l’amour selon Unica Zürn. “Elle ne veut rien faire d'autre que de penser à lui [...]. A l'école, elle ne peut pas concentrer son attention sur son travail." L'homme, en revanche – l'homme qu'adore la petite fille dans *Sombre printemps* –, a un regard : "Longuement, tranquillement, avec un profond sérieux il dirige ses yeux vers elle." Là où le désir agit sur l'homme comme stimulant, inspiration, moteur de l'activité créatrice, il agit souvent sur la femme comme paralysant, lui figeant le corps et la pensée. "Il faut rester immobile. Faire de l'inaction une loi."

Au début, quand Zürn vient s'installer à Paris – "une très belle jeune femme pleine de talent qui venait de rencontrer un artiste fascinant", selon la description de son amie et exégète Ruth Henry –, c'est tout sauf l'inaction. Elle fait ses premiers dessins automatiques et se découvre un talent pour les anagrammes. Son premier livre, *Hexentexte*, est composé presque exclusivement de poèmes anagrammatiques. Selon Bellmer, qui en écrit la préface, les anagrammes sont dans le domaine verbal ce qu'est l'androgynat dans le domaine sexuel. Dans *Petite anatomie de l'image*, le credo artistique qu'il publie en 1957, il parlera de

> l'odeur vaguement "maudite" qui s'attache à la réversibilité, même dans le règne verbal, où parler à l'envers veut dire : sodomiser le verbe jusqu'à ce qu'apparaisse, parfaite comme l'androgyne, la phrase rare qui – lue en aval ou en amont – traitée d'homme ou de femme – conserve indéfectiblement son sens.

Réversible, symétrique, parfaitement passif et plastique est l'énoncé idéal ; la langue maternelle (langue *mater*-matière) devrait être aussi malléable qu'un corps dans l'amour. Et, *a contrario*, "le corps est comparable à une phrase qui vous inviterait à la désarticuler, pour que se recomposent, à travers une série d'anagrammes sans fin, ses contenus véritables".

Mais, si la phrase peut être "traitée d'homme ou de femme", *seule la femme sera traitée de phrase*. Les dessins, gravures et sculptures de Hans Bellmer ne montrent pas en général le corps masculin démembré, désarticulé, écorché, tordu, dissous. C'est la femme qui coïncide le plus facilement avec l'image dans l'œil du créateur (voilà pourquoi sa *Petite anatomie*, qui a suscité l'enthousiasme de Man Ray, d'André Breton et de Jacques Lacan, entre autres, sera qualifiée par Unica de "livre pour hommes"). Bellmer dira même – et il ne plaisante pas – que "la passion la plus humainement sensible et la plus belle" est celle qui consiste à "abolir le mur qui sépare la femme de son image".

De même que l'homme n'est pas image, la femme n'est pas regard. C'est ce qui explique que, dans plusieurs portraits d'Unica Zürn, Bellmer ait mis une vulve à la place d'un de ses yeux. Que peut-on voir d'un œil comme celui-là ? Une femme dont le sexe remplace le regard peut-elle être une artiste ?

"Bellmer et elle, écrit Unica, toujours à la troisième personne, depuis 1953 des camarades dans la misère, une amitié immense [...] avec quelque terreur pour elle." (Comme chez Bataille et Peignot : fusion pour eux deux, "perte d'elle-même anéantissante" pour elle.) Une femme peut-elle créer dans un état de perte et de terreur ? "Ses petits manuscrits – sans valeur aucune – elle les a écrits sous le coup de la fascination provoquée par une rencontre pour les envoyer ensuite, en un geste quelque peu théâtral, à l'Homme jasmin afin qu'il les brûle." (Peignot à Bataille : "J'ai déjà envie de déchirer cette lettre.")

Malgré tout, elle continue d'écrire, de peindre et de dessiner. De 1953 à 1957, elle continue. 1957, l'année où Bellmer publie son *Anatomie*, est l'année de la première dépression nerveuse d'Unica, et le premier d'une longue série de séjours en hôpital psychiatrique. Elle y subira, entre autres formes de "thérapie", l'électrochoc. Elle y sera gavée de nourriture et privée de ses outils de travail. Elle y écrira, dans ses "Notes pour le journal d'une anémique" :

> 31 décembre 1957
>
> Je me suis tournée dans tous les sens, je me suis épiée, observée jusqu'à l'écœurement. Si j'étais homme, cet état m'aurait conduite à la création. Mais moi telle que je suis – et je ne désire pas être autre chose – je n'ai fait que divaguer.

Ce n'est qu'un an et demi plus tôt que Plath avait écrit, dans son journal à elle : "Si j'étais un homme, je pourrais écrire un roman là-dessus ; étant une femme, pourquoi est-ce que je ne sais que pleurer et me figer, pleurer et me figer ?"

Zürn divague. Ses symptômes, étonnamment semblables à ceux de Woolf, sont déjà autant de façons de nier symboliquement l'existence corporelle : l'insomnie, l'anorexie, la "transparence", la désorientation, l'oubli. Elle a peur de descendre les escaliers. Et elle entend des voix.

> Elle entend la voix d'un homme qu'elle connaît : "Baissez les yeux – ne regardez personne ! [...] Ne regardez personne – Ne levez pas les yeux de dessus vos pieds. Marchez..."

Le visible s'évanouit. L'artiste n'a plus le droit de voir. Tout vire au blanc. Les médecins, tout de blanc vêtus, deviennent des dieux. "L'homme" aussi. Jasmin. Quant à l'artiste : "Comme une petite feuille de papier [...]. Elle est complètement transparente. Pareille à un vide blanc."

Parviendra-t-elle à recouvrer ses capacités créatrices ? Oui, mais, cette fois, seulement *grâce à l'homme* :

> Elle commence à dessiner sous sa dictée. Il l'informe de sa présence chez elle par des cognements répétés [...], les coups sourds et secs d'un homme qui, de nouveau, lui impose sa volonté [...]. Cette collaboration est pleine d'harmonie et le résultat de qualité. Il est brutalement gâché parce qu'il ne cesse de frapper des coups et, finalement, dans un mouvement de colère malheureux, elle déchire ce document rare.
>
> Que représentait ce dessin en commun ? On y voit, nettement partagé en deux et comme mort,

> un couple étendu sur la terre et, au-dessus, un paradis tout blanc.

Le paradis est blanc, lui aussi. Le couple est "comme mort". Plutôt que de déchirer le dessin, le mieux serait encore de s'y intégrer – "d'abolir, comme dit Bellmer, le mur qui sépare la femme de son image".

Du reste, Bellmer illustre cette aspiration par le récit suivant :

> D'après le souvenir intact que nous gardons d'un certain document photographique, un homme, pour transformer sa victime, avait étroitement ficelé ses cuisses, ses épaules, sa poitrine, d'un fil de fer serré, entrecroisé à tout hasard, provoquant des boursouflures de chair, des triangles sphériques irréguliers, allongeant des plis, des lèvres malpropres, multipliant des seins jamais vus dans des emplacements inavouables.

Si le "souvenir" que garde Bellmer de ce document photographique est à ce point "intact", c'est qu'il en est lui-même l'auteur. Et la "victime" (une fois n'est pas coutume, le mot est épelé en toutes lettres) n'est autre que sa compagne, l'artiste Unica Zürn. La frontière a été franchie. Le mur a été aboli. Le corps lui-même (et non l'idée du corps, le fantasme ou la phrase) a été traité de pure matière plastique. Le corps de Hans Bellmer, par le truchement de celui d'Unica Zürn, est enfin devenu "caoutchouc, crasse ou verre" – sauf que, cette fois-ci, il n'est pas à l'intérieur de ce corps mais derrière l'appareil photo, à la place du père : tout regard, toute lucidité face à ces "boursouflures de chair".

Les photographies en question ont été exposées au musée d'Art moderne de la ville de Paris en 1984. Sans commentaire.

Le rêve de Hans Bellmer, dit encore celui-ci dans sa *Petite anatomie de l'image*, serait de "figurer une femme mobile dans l'espace à l'exclusion du facteur temps [...]. Et c'est ainsi que l'on voudrait que restât l'étrange objet, trace tragique et méticuleuse, que laisserait de son passage un nu projeté par la fenêtre sur le trottoir."

Treize ans séparent encore la publication de ces lignes de la défenestration d'Unica Zürn.

Treize ans que Zürn passera dans l'oscillation entre l'art et la folie, entre le rêve d'angélisme (pureté, blancheur, vide) et le cauchemar de bestialité : en effet, ses dessins de cette époque montrent qu'elle est aux prises avec des monstres terrifiants, mi-humains, mi-végétaux...

Exactement comme "Laure" dans la vie de Georges Bataille (et comme les "autres femmes" dans celle de Sartre), Unica a pour fonction d'aider Bellmer à définir les limites de son humanité. Elle tente désespérément d'atteindre à une certaine transcendance :

> La voix de l'Homme jasmin lui dit : "C'est moi Dieu." Elle répond : "Non, c'est moi." Cette lutte se prolonge jusqu'à ce qu'elle dise : "D'accord tu es le plus âgé et le plus sage de nous deux. Dieu c'est toi et moi je suis ton fils Jésus."

"Dieu c'est toi." Même s'il s'agit d'un anti-dieu, d'un dieu sarcastique et destructeur : "Qui, homme ou femme, dit encore Unica, est par lui croqué ou photographié par son crayon partage avec lui l'abomination de soi-même. Impossible pour moi d'une plus grande louange de Lui."

Elle se laisse croquer par "Lui". Et ligoter. Et photographier. (Photo de famille : Bellmer, Zürn et la *Poupée*.) Elle partage avec lui l'abomination d'elle-même. Mais, alors que ce sentiment passe chez lui par *l'autre*, le corps de l'autre, chez elle, c'est son propre corps qui s'aliène chaque jour un petit peu plus. (Laure : "Je me rencontrais si drôlement étrangère, ça devenait criminel.") Dans ses crises de folie, Unica se voit sur une vaste scène éclairée et devient "sa propre spectatrice".

La petite fille de *Sombre printemps* (livre qu'elle rédige d'une seule traite en… 1957) est, elle aussi, sa propre spectatrice. Quand sa mère lui interdit de revoir l'homme qu'elle aime, elle décide de mourir en se jetant par la fenêtre – et, l'ayant décidé, "pour la dernière fois, elle s'admire dans la glace". Alors qu'elle sert de miroir grossissant à l'homme, lui permettant de se *faire* une image de lui-même et de se maintenir séparé de cette image, la femme ne dispose pour se réfléchir que de son propre reflet : encore une fois, elle *est* image.

C'est pourquoi, lorsque la petite fille "monte sur le rebord de la fenêtre [et] se tient au crochet du volet", elle "regarde encore une fois dans le miroir son image pareille à une ombre". Ce sont les derniers mots : la chute du récit, la chute de l'héroïne ; mais pas encore la chute de l'écrivain. Il lui reste encore quelques années avant de suivre son personnage. Quelques expositions. Quelques internements. Dehors, dedans. Mots, crises, images, cris. A l'automne 1969, c'est Bellmer qui tombe gravement malade et doit être hospitalisé. Unica respire. "Jamais je ne l'ai vue aussi libre et aussi éblouissante qu'à cette époque", dit Ruth Henry.

> De retour chez lui, Bellmer doit garder le lit. Chez eux règne un silence de pierre tombale. Ne supportant aucun bruit, Bellmer – pendant des heures, des jours, des semaines – regarde la télévision en silence sans mettre le son.

L'image seule. Aucun bruit de vie, aucun mouvement. Silence de pierre. Immobilité de pierre. Comme le "visage pétrifié" du frère d'Unica lorsqu'il la viole. Comme "Pierre", héros de Georges Bataille. Comme Roquentin, héros de Jean-Paul Sartre. Comme le portrait du marquis de Sade par Man Ray... Rien que des pierres. Du marbre. De l'ivoire. De l'art.

> Pendant ce temps-là, Unica reste prostrée dans son coin, couchée sur le divan, une éternelle Gauloise entre les lèvres. Et c'est l'éclat : elle lance un cendrier à travers la vitre de la fenêtre. Les médecins décident de l'éloigner de Bellmer [...]. Nouvelle descente aux enfers.

Il lui reste encore un an avant de suivre le cendrier. C'est au cours de cette année qu'elle commence à rédiger un journal intime à la troisième personne.

Le 19 octobre 1970, la préparation est terminée : Unica Zürn est enfin devenue complètement autre – complètement "elle", objet, cendrier, chose. L'initiation est accomplie : elle peut maintenant pénétrer enfin le "mystère" de la fenêtre, traverser la croisée de ses lignes verticale et horizontale, se muer en "pur tracé d'une femme mobile dans l'espace", en poupée désarticulée, en chair inerte ; image.

LE 24 MAI 1988

Anniversaire de ma propre "chute", par-dessus le bord de la raison. Tout le temps qu'a duré cette détresse, j'ai été particulièrement vulnérable aux images, et surtout aux images filmées. Il y avait une perméabilité totale entre le cinéma véritable et mon "cinéma" intérieur, de sorte que – à partir de la soirée désastreuse de *La Comtesse aux pieds nus* – je ne pouvais m'asseoir ni au cinéma ni devant un poste de télévision sans être aussitôt "happée" par ce qui se passait à l'écran. L'hélice tournoyante d'un hélicoptère, dans un documentaire sur Tchernobyl, semblait fouetter ma cervelle comme un batteur électrique, la réduisant en bouillie. Pendant *La Belle au bois dormant*, j'ai dû fermer les yeux pour ne pas être entraînée dans les tourbillons de couleur : les violettes et violentes apparitions de la fée Maléfique m'ont fait infiniment plus peur à moi qu'à L. Au lieu de projeter mes propres images sur le réel, comme dans l'hallucination, j'étais constamment assaillie, agressée par celles qui me venaient du dehors.

A l'extérieur, je continuais, avec une difficulté croissante, de jouer mes divers "rôles" dans la vie. A l'intérieur, je ne vivais ni en 1987 (date du calendrier), ni en 1971 (date de mon roman), mais en 1959 (date du départ de ma mère). Je n'étais plus qu'une petite fille abandonnée : une plaie béante, un gouffre de douleur, victime d'assassinat et assassine. C'était l'enfer.

Je n'habitais pas en permanence cet enfer, mais tout était susceptible de m'y précipiter, et en particulier toute combinaison, au hasard de mes pensées, conversations ou lectures, de deux éléments ou plus de la liste suivante : *mère – mort – musique – cordes – cœur – amour – mémoire – oubli – racines – arbres – mots*.

C'est dans cet état que je suis allée pour la première fois visiter le studio de Myriam Bat-Yosef.

LE 30 MAI 1988

Le manuscrit de mon roman – remanié, élagué, trituré, aimé et détesté – a perdu le cinquième de son poids tandis que je prenais le cinquième du mien. Je l'ai déposé chez l'éditeur ce matin. Acceptera-t-il ou non de me servir de sage-femme ?

LE 2 JUIN 1988

C'était il y a un an presque jour pour jour, juste après la fête des Mères. Myriam m'avait téléphoné au mois de février : elle savait que je m'intéressais aux couples d'artistes, et, en tant que peintre ex-épouse d'un peintre célèbre, elle avait voulu me montrer son travail. Quatre mois avaient passé – quatre mois ininterrompus de somnifères qui avaient fait de moi un "elfe" à la Unica : j'avais l'impression d'être sans poids et sans consistance, de ne pas toucher terre. C'est donc au plus fort de ma fragilité, si j'ose dire, que j'ai gravi l'étroit escalier en spirale qui mène à son atelier.

Dès qu'elle a ouvert la porte, j'ai été presque renversée par un grouillement de couleurs vives à perte de vue : toutes les surfaces visibles étaient travaillées dans de complexes motifs décoratifs d'où jaillissaient l'orange, le rose, le rouge, le jaune – couleurs pour moi étrangères, couleurs que je ne mets jamais – et il m'a semblé que Myriam, par son choix de bijoux, sa coiffure, ses habits et son maquillage, faisait elle-même partie du décor.

Je ne me trompais pas.

La première œuvre dont elle m'a fait le commentaire, qui se trouvait dans l'entrée, était une série de photographies qu'elle appelait son *Testament*. On voyait une femme (elle-même, plus jeune, devais-je apprendre plus tard) en interaction avec divers objets : un cadre, une sandale, un tableau de cette même sandale… Un identique motif en noir et blanc, extrêmement intriqué et délicat, couvrait tous ces objets – y compris le visage et le corps de la femme elle-même.

“J'ai eu l'idée de faire ce *Testament* quand ma mère est morte”, m'a expliqué Myriam de but en blanc (on venait tout juste de se serrer la main pour la première fois). “J'ai été tellement horripilée, tellement scandalisée par sa dégradation physique, par cette hideur qui l'a ravagée à tel point qu'il m'était insupportable de contempler son cadavre... J'ai juré qu'avec moi ça ne se passerait pas comme ça. Je veux qu'après ma mort on me peigne à la gouache exactement ainsi, suivant ces motifs que j'ai imaginés. Je veux devenir enfin – définitivement, et non seulement de temps en temps comme c'est le cas maintenant – ma propre œuvre d'art.”

“Ah, mmmm oui, très intéressant”, ai-je marmonné en tremblant intérieurement, incapable de croire que j'avais vraiment quitté la neutralité bienveillante du quartier de l'Odéon pour tomber sur un cadavre maternel. “Et... et...” – que pouvais-je ajouter pour avoir l'air de participer naturellement à cette conversation ? – “qui est-ce qui va vous maquiller ainsi ? – Ma fille, a répondu Myriam aussitôt. Du moins, c'est à elle que j'ai demandé de le faire, et j'espère qu'elle le fera...”

Là, j'ai dû m'agripper au mur, prendre sur moi, faire un immense effort pour ne pas dévaler l'escalier en courant.

Je n'ai aucune idée des gestes que j'ai pu effectuer ni des phrases que j'ai pu prononcer pendant l'heure qui a suivi, tandis que Myriam me faisait visiter son atelier en m'exposant avec beaucoup de charme la philosophie qui sous-tend son esthétique. Le malaise initial ne me quittant pas, j'ai dû utiliser toutes mes forces pour le dissimuler. A peu près le seul souvenir qui me reste est la manière dont Myriam parlait de sa grossesse, et des effets de celle-ci sur sa trajectoire artistique : elle n'avait été enceinte qu'une fois, et il y avait plus de vingt-cinq ans de cela, mais le fait de contenir un autre être humain, de créer de la vie avec son propre corps, avait totalement transformé son imaginaire. "Les deux cent soixante-dix jours de ma grossesse, explique-t-elle, plus les quinze jours pendant lesquels j'ai eu le privilège d'allaiter ma fille [...], furent une période durant laquelle j'ai été constamment et expressément planante. Le ressenti de ces jours constitue les pavés de la route sur laquelle je crée jusqu'aujourd'hui." D'un seul coup, elle avait pu abandonner tous ses efforts "académiques", tout ce qu'elle avait appris aux Beaux-Arts. Encombrée par son ventre, elle s'est assise, et pendant neuf mois elle a dessiné des formes inouïes, infiniment riches et variées, indéfiniment renouvelées... "J'aurais voulu être toujours enceinte", m'a-t-elle avoué... et de me montrer la quantité considérable de toiles dans lesquelles ses couleurs prolifèrent autour d'un espace vide : "Ça – je l'ai compris seulement bien après –, c'est ma matrice vide."

A l'instar de Bellmer et Zürn (qu'elle a d'ailleurs fréquentés à la fin des années cinquante), Bat-Yosef explore les frontières entre le corps et l'œuvre d'art. Mais elle n'a besoin ni de martyriser le corps de l'autre, comme Bellmer, ni d'offrir en holocauste le sien propre, comme Zürn : avec une souplesse assez étonnante, elle travaille *et* son propre corps *et* celui de l'autre (homme ou femme) ; *et* la surface plane de la peinture *et* les volumes pleins de la sculpture ; plus, elle met tout cela en interaction à travers des événements spatiotemporels : une femme peinte fait pivoter un cadre autour de sa tête ; un homme peint danse avec une pendule dont les couleurs lui sont complémentaires ; une cinéaste filme Myriam en train de se peindre le visage, le cou, les cheveux, les mains… La différence des sexes est énoncée puis traversée, le même bascule dans l'autre, l'animé dans l'inanimé, la vie dans l'art et le vice dans le versa…

Qu'est-ce qui donne à Myriam Bat-Yosef cette singulière capacité de rendre perméables les frontières, sans jamais verser dans le chaotique, le flou ni l'arbitraire ? L'influence des cultures juive et extrême-orientale y est certainement pour quelque chose (d'origine israélienne, Myriam voyage beaucoup et puise librement autant à la symbolique du tantrisme et du taoïsme qu'à celle de la Kabbale). Mais l'influence décisive a été, comme elle le dit elle-même, la maternité, devenue moule et métaphore de toutes ses "expériences" ultérieures. "Mon état de grossesse a pulsionné ma voie ou mon genre", écrit-elle.

> A partir de là, toute surface ou espace de mon travail est pour moi une *matrice organique*, où des éléments se transforment, s'amalgament, s'allient ou s'enchevêtrent pour créer une nouvelle entité qui est l'œuvre. Mon rapport au support que j'utilise devient *charnel* : peindre, dessiner sur des supports différents devient comme faire l'amour avec des êtres différents.

Cette nouvelle formulation de son credo peut paraître surprenante : si l'artiste et son œuvre sont comme la mère et son enfant, comment peuvent-ils être aussi comme des amants ? Mais la contradiction n'est qu'apparente : ici et là, dans l'érotisme comme dans la maternité, il y a échange, passage, symbiose, transfert d'énergies vitales – tu m'aimes je t'aime je m'aime t'aimant par toi aimée par moi tu t'aimes – et, aussi sûrement que l'œuvre fait l'artiste, le bébé fait la mère et chaque amant fait l'autre, tant il est vrai qu'avec chaque œuvre chaque enfant et chaque amant on est une artiste une mère et une amante différente.

De cette grossesse il me reste à vivre soixante-dix jours sur les deux cent soixante-dix dont parle Myriam. Déjà, je suis pour… toi une mère différente de ce que j'ai été pour ta sœur. Mon corps te fait plus de place, il est plus généreux car plus réconcilié avec lui-même : tu es énorme, je suis énorme. Est-ce encore "moi" qui suis énorme ? Les gens qui me voient le pensent, visiblement, mais, lorsque je suis allongée sur un côté et que tu dors, je peux encore sentir un “moi” mince sous l’impressionnante rondeur qui est toi.

Je pèse, tu pèses, tu me pèses, nous pesons beaucoup ensemble – nettement plus que nous ne pèserons dans trois mois. Depuis un moment déjà, j’ai des contractions – indolores mais incoercibles – chaque fois que j’essaie d’“en faire trop”. Tu me rappelles à toi, à moi, à la matière, au fini : mes forces ne peuvent pas se multiplier de façon inquiétante ; sans voix, *infans*, tu es déjà la voix de la raison, du raisonnable, du réel et du réaliste.

Et – simultanément – tu es bien sûr, à toi seul, tous les miracles : miracle de la vie intelligente élaborée à partir de quelques molécules rougeâtres ; miracle de l’existence individuelle avec tout ce qu’elle charrie d’histoires passées et à venir de l’espèce ; miracle de l’humain, c’est-à-dire, du seul divin.

LE 3 JUIN 1988

Dispute avec M. ce matin – le fait est suffisamment rare pour mériter d’être noté – au sujet des voyages qu’il projette de faire cet automne. (Pour parler juste, M. ne se dispute jamais ; c’est moi qui le dispute.) Sur le refrain : “Me laisser seule pendant quinze jours avec deux enfants sur les bras, dont un nourrisson !...” Vieille chanson. Vieux fantasme – l’épouse en peignoir et en bigoudis, perdant beauté et intelligence à vue d’œil, submergée par la vaisselle sale et la marmaille tandis que son compagnon préserve légèreté, liberté et joie de vivre. Cauchemar usé, ratatiné, qui hantait les jours et les nuits de ma mère, comme de Simone de Beauvoir (*jamais* elles ne ressembleraient à leur mère à elles !), mais qui n'a vraiment rien à faire dans ma vie réelle. Dans ma vie réelle avec M., chacun de nous se sacrifie de temps en temps... Comme ce serait triste si le résultat de "l'émancipation des femmes" devait être que plus personne ne se sacrifie jamais, et que les femmes vivent, elles aussi, enfermées dans l'égoïsme ! Se sacrifier est un plaisir, si c'est un choix.

Pour Myriam Bat-Yosef, ce n'était pas un choix mais une contrainte : son mari peintre pensait que la place d'une femme de peintre était à la cuisine et non dans son propre atelier, qu'elle devait tout faire pour promouvoir sa carrière à lui et non la sienne à elle. La peinture étant chez Myriam (surtout après son accouchement) un besoin vital, l'étonnant n'est pas qu'elle ait fini par prendre la décision de sacrifier son couple à sa vocation artistique, mais qu'elle l'ait fait sans culpabilité excessive.

Elle appartient à la génération de mes parents, née au début des années trente, et son profil familial ressemble étrangement à celui de Sylvia Plath, qui lui est également contemporaine. Son père – adoré, adulé – est mort lorsqu'elle avait cinq ans. Toute sa vie, il lui a manqué ; encore maintenant, elle regrette souvent de ne pouvoir lui parler. Sa mère était elle-même une artiste frustrée, de même qu'Aurelia Plath était une intellectuelle interrompue (tout cela est encore si proche ! pas si vieille que ça, la chanson...). C'est donc la mère de Myriam qui l'a poussée, comme Aurelia a poussé Sylvia, à poursuivre une carrière artistique, et qui, lorsqu'elle a choisi la peinture, a fait tout pour la soutenir – avant, pendant et après son installation à l'étranger, son mariage. Mais la ressemblance avec Plath s'arrête là, car le mari de Myriam ne remplacera jamais sa mère, comme Ted Hughes a évincé Aurelia, en tant qu'interlocuteur principal, voire destinataire de l'œuvre. Dans la vie de Bat-Yosef, tout bascule donc avec le décès de cette mère, décès qui lui fait violemment comprendre le temps qui passe. Elle rejette avec véhémence cette leçon : "J'ai demandé à mon avocat d'être peinte de cette façon, dès ma mort, pour devenir immortelle, dit-elle. Ainsi, je fais éclater le temps."

Sur le corps vivant, le temps avance à sens unique, alors que sur l'œuvre d'art il est immobilisé, du moins en apparence. Bat-Yosef ne se contente pas, comme Pygmalion, de *créer* des Galatée parfaites, inentamables par les ravages des années, elle aspire à *devenir sa propre Galatée*. "Je suis envieuse de mon art, dit-elle ; je voudrais devenir comme lui, ne plus avoir d'âge biologique, ne plus vieillir." Les signes du vieillissement – les rides, notamment – lui font horreur ; elle a même eu l'idée d'incorporer un jour à son œuvre le film de son propre lifting, qu'elle qualifie de "rituel de jouvence" :

> Autrefois c'étaient les passages d'un stade de vie à un stade plus avancé qui étaient marqués par une

incision sur le corps ou le visage, aujourd'hui la chirurgie plastique peut nous faire remonter le temps.

Bataille, Sartre, Bellmer, liquidant chacun à sa façon un héritage œdipien particulièrement lourd, avaient besoin du corps de l'autre – aussi différent que possible de leur corps à eux – pour régler leurs comptes avec la matérialité, la mortalité et l'absence de Dieu. Myriam Bat-Yosef, elle, conduit ses expériences aussi bien sur elle-même que sur autrui, aussi bien sur des corps vivants que sur des objets ; elle transforme ainsi le geste artistique en une véritable déclaration philosophique où se mêlent, de façon inextricable, l'immanent et le transcendant.

Bataille, Sartre, Bellmer, chacun à sa façon, voulaient être Dieu. Mais Myriam Bat-Yosef déclare : "Je veux faire plus que Dieu. Dieu a créé l'homme à son image ; je vais plus loin : je transforme l'homme en objet d'art, je le dépossède de son moi – et, du même coup, j'humanise l'objet : au lieu de l'immobiliser, je le rends vivant. Mon but, dans mes actions artistiques, est toujours de faire naître ou renaître, et ne jamais mourir ni faire mourir. Que ce soit moi-même ou un autre que je peigne, je livre complètement mon corps – c'est un «strip-tease de l'âme» à travers le corps ; à tout instant, mon corps est complètement soudé à mon art." (Certaines toiles percées par des broches ou des peignes indiquent que cette identification ne passe pas toujours par le plaisir...)

A la question de savoir si c'est une expérience différente de peindre à la gouache un corps d'homme et un corps de femme (expérience que, soit dit en passant, aucun modèle n'a jamais voulu renouveler, sentant peut-être dans la raideur et l'inconfort de ses membres que l'intention de l'artiste était bel et bien de le "déposséder de son moi"), Myriam répond : "Peindre le corps d'un homme, pendant que je travaille, c'est une espèce de vengeance ludique contre Yves Klein & Cie, tous ceux qui ont exploité le corps des femmes dans leurs œuvres d'art. Mais pour ce qui concerne le résultat, le sexe n'a plus d'importance – car l'art n'a pas de sexe."

Si, dans le monde occidental, depuis l'époque romantique, le corps féminin a eu de plus en plus tendance à devenir l'emblème de l'Art en tant que tel (en littérature tout autant qu'en peinture), Myriam Bat-Yosef propose une solution originale au problème de savoir comment ce corps peut lui-même faire de l'art. Par la fusion, répond-elle : par la fusion sans confusion du corps et de l'objet, de soi et de l'autre, du féminin et du masculin.

LE 10 JUIN 1988

J'ai attendu une semaine avant de revenir à ce cahier parce que le dernier paragraphe que j'y ai écrit m'a donné du fil à retordre. En fait, d'une certaine façon, le corps féminin a *toujours* été l'emblème de l'Art, synonyme de la création à l'état pur. Depuis les statuettes féminines de l'âge paléolithique jusqu'aux *Demoiselles d'Avignon* de Picasso, en passant par les millions de variations sur le thème de la Vierge Marie, les hommes artistes ont exprimé toutes les attitudes possibles à l'égard du pouvoir procréateur des femmes : tantôt exaltation à outrance (Vénus de Lespugue), tantôt dénégation ou trivialisation (Galatée et Eve), tantôt sublimation (la Vierge), tantôt profanation (la putain monstrueuse).

L'histoire de l'humanité est l'histoire d'un très long processus de mainmise par les hommes sur la fécondité féminine, à travers des institutions patriarcales telles que la filiation paternelle, le mariage avec exigence de virginité, la proscription d'adultère pour les femmes, et ainsi de suite. Depuis deux siècles, surtout en Occident, ce processus commence à s'inverser : et, du coup, on constate qu'un nombre toujours croissant de femmes reviennent à la pratique de l'art, de tous les arts. Je dis "reviennent" parce qu'il n'y a aucune raison de supposer que, dans la *pré*histoire, elles n'étaient pas, elles aussi, peintres et sculpteurs ; il semble au contraire logique qu'elles aient été privées de ces possibilités créatrices à mesure que, progressivement et sur des millénaires, on les a réduites à leur seule créativité irréductible : la maternité. Ayant pris conscience de cette réduction (grâce en grande partie à la mutation dans les esprits qui s'est produite à l'époque de la Révolution, avec son postulat de l'égalité des droits), elles récupèrent leurs capacités artistiques en même temps que le contrôle de leur fécondité et leur érotisme.

L'art et la littérature de ce dernier siècle reflètent, me semble-t-il, la réaction violente des hommes à cette menace : la remise en cause de leur double prérogative – en tant qu'artistes et en tant qu'hommes – par des femmes décidées à réclamer leur corps et leur créativité. Si tant d'histoires de couples que j'ai explorées dans ce journal se terminent mal, ce n'est pas (du moins je l'espère) à cause d'un quelconque mien penchant morbide. C'est parce que les cent ans qui viennent de s'écouler forment un siècle charnière. La fameuse "tour d'ivoire" qui a si longtemps protégé la paix et l'impunité des hommes artistes – tour dont les femmes avaient gardé impeccables les fenêtres et silencieux les parages – est en train de se fissurer et de s'écrouler. De ses ruines on devra construire, plus modestement, des "chambres à soi" – pour les femmes *et* pour les hommes. (Que la "tour d'ivoire" ait parfois été une cave n'y change rien : "J'ai souvent pensé, écrit Kafka, que la meilleure façon de vivre pour moi serait de m'installer avec une lampe et ce qu'il faut pour écrire au cœur d'une vaste cave isolée. On m'apporterait les repas…" Je l'arrête là.)

Les institutions patriarcales ont privé non seulement les femmes de leur âme, mais les hommes de leur chair, et il faudra bien du temps encore avant que les artistes ne deviennent des êtres pleins, non mutilés et non envieux. Avant que les femmes ne cessent de s'amputer de leur maternité pour prouver qu'elles ont de l'esprit ; avant que les hommes ne cessent de déprécier la maternité tout en la mimant parce qu'ils en sont incapables. Avant que les femmes ne cessent de "trembler" et se mettent à croire en la puissance fantastique de leur imaginaire ; avant que les hommes ne cessent de narguer la mort et se mettent à croire en leur fécondité à eux, en leur paternité réelle et non plus symbolique, en leur immortalité tranquille et anonyme dans l'espèce. Il est possible d'être humain sans ajouter aussitôt, à la manière de Nietzsche, "trop humain", et sans considérer cet état comme une déchéance.

Plusieurs femmes philosophes ont affirmé, depuis une quinzaine d'années, que les dichotomies sont le fait des hommes. Que, sans la "pensée patriarcale" – pensée spécialisée dans les séparations, les divisions, les découpages, les scissions et les fissions (sans doute à cause du caractère "incisif" du pénis ?) –, il n'y aurait aucune distinction entre sujet et objet, homme et femme, jour et nuit, esprit et corps, convexe et concave, sec et mouillé. Que l'existence même de ces catégories oppositionnelles est un résultat du machisme. Le pas suivant consisterait à revendiquer le côté prétendument "négatif" de cette liste de dichotomies en revalorisant le féminin, l'irrationnel, le ténébreux, le corporel et le liquide (cela a permis, entre autres, d'hallucinants aller-retour entre la théorie de la "négritude" et celle de la "féminitude").

Or cette façon de voir est indéfendable, au même titre que "le Verbe engendre l'univers". Ce n'est pas parce que l'homme le dit que la nuit se distingue du jour (quelle prétention, là encore, à jouer Dieu !), c'est parce que la nuit est différente du jour. Tous les animaux le savent, et non seulement l'animal parlant. De même, tous les animaux savent que le mâle est différent de la femelle.

Ce qui est néfaste – et peut-être "machiste" ou "patriarcal" –, ce ne sont pas les dichotomies en tant que telles, mais la *superposition* mécanique des dichotomies. La plus néfaste de toutes est celle qui est revenue avec insistance dans toutes les histoires de couples que j'ai auscultées ici : homme-esprit / femme-corps. Elle n'a pas été inventée par le christianisme, cette équation (elle est déjà largement présente chez Platon, et plus encore chez Aristote), mais le christianisme lui a imprimé des formes spécifiques dont nous sommes encore tributaires. D'où le "complexe de Jésus-Christ", un des terrains propices à la production des grands hommes en Occident : absence du père, idolâtrie de la mère. Les "grandes femmes" apparaissent avec plus de difficulté, pour la bonne raison qu'elles doivent traverser la barre qui les sépare de l'esprit. Si leur père est mort ou absent, elles s'identifieront fortement à son esprit en rabaissant le matériel / maternel ("complexe d'Electre") ; si leur mère est morte ou totalement écrasée par le père, elles auront tendance à écrire dans la culpabilité, la neurasthénie ou l'agoraphobie... Rares sont celles qui, avant cette deuxième moitié du XXe siècle, auront réussi à reconnaître et à valoriser leur corps *et* leur esprit, et donc à mener une vie dans laquelle la sensualité jouit du droit de cité tout comme le sens. En France, Germaine de Staël y est parvenue, et George Sand, et puis Colette : cela ne fait guère plus d'une femme par siècle. Des cas isolés existent ailleurs : la poétesse russe Tsvetaïeva, par exemple, ou Clarice Lispector au Brésil.

Il est sûrement urgent de faire voler en éclats les équations de ce genre, mais pas du tout les distinctions elles-mêmes. Même s'il n'y a pas de frontière absolument nette entre corps et esprit, même si chaque homme contient "du féminin" et chaque femme "du masculin", les distinctions continuent d'être utiles, voire indispensables : renoncer à faire la différence entre sujet et objet serait renoncer à parler.

LE 12 JUIN 1988

C'est pourquoi je me méfie terriblement de l'idée, formulée en France dans les années soixante-dix et jouissant maintenant d'une popularité grandissante aux Etats-Unis, selon laquelle les femmes devraient "écrire avec leur corps", ou que l'écriture féminine serait essentiellement une "écriture du corps".

L'identification du corps féminin au livre est même, me semble-t-il, le plus grand handicap des femmes qui écrivent. Depuis la terreur pathologique de Virginia Woolf d'être "exposée", livrée aux moqueries et au mépris du tout-venant chaque fois qu'elle avait un manuscrit sous presse, jusqu'à l'image plathienne de la poésie comme "jet de sang", en passant par la description de l'acte littéraire par Colette Peignot comme "dénudation, viol de soi-même", et l'atroce martyre auto-infligé de Simone Weil, le problème des femmes écrivains a été moins d'apprendre à "écrire avec leur corps" que d'aimer, de valoriser et de respecter l'intégrité de leur corps écrivant.

En France, une des tentatives les plus poussées pour transformer le corps en livre a été conduite par un auteur peu connu du nom d'Emma Santos…

Mais, aujourd'hui, je dois absolument suivre mes propres conseils et permettre à mon corps (notre corps ?) de se reposer, car il est broyé par la fatigue. Il y a deux ou trois mois, quand M. m'a demandé à quoi ressemblaient tes mouvements dans mon ventre, j'avais répondu : "C'est comme au théâtre, quand on sent bouger le genou de son voisin à travers le siège capitonné." C'est encore vrai, à ceci près que, certaines nuits, le frôlement de genou se transforme en un combat de chiens : tu roules et tangues violemment, me piétinant la vessie, me comprimant les poumons et m'embrouillant les intestins… Ce matin donc, de guerre lasse, je n'écrirai pas.

LE 13 JUIN 1988

Le redire : à quel point je trouve essentiel de réfléchir aux œuvres avortées – les non-œuvres, les quasi-œuvres, les œuvres ratées ou inachevées ou laissées en suspens. Les pages déchirantes et presque déchirées de "Laure". Les délires, d'un intérêt tantôt littéraire, tantôt clinique, d'Unica Zürn. Les longs cris d'Emma Santos, répétitifs et sanglants comme les cris d'une parturiente.

Emma Santos a été enceinte plusieurs fois ; fausses couches et avortements forcés se sont succédé, et, à son grand désespoir, elle n'est jamais devenue mère. Elle ne s'appelle du reste pas Emma Santos, et je ne sais ni qui, ni où, ni ce qu'elle est, même si tous les livres dont "Emma Santos" est l'auteur, la narratrice et l'héroïne ne font que raconter l'histoire de sa vie et de ses multiples morts, jusqu'à la dernière : *J'ai tué Emma S*. Après ce livre, paru il y a une douzaine d'années déjà : plus rien. L'auteur s'est suicidé en tant qu'auteur, et personne ne s'en est aperçu. "Santos" était le nom de son compagnon, prêté par celui-ci pour l'identité "littéraire et psychiatrique" de la jeune femme, et assassiné par cette dernière lorsque, se retrouvant seule au bout de dix ans de vie commune, elle a décidé de ne plus jamais écrire.

De même que la femme-peinte-à-la-gouache est le *Testament* de Myriam Bat-Yosef, de même, *J'ai tué Emma S*. dresse le constat de décès d'Emma Santos. Les deux artistes ont aussi en commun de considérer création et procréation comme non seulement compatibles mais inséparables, indispensables l'une et l'autre, l'une *à* l'autre, dans une vie de femme. Enfin, Emma Santos peignait à ses heures, comme Bat-Yosef. Mais, alors que celle-ci, après son expérience exaltante de la maternité, s'est trouvée en train de faire des toiles au centre vide, Santos, la mère en perpétuelle souffrance, peint des mères aux couleurs vives et à l'utérus visible. Ses grosses et gaies bonnes femmes sont toujours accompagnées d'enfants : tantôt assis dans leur ventre, tantôt accrochés à leur sein, tantôt émergeant de leur bouche un peu comme ces "paroles" que dessinaient les Aztèques précolombiens.

"Je marcherai le ventre rempli toute ma vie", déclare Santos dans son roman (mais peut-on parler de "roman" ?) *La Malcastrée*. "Femme enceinte dans la lumière entre la terre et la mer."

La grossesse ne signifie pas pour autant, pour elle, un simple sentiment d'union avec la nature ; c'est aussi la culture, l'intelligence même : "Tu caresses la rondeur de ton ventre en pensant : ce n'est pas seulement une forme humaine, c'est aussi des idées, une intelligence qui se développe. C'est miracle l'enfant, il découvre le langage. Le secret des mots est dans le ventre d'une femme" ; ou encore : "La femme s'élargit, s'épanouit, puis un jour elle se brise, s'ouvre. L'enfant jaillit vivant. C'était beau la naissance de l'enfant, la création du langage."

Tout irait bien, selon Emma Santos, s'il n'y avait pas… "eux". "Eux", ce sont les hommes, responsables de tous les maux et, en premier lieu, de la destruction des mots. Avant – dans un "avant" mythique, âge d'or des sens et du sens –, les mots étaient vivants. Et puis, "il y a eu quelque part une guerre invisible qui a tout détruit, un long séjour dans un asile des médicaments, une guerre chimique dans la conscience, j'ai oublié". Depuis ces événements catastrophiques mais vagues, "les choses dehors étouffent ma voix et détruisent le langage. Ils construisent, à la place des villes, leurs maisons de grandes personnes, les maisons sans porte et sans fenêtre."

En clair, le rêve désespéré d'Emma Santos, autant qu'*avoir* un enfant, c'est d'*être* un enfant, les deux choses étant pour elle à peu près interchangeables. Au monde honni des "grandes personnes" elle oppose la symbiose enveloppante, rassurante et hyper-idéalisée de la "femme à l'enfant".

Mais… les hommes ne jouent-ils pas aussi, malgré tout, un rôle dans l'enfantement ? En un mot : *non*. Et le "non" d'Emma Santos est révélateur de tout un imaginaire féminin (qui, partant, pourrait aider à comprendre le foudroyant succès de la religion chrétienne auprès des femmes), imaginaire selon lequel toute mère, à l'instar de la Vierge Marie, est fécondée par le Saint-Esprit :

> L'homme qui ne participe pas à la fête fertile n'est qu'un saint Joseph cocu, condamné à faire l'argent pour les gosses. La femme trompe l'homme avec son propre corps. Il ne reste que l'enfant. J'existe maintenant. J'existe. L'enfant a fécondé la femme.

On imagine que ce ne devait pas être tous les jours facile d'être le compagnon de cette femme-là, le prête-nom qui a rendu possible la production de tels énoncés… Parfois, Santos va jusqu'à fantasmer la reproduction homosexuelle : "Derrière un buisson tu pondras tes œufs et moi en cachette je viendrai les féconder…”

Le “tu” dans cette dernière phrase est la “Dame psychiatre” que Santos voit régulièrement à l’asile, et dont elle est follement amoureuse. Mais, précisément, elle l’aime comme seule une folle peut aimer, dans la confusion des identités et même des personnes grammaticales. Plus précisément encore, il n’y a pas que les psychotiques pour aimer ainsi, il y a aussi les bébés. Ceux qui ne savent pas encore distinguer entre soi et l’autre, entre leur propre corps et celui contre lequel ils se blottissent. L’amour et l’écriture d’Emma Santos éclosent dans ce flottement, ce flou d’*avant* l’avènement du moi – et donc, quoi qu’elle en dise, du langage. C’est là la cruelle contradiction qui transforme tous ses livres en palais des glaces.

Emma Santos est comme un Prométhée qui serait revenu au monde des nourrissons après avoir dérobé, à celui des adultes, le don brûlant du langage. Torche précieuse pour éclairer cette période de la vie où, justement, on ne parle pas et où “l’autre” n’existe pas. Pour Santos, tout est moi, tous sont moi ; toutes les personnes – “on”, “tu”, “elle” – se ramènent au “je”. En l’espace de deux pages : “*On* se lave, des fois comme un enfant ce qui se voit, d’autres fois en profondeur” ; “Si *tu* t’arrêtes d’écrire tu sais que tu es seule. Pour le moment tu planes” ; “*Elle* témoigne en ce moment pour ses semblables ses petits frères les malades mentaux, les idiots les arriérés les pas comme les autres, ceux qu’on n’interroge pas”.

Du coup, même l'amour de l'autre est amour de soi : "Je te préfère à l'Homme parce que tu es mon double. Je veux des êtres qui me ressemblent. Ma sœur siamoise, ma symétrie, tu es mon impudeur." (L'hétérosexualité peut être vécue aussi, bien sûr, selon le modèle du "double" ; ainsi Castor et Poulou.) Et tout amour se réduit, en dernière analyse, à un désir de fusion fœtale : "J'ai l'impression de sortir de ton ventre, dit Santos à la Dame psychiatre. J'enfonce deux doigts tachés dedans. J'extirpe l'amour du fond, une main brillante, un enfant. Moi." Quand une grossesse réelle de sa thérapeute vient perturber ce fantasme, la jalousie d'Emma est féroce : pour la première fois, elle est obligée de regarder la vérité en face : "Cet enfant ce n'est pas moi. C'est un autre, tous les autres, eux. Elle ne m'a pas donné un paysage secret, une halte reposante, un voyage de neuf mois en son ventre."

Etant donné l'extraordinaire puissance de l'imagerie maternelle dans l'œuvre d'Emma Santos, et la recherche constante d'équivalents à la maternité, on pourrait se demander quelle a été sa relation avec sa propre mère. Dans *La Malcastrée*, il s'avère que le ventre réel où elle a voyagé pendant neuf mois a été tout sauf une "halte reposante" :

> Ma maman voulait me tuer. Les mains criminelles de ma mère m'ont castrée. Je me débats encore entortillée, étranglée par les dentelles ombilicales. De mes cris liquides ils se sont moqués. Ils ont coupé, mutilé. Ce n'est pas la vie aujourd'hui qui me fait mal mais celle avant la naissance, une cicatrice.

Par le sordide de ses détails, sa conception rappelle – et dépasse – celle de "Pierre" dans *Ma mère* de Bataille : comme lui, Emma dit résulter d'un viol de sa mère par son père. Or celui-ci était un soldat de l'armée allemande d'occupation ; depuis la guerre, il vit en France sous un faux nom. *(Quel nom prendre pour écrire ? le vrai nom du père ? le faux nom du père ? Le vrai nom du faux mari ? Comment accoucher d'une œuvre si l'on ne sait même pas comment la baptiser ?)* Il n'empêche que c'est sa mère qui l'a "castrée" – sa mère qui, ayant espéré avoir un garçon et ayant eu une fille, a fait porter à celle-ci tout le poids de sa déception. Ce n'est donc pas vers cette femme réelle que peut se tourner Emma quand elle cherche la symbiose. La folie apporte, au fond, une solution logique à ce problème : puisque la mère était un mauvais asile, l'asile deviendra une bonne mère. Et la folie, chez Santos comme chez Zürn, prendra la forme de la *désarticulation* : d'abord la perte de l'image de soi comme totalité, ensuite la perte du langage qui en découle.

> Je vois chaque partie de mon corps détachée, nette, découpée, précise, isolée, séparée des autres : le nez, la bouche, l'œil, l'autre. Je répète : la bouche, le nez, l'œil, l'autre. Les mots n'ont pas de sens. Ils ne représentent plus rien. Des sons seulement.

Si le "stade du miroir" désigne le moment critique où le petit enfant, grâce à son reflet dans une glace, se saisit pour la première fois comme un tout, un être entier et autonome, Emma Santos est déjà passée "de l'autre côté du miroir". Et justement, dans l'hôpital psychiatrique où elle se fait soigner (de même que dans celui de Zelda Fitzgerald), *l'utilisation des glaces est interdite* – ici, sous prétexte que les patientes pourraient les briser et se faire mal avec les esquilles. C'est "la plus dure des punitions, dit Emma, de ne pas se voir. Je remplis une bassine d'eau et je me regarde dedans [...]. Je me verrai jusque dans ma bave. Je me regarde dans l'écriture."

L'écriture, elle aussi, n'est qu'une glace – manière non pas de communiquer avec autrui, mais de renforcer le sentiment de sa propre existence. "Je me tue quand je suis muette." Seulement, à l'asile, on lui confisque ce miroir-là aussi – le cahier –, ce qui a évidemment pour résultat de la pousser encore plus loin dans la régression vers l'*infans* : "La folie, c'est une page blanche." Voilà le paradoxe paralysant d'Emma Santos : l'asile, le "dedans", le bon ventre maternel, est un monde sans cahier, un monde où l'écriture, avec ses vertus thérapeutiques, est interdite. La ville – le "dehors" régi par les hommes et leurs lois violentes – permet l'écriture, mais c'est ce monde-là qui fait horreur à Santos et qu'elle rejette de toutes ses forces. Ainsi, elle passe son temps à osciller entre un monde et l'autre, s'éjectant de l'asile dans un soubresaut juste avant de sombrer dans le silence, pour se retrouver au milieu des Choses, absolument seule et catatonique, à peine capable de noter dans son cahier : "AUTO RUE MAISON."

“Ni dehors, ni dedans. Je suis maladroitement châtrée”, dit-elle. L’implication est que, si elle avait été un homme, elle se serait sentie à l’aise dans la Ville ; et que, si elle avait été bien châtrée, elle n’aurait pas eu envie d’écrire ; elle est “malcastrée” parce qu’elle n’arrive pas à accepter le lot des femmes, qui est le silence.

Dans les deux dernières pages du livre, la régression de la narratrice devient radicale et terrifiante : franchissant à rebours toutes les étapes de l’apprentissage linguistique, elle se met à énumérer les chiffres, à jouer avec des proverbes et à inventer des néologismes, consciente que si elle “maltraite [ainsi] sa langue maternelle”, c’est qu’“elle a eu envie de maltraiter sa mère”, et déclarant sur un ton catégorique : “Il faut changer de langue pour se libérer de son enfance.”

Enfin, la langue s’effondre tout à fait et il ne reste plus que des glouglous de bébé… puis les lecteurs se retrouvent à l’intérieur de l’utérus, où le fœtus que décrit Santos est à la fois elle-même et le cadavre de son propre enfant avorté :

> moribonde étendue grise amère et fétide, nébuleuse endormie huître gluante salive bave glaire sueur enfin buée halo, boudin blanchâtre qui n’a pas encore vécu, liquide de tristesse, une promesse à peine, blanche

Si ce passage avait eu une ponctuation plus conventionnelle, on aurait pu l’attribuer à Jean-Paul Sartre dans *L’Age de raison* ; son imagerie n’est pas non plus sans rappeler certains poèmes de Ted Hughes. Mais *La Malcastrée* est le seul exemple que je connaisse, dans la littérature mondiale, d'un personnage qui meurt littéralement *à contretemps* : ici, la mort est l'aboutissement d'une vie qui marche à reculons *jusqu'avant sa propre conception*... dans le fol espoir, l'espoir proprement fou, de *nouvelles conceptions* : "Peut-être qu'un jour, conclut Santos, il y aura son langage à elle, un vrai langage."

Non, bien sûr.

"Son langage à elle", s'il existait un jour, ne serait pas "un vrai langage", dans l'exacte mesure où il serait à elle, alors que le trait constitutif d'un vrai langage est d'être à tous.

Et de naître grâce à l'éloignement, et non au rapprochement, du ventre maternel (ce qui ne veut pas dire : de la mère, ni de la parole maternelle).

"Nous on a cherché le langage du corps", dit Emma Santos – mais *il n'y a pas* de langage du corps... ou, du moins, ce "langage" ne peut transmettre que l'"état de douleur, de décomposition, de morcellement" qui a caractérisé tous les livres de cet auteur, avant que le silence ne l'engloutisse tout à fait.

LE 16 JUIN 1988

Mon petit ou ma petite,
tu n'es pas ma phrase,
et je ne suis pas le livre dont tu seras extrait(e).

Quelles attentes folles les mères ne projettent-elles pas sur les bébés qu'elles portent, et qui portent, eux, en plus de l'empreinte génétique de leurs deux parents, l'empreinte des rythmes corporels et des vibrations vocales de leur seule mère. "Tu seras ma santé, mon équilibre, mon double, mon bouclier ; tu seras moi-même, revue et corrigée" (ainsi, par exemple, mon inconscient a si bien calculé les choses que j'ai mis au monde ma fille trois jours avant mon propre anniversaire)...

Les hommes, en général (et pour cause), parviennent à mieux se "détacher" – se coupant physiquement de leur ascendance et de leur descendance d'autant plus facilement qu'ils y sont reliés symboliquement par le nom ?

LE 17 JUIN 1988

Rêvé cette nuit que les contractions avaient commencé, nous étions allés à l'hôpital mais – au bout de cinq heures de travail – soudain plus rien ; il ne nous restait plus qu'à rentrer à la maison, toute la souffrance avait été en vain et il allait falloir recommencer de zéro, le lendemain ou la semaine prochaine.

L'étrangeté qu'il y a à *rêver de douleur* : je la "ressentais" et pourtant la vivais très bien, c'est-à-dire que mon "je" parvenait à se maintenir au-dessus d'elle, à ne pas être happé et anéanti comme la dernière fois... C'est effectivement mon seul souhait pour cette fois-ci.

Pendant les séances de préparation auxquelles j'assiste à l'hôpital, nous sommes une vingtaine de femmes, aux ventres diversement arrondis, à faire des exercices ensemble ; je suis émue de penser à quel point, dans les heures critiques, chacune sera absolument seule – comme est toujours seul un corps qui souffre. De là à dire, comme le fait Julia Kristeva, qu'"une mère est toujours marquée par la douleur, elle y succombe", il y a plus qu'un pas, il y a un saut : du physique dans le métaphysique.

Le texte dans lequel Kristeva avance cette hypothèse a ceci de très singulier qu'il met en scène, par sa typographie, précisément la division physique / métaphysique. La moitié droite de chaque page (composée en caractères romains) contient du discours théorique sur les avatars de la Vierge Marie à travers les âges, tandis que la moitié gauche (en caractères gras) est occupée par le récit de la propre grossesse et de l'accouchement de l'auteur. Là, comme nulle part ailleurs dans son œuvre, Kristeva se laisse aller aux souvenirs d'enfance, aux images poétiques, voire aux mélanges de langues quasi joyciens, pour le pur plaisir. Comme si, pour décrire l'expérience de la maternité, elle avait eu besoin de scinder son identité intellectuelle de son identité corporelle.

La mère ne pourra-t-elle jamais participer à la pensée ? Même chez une intellectuelle qui a fait de "La Mère" la clef de voûte de toutes ses théories, linguistiques aussi bien que psychanalytiques, et qui devient elle-même mère, "maman" doit rester éternellement muette ?

> Maman : presque pas de vision – une ombre qui noircit, m'absorbe ou s'éclipse en éclairs. Presque pas de voix, dans sa présence placide.

La mère comme ombre, la mère placide, la mère sans vision et sans voix : elle nous "arrange" drôlement, en tant que filles. Aurons-nous à tout jamais besoin, pour nous approprier notre voix, de priver notre mère de la sienne ?

"La femme-mère, affirme encore Kristeva, est ce pli étrange qui altère la culture en nature, le parlant en biologie."

Mais il n'y a justement là rien d'étrange, car ce "pli" est la définition même de l'être humain. L'étrange, ce sont non pas les femmes-mères mais tous les autres, tous ceux qui voudraient s'aveugler devant cette évidence que *nous sommes mélange*. L'étrange, ce sont ceux qui trouvent normal qu'une moitié de l'humanité doive figurer l'abject pour l'autre moitié, et que celle-ci ait pour charge de connaître et de purifier celle-là (Kristeva décrit très bien ce processus dans *Pouvoirs de l'horreur*). L'étrange, ce sont les Jean-Paul Sartre qui, tour à tour écœurés et attirés, repoussés et obsédés par ce mélange, l'attribuent dans leurs livres aux marronniers, aux crabes, aux huîtres et aux femmes. L'étrange, ce sont les Charles Baudelaire décrétant que "la femme est abominable parce que naturelle". En réalité, la femme n'est "abominable" que parce qu'elle dit, trahit (*est*, en tant que mère) la vérité de l'homme : parlant, désirant, vivant, chiant, saignant, pleurant, mourant, sachant. Cette vérité n'est "abominable" que pour ces créatures éminemment *étranges* qui ont besoin de croire que l'Homme (l'homme) est, n'est que, langage et transcendance.

La mère de Simone de Beauvoir, juste avant de mourir, a pris conscience des conséquences proprement désastreuses de cette distribution des rôles. Simone, alors même qu'elle retranscrivait ses mots, ne semble pas les avoir compris :

> Après une nouvelle piqûre, elle a murmuré d'une voix un peu pâteuse : "Il faut... réserver... l'armore. – Il faut réserver l'armoire ? – Non, a dit maman. La Mort." En appuyant sur le mot : mort. Elle a ajouté : "Je ne veux pas mourir. – Mais tu es guérie !" Ensuite elle a un peu divagué : "... J'aurais voulu avoir le temps de présenter mon livre... Il faut qu'elle donne le sein à qui elle veut."

Ce seront, avant "J'étouffe !", les derniers mots de Mme de Beauvoir. Sa fille, la philosophe, n'y entend pas autre chose que de la "divagation".

Pas le regret de n'avoir rien laissé comme trace de son esprit : "J'aurais voulu avoir le temps de présenter mon livre." Pas le souhait de voir un peu de volonté introduite dans ce naufrage de toute volonté qu'est le décès : "Il faut réserver la mort." Ou dans ce geste apparemment animal qu'est l'allaitement : "Il faut qu'elle donne le sein à qui elle veut."

Faire vivre le corps, faire vivre l'esprit. (Heureusement que j'ai eu, moi, le temps de présenter mon livre avant de devoir donner le sein.) Donner à boire, donner à réfléchir… Qu'apprendras-tu du monde, toi, en tirant goulûment sur mon mamelon tout en me regardant dans les yeux ?

Si même les philosophes femmes (et, parmi elles, même les mères) continuent de retrancher le savoir de la matérialité et de la maternité, la liste sinistre des victimes du dualisme risque de s'allonger longtemps encore.

LE 23 JUIN 1988

c'est l'ardeur au combat
chaleur intense mort et bonheur
dans les poitrines mamellées

Ces trois vers figurent à la toute première page d'un livre-manifeste, le plus fulgurant et peut-être le plus influent de toutes les utopies féministes écrites depuis un siècle : *Les Guérillères* de Monique Wittig. Livre publié en 1968, nourri fantasmatiquement par la révolution culturelle chinoise et le Women's Lib américain, c'est un prodigieux récit cyclique (voire circulaire) qui se déroule à la fois avant, pendant et après l'extermination de presque tous les hommes par… "elles", les héroïnes sans nombre.

"Elles", cependant, ce ne sont pas les femmes – mot que Wittig n'emploie jamais, le considérant comme synonyme d'esclaves –, ce sont les lesbiennes. Et, précisément, "les lesbiennes ne sont pas des femmes".

Monique Wittig est une vraie artiste. Et, à la différence de presque toutes les artistes femmes que j'ai évoquées dans ces pages, elle ne "tremble" pas, ne pleurniche jamais, ne passe pas son temps à douter, serait-ce dans des termes talentueux, de son propre talent. Est-ce parce qu'elle est "lesbienne" plutôt que "femme" ?

Sur le plan philosophique, puisqu'elle écrit aussi des articles théoriques, Wittig est une des filles spirituelles de Simone de Beauvoir – celle parmi elles qui, de la façon la plus spectaculaire, a repris le flambeau du féminisme antidéterministe pour incendier tout ce qui ressemblait de près ou de loin à une "spécificité féminine".

Ce qui y ressemble de plus près, bien sûr, c'est la maternité, mais il n'y a pas que ça ; il y a tous les comportements considérés comme féminins, et toutes les contributions des femmes à la civilisation. Wittig reproduit exactement le paradoxe beauvoirien, qui consiste à dénier toute signification (autre que sociopolitique, oppressive) à la différence sexuelle, pour ensuite réinscrire celle-ci en s'efforçant de transformer les femmes en hommes.

Ainsi la révolution lesbienne effectuée par les héroïnes des *Guérillères* passe-t-elle par les étapes suivantes :

– *la destruction des métiers féminins*. "Elles" brûlent ou font exploser "les quenouilles les métiers à tisser [...] les machines à coudre les machines à écrire [...] les marmites les casseroles les poêles", etc. ;

– *l'appropriation des métiers masculins*. "Elles ont mis la main sur les usines d'aéronautique d'électronique de balistique d'informatique. Elles sont dans les fonderies les hauts fourneaux les chantiers navals les arsenaux les raffineries les distilleries", etc. ;

– *l'anéantissement de la terre-mère*. "Elles disent, non je ne me coucherai pas, non je ne reposerai pas mon corps fatigué avant que cette terre à qui je fus si souvent comparée, bouleversée de fond en comble, soit à jamais incapable de porter des fruits" ;

– *la conflagration de la culture et de la langue*. "Elles" mettent le feu "aux édifices des hommes, aux théâtres aux assemblées nationales aux musées aux bibliothèques aux prisons aux hôpitaux psychiatriques…" ; "Elles disent qu'il faut brûler tous les livres et ne garder de chacun d'eux que ce qui peut les présenter à leur avantage dans un âge futur […]. Elles disent qu'en premier lieu le vocabulaire de toutes les langues est à examiner, à modifier, à bouleverser de fond en comble, que chaque mot doit être passé au crible" ;

– *l'élimination physique des récalcitrant(e)s*. "Ensemble elles portent le désordre dans les grandes cités, faisant des prisonnières, passant par les armes tout ce qui ne reconnaît pas leur force."

Pas plus que celui de l'Armée rouge, ou des Gardes rouges, ou des Khmers rouges, ce n'est pas un mince programme.

D'où le fait que les poitrines mamellées soient remplies non de lait mais d'"ardeur au combat". Du reste, tous les organes sexuels féminins, y compris la vulve, sont dépeints dans *Les Guérillères* comme armes potentielles, leurs fonctions reproductrices et nourricières étant définitivement reléguées au passé.

> Elles disent qu'étant porteuses de vulves elles connaissent ce qui les caractérise. Elles connaissent le mont le pénil le pubis le clitoris les nymphes les corps et les bulbes du vagin. Elles disent qu'elles s'enorgueillissent à juste titre de ce qui a longtemps été considéré comme l'emblème de la fécondité et de la puissance reproductrice de la nature.
>
> Elles chantent ensemble une chanson qui comprend ces paroles, qui jusqu'alors m'a tété le bout du sein / un singe. / Elles jettent alors tous les cynocéphales et, se mettant à courir, elles les poursuivent sous l'abri des bois, jusqu'à ce qu'ils aient disparu dans les arbres.

Toi mon petit singe, dont l'échographie d'avant-hier a montré que tu étais désormais dans la "bonne position" pour venir au monde, la tête en bas et le visage tourné vers mon dos, position de plongeon que L. a dessinée hier en demandant : "Mais ça ne lui donne pas le vertige, d'avoir toujours la tête en bas ?" – non, mais ça me donne le vertige, à moi, de te voir déjà si formé et si prêt, ton vertex tes ventricules cérébraux ton rachis tes quatre membres tes quatre cavités cardiaques tes deux reins ta vessie ta paroi abdominale ton estomac (non je n'ai pas voulu connaître ton sexe) – toi mon petit singe, si tu me tètes le bout du sein, je devrais te jeter et te poursuivre jusque dans les arbres ?

Wittig comme Beauvoir témoignent, à l'égard des enfants (et d'elles-mêmes, enfants ?), non seulement d'un grand mépris mais d'une grande *méprise*. D'où vient ce refus haineux de tout ce qui est faible, dépendant, non-encore-formé, tout ce qui a besoin de s'accrocher aux seins, aux mains, aux lèvres des grandes personnes pour se nourrir, s'abreuver, s'abriter... ? Dans le "paradis" du dernier roman de Wittig, révision génialement narquoise de *La Divine Comédie* intitulée *Virgile, non*, il n'y a pas d'enfants (ni d'hommes, mais cela va sans dire) ; rien que de superbes lesbiennes noires ou dorées qui enfourchent leurs motos et déploient dans les cieux de San Francisco leurs hymnes angéliques. (Nous voilà revenus aux anges ! Les "lesbiennes" de Wittig ressemblent aux "poètes" de George Sand et d'Elizabeth Barrett, en ceci qu'elles ne sont ni hommes ni femmes : exactement comme son utopie maoïste, son paradis dantesque a triomphé de la différence sexuelle ; il ne reste plus que la musique des sphères.) *A contrario*, l'enfer, dont "Wittig" visite les cercles successifs, est peuplé d'hommes (éternels bourreaux), de femmes (éternelles victimes)... et aussi de singulières "annexes" de celles-ci, dont on comprend au bout de quelques phrases qu'il s'agit des enfants.

> Dans la rue dans les magasins sur les places dans les jardins publics dans les voitures sur les trottoirs dans les autobus et même dans les cafés, partout où

elles sont, elles ont leurs annexes. Par temps de guerre, par temps de famine, les annexes continuent régulièrement de s'ajouter à elles, comme si de rien n'était [...]. Elles portent un sourire sans éclat mais permanent car il est leur étoile jaune. Elles ont les bras au corps, les épaules serrées, elles traînent les pieds et elles sont souvent arrêtées dans leur progression ou ralenties, tirées en arrière par les mouvements désordonnés de leurs annexes. Il arrive même qu'elles soient halées dans des directions opposées et de ce fait écartelées [...]. Mais pendant ce temps elles disent :

(Je les adore.)

Ou encore :

(Je ne sais pas ce que je ferais sans.)

Et c'est vrai que, quand elles se trouvent par hasard délestées de leurs annexes, elles tombent à plat ventre par terre dans leur désorientation, ne sachant plus où aller. C'est un piteux spectacle et on a beau les relever en les encourageant, elles se perdent et tombent à nouveau. Elles disent :

(Je ne peux pas m'en passer.)

Il y a beaucoup d'humour dans ce passage, bien entendu. Mais aussi une dénégation violente du réel, une horreur quasi religieuse de la condition humaine. Car, si l'un des aspects de cette condition est la différence entre hommes et femmes (et quelle misogynie transparaît dans ce livre, comme dans *Les Guérillères*, comme dans *Le Deuxième Sexe* – quel dégoût pour ces "esclaves" abjectes qui se vautrent dans leur oppression en protestant qu'elles adorent s'occuper de leurs annexes et faire l'amour avec leurs ennemis !), un autre est la différence entre adultes et enfants.

Nous naissons (tous) dans une dépendance incomparablement plus grande que celle des singes. Si on arrache un bébé au sein de sa mère en lui intimant l'ordre de se débrouiller tout seul dans la forêt – il crèvera de faim ; si on lâche la main d'un petit enfant au milieu de la chaussée – il sera écrasé par une voiture ; si on refuse de reconnaître et de nommer et d'aimer en le respectant son corps, dans sa ressemblance et sa différence avec le nôtre – il deviendra fou.

Il faut ne pas avoir vécu à proximité d'enfants en bas âge, et avoir gravement scotomisé ses propres débuts dans la vie, pour ignorer l'intense curiosité qu'éprouvent les tout-petits pour le sexe, c'est-à-dire le sectionnement, la scission, *la* différence par excellence. Il faut évoluer au paradis, parmi de purs esprits désincarnés, pour affirmer (comme le fait Wittig dans ses articles) que "homme" et "femme" sont de purs concepts politiques, des "catégories d'opposition" appelées à disparaître grâce à la "lesbianisation" progressive de l'humanité. Il faut avoir prestement substitué, au "tout-nature" cher à l'idéologie du XIXe siècle, le "tout-culture" que prône celle du XXe, pour décrire la capacité féminine de faire des enfants comme une "marque" qui "ne préexiste pas à l'oppression".

Dans "La pensée *straight*", Wittig se réclame de la thèse structuraliste selon laquelle *il n'y a pas de nature* ; elle reproche seulement à Roland Barthes et à Claude Lévi-Strauss d'avoir laissé intact ce "noyau de nature qui résiste à l'examen" qu'est la différence sexuelle. Les traits physiques, insiste-t-elle, sont "en soi" indifférents. Le problème, c'est que pour l'être humain il n'y a pas d'"en soi" ; nous sommes toujours-déjà socialisés, acculturés ; et cette "marque"-là (à laquelle j'avoue éprouver une grande difficulté à rester indifférente en ce moment, vu que le cahier même sur lequel j'écris repose sur mon ventre ballonnant) se trouve être l'un des universaux de l'espèce. On peut dénigrer ou déplorer cette "marque", mais souhaiter sa disparition, c'est se projeter hors de l'humain, précisément parmi les anges.

"La sexualité, dit encore Wittig, n'est pas pour les femmes une expression individuelle, subjective, mais une institution sociale de violence." Le problème – chaque femme en fait l'expérience tous les jours –, c'est justement que *c'est les deux*. Encore une fois, le plus difficile à admettre semble être la mixture : le fait que nous soyons simultanément existence et essence, animal et parlant ; que nous vivions nécessairement la sexualité (et du reste la maternité aussi) *à la fois* comme "expression individuelle" et comme "institution sociale".

Pour singulière qu'elle puisse paraître, la position de Monique Wittig ne représente en fait qu'une énième façon de formuler la vieille thèse judéo-chrétienne selon laquelle l'esprit produit le corps. Jean-Paul Sartre comme saint Paul considèrent l'enlisement de l'esprit dans le corps comme une erreur regrettable et écœurante ; Jacques Lacan comme l'Ancien Testament décrètent que c'est le Verbe qui engendre l'Univers.

"Nous avons été re-construites idéologiquement en un groupe naturel, affirme pour sa part Wittig. Nos corps aussi bien que notre pensée sont le produit de cette manipulation." Qu'est-ce à dire, sinon que le langage fait exister le réel ; que les hommes (esprit-discours-puissance virile-éloquence) fabriquent les femmes (matière passive-esclaves muettes-œuvres d'art) ? Rien d'étonnant, dès lors, que la seule voie de salut, pour Wittig, soit celle qui quitte la Terre pour s'acheminer vers l'utopie, le paradis… la littérature.

LE 24 JUIN 1988

J'ai beau retourner la question dans tous les sens, elle n'en continue pas moins de m'embêter : Monique Wittig n'est-elle pas une artiste justement parce qu'elle rejette de façon si radicale le monde réel ? Ne réussit-elle pas à "s'enfanter elle-même", à travers ses œuvres, précisément grâce à son ignorance des enfants en chair et en os ?

Par ailleurs, s'il est vrai que sa vision manichéenne du passé et ses rêves totalitaires pour l'avenir me donnent froid dans le dos, je dois reconnaître qu'ils s'élaborent exclusivement sur le papier, ce qui n'était malheureusement pas le cas pour les Gardes rouges auxquels j'ai pu la comparer. (*Aucune* révolte de femmes, du reste, récente ou lointaine, n'a entraîné le moindre massacre d'hommes.)

LE 28 JUIN 1988

Repos, repos, repos. Ventre volcan. Ventre tambour, le joueur à l'intérieur. "Dur, dur", comme disaient les adolescents naguère. Dès que je me lève et fais quelques pas : contraction (cela ne fait pas mal). Je constate que l'envie d'écrire me quitte, oui, je me sens trop "occupée" pour écrire. Quelqu'un d'autre occupe mon corps et mon esprit. S'agit-il pour autant d'une "déchéance" de mon esprit dans mon corps ? Non : un émerveillement, au contraire, de trouver l'autre si absolument proche. Une fascination devant l'étrangeté indicible qu'il y a à voir et sentir son propre ventre bouger sous l'impulsion de messages envoyés par le cerveau d'autrui.

La dernière fois – sortie de l'hôpital après la naissance de L. –, je me souviens d'avoir regardé, incrédule, les foules dans les rues de Paris : tous ces individus sont donc *nés* ?! Et d'avoir ressenti une espèce d'horreur… non pas l'horreur sartrienne devant le processus organique (conscience naissante luttant pour s'extraire de la glu matérielle et destinée à y retourner) ; plutôt une horreur flaubertienne devant le prétendu apogée de ce processus, des milliers d'adultes dont la grande majorité avaient l'air bêtes, ou butés, irrémédiablement abîmés ou absents. Penser que chacun d'eux avait été, au moment de sa naissance, une parcelle de perfection comme L., un morceau d'espoir à l'état pur !

LE 4 JUILLET 1988

Je me sens guérie. Est-ce parce que j'ai parcouru cet itinéraire, cousu ensemble en un patchwork toutes les pièces multicolores qui, avant de s'appeler *Journal de la création*, se trouvaient éparpillées çà et là, pans disparates de mon identité déchirée ? ou bien tout simplement à cause de la grossesse ? Celle-ci n'est même pas terminée, je ne sais pas encore avec certitude qu'elle aboutira à un être humain vivant, et pourtant elle m'a déjà apporté un apaisement inespéré. Il est évident que je n'ai aucun "mérite" à avoir mené à bien une gestation – même si l'échographiste, ayant vérifié la conformation éminemment normale de l'enfant à naître, m'a fait toutes ses "félicitations" : mot ridicule puisqu'il implique que, s'il avait manqué à ce bébé un bras ou une moitié de la tête, si j'avais fait une fausse couche ou été stérile, c'eût été ma faute. Toujours est-il que je me sens apaisée, guérie à force d'avoir pleinement éprouvé le caractère humain d'une grossesse humaine : elle m'a restitué mon corps, qui est un corps humain, c'est-à-dire pensant. En anglais, les mots pour guérir *(to heal)* et santé *(health)* dérivent de la même racine que *whole*, entier. Je me sens enfin intègre, oui, un tout.

LE 8 JUILLET 1988

Mes deux grossesses auront culminé ainsi, atteignant leur acmé en même temps que l'année, de sorte qu'à mesure qu'enfle mon ventre je puisse lâcher les habits couche après couche, ralentir et m'alanguir tandis que les journées s'allongent, me couler dans la douce paresse estivale alors que justement je ne puis plus tenir le rythme du quotidien urbain – ah ! soleil, ah ! ce soleil qu'est mon ventre, sous la pleine liberté des robes légères flottantes – ah ! face au lac l'autre jour me disant "ceci est bien, tout ceci est bien" (on se dit si rarement de telles choses dans une vie) – oui ceci est bien, le ceci d'être pleine de vie sous le soleil face à un lac, debout sur ses deux jambes et forte dans la plénitude de l'année – c'est pur hasard mais j'imagine mal ce que ce serait de grossir alors que les journées rétrécissent, d'avoir à protéger un ventre gigantesque du froid méchant, le comprimant dans des collants jupes et pantalons en laine alors qu'il réclame véritablement : nudité ! liberté ! de l'air ! de l'eau et du soleil !

Ainsi tu seras mon fruit. Après les fragiles fruits fondants de la fin printemps, fraises et framboises ; avant les robustes fruits croquants et âcres de l'automne, pommes et raisins ; tu seras pêche, prune, abricot, un fruit tout rond dans la rondeur de l'été.

Et je suis ton arbre.

Non pas ton arbre généalogique – tu ne porteras pas mon nom – mais l'arbre qui de sa sève t'aura formé(e).

Le cœur de ton père bat mais tu ne l'entends pas. Les poumons de ton père respirent mais tu ne les sens pas. Les entrailles de ton père sont vivantes, elles font des gargouillis, remuent, travaillent, digèrent, mais tu l'ignores. Le corps de ton père s'étire, se penche, se lève, s'assoit, s'allonge, se tend et se détend, mais tu ne sais rien de tout cela. Le corps de ton père n'existe pas encore pour toi. Pourtant il a un corps. Pourtant il a, lui aussi et pas seulement moi, un cœur, des poumons, des entrailles, des muscles, des tendons, des os, une voix qui vibre ; il a une vie intérieure dont personne ne sera jamais le témoin mais qui n'en existe pas moins. Il est loin de toi, l'intérieur du corps de ton père – mais voilà, c'est ainsi ; il existe des choses qu'on ne peut connaître directement. Ce sont les impressions olfactives, auditives, kinésiques de mon corps à moi qui laissent en ce moment des traces dans ton cerveau. Du corps de ton père, tu ne connaîtras que l'extérieur, l'écorce – la peau sèche, les poils, la voix portée par l'air et non par la chair. Pourtant c'est un arbre vivant aussi – oui, je t'assure – et pas seulement un arbre généalogique. Un arbre plein de sève et pas seulement un nom. Ton père est un corps.

LE 12 JUILLET 1988

Huit mois maintenant. Tu peux venir, tu donnes des signes de vouloir venir, certains jours tu tapes de toutes tes forces sur les murs de ta grotte comme si tu en cherchais l'issue, et moi, ton Lascaux, je chancelle, je puis à peine te contenir, c'est bientôt que je me mettrai à trembler pour que tu puisses trouver la fissure et me rejoindre au plein jour. Métaphores inévitables, depuis Platon jusqu'à Bataille, images troubles et troublantes dans la tête des hommes, que les femmes ressentent comme pincements, coups et chamboulements au milieu de leurs organes.

Et nous qui étions depuis huit mois dans la certitude quant au lieu où tu verrais le jour, nous sommes soudain, déménagement et travaux aidant, dans l'incertitude. Et rendons visite à des hôpitaux de province pour t'éviter la poussière, la pollution et les pressions de Paris. Immense colère, l'autre jour, de nous trouver – avec une vingtaine d'autres couples enceints – face à un discours mielleux et paternaliste sur l'accouchement sans douleur. Autre avatar de l'axiome existentialiste selon lequel la nécessité n'existe pas et tout est volonté.

"Nos grands-mères parlaient de *douleurs*, là où il s'agissait simplement de *contractions*", a-t-on pu entendre. L'équipe "décontractée", sans jeu de mots, affichait un mépris consommé pour toutes les générations de femmes d'avant la nôtre, qui ont adhéré à la croyance aliénante – la superstition, en somme – selon laquelle l'accouchement fait mal. "Si ça fait mal, c'est à cause de tout ce qu'on a collé sur votre ventre depuis que vous êtes toute petite", nous a expliqué le médecin-chef (du sexe qui ne risque jamais de subir ni douleur ni contraction) qui tenait absolument à nous délivrer de ces chaînes millénaires. Il n'y a pas de tissus distendus, pas de déchirures, pas de crampes lombaires, il n'y a que des discours – malédictions bibliques et autres racontars. Libérez-vous la tête, le corps suivra. (Bientôt on apprendra que la mort relève, elle aussi, d'un aveuglement ou d'un égarement idéologique ?)

Et de nous soumettre au visionnement d'un film dans lequel une petite fille de trois ans regarde sa maman accoucher. “Nous vivons à l'ère audiovisuelle”, avait annoncé en guise de préambule le brave docteur, comme si ce simple fait devait suffire à abolir toute distinction entre public et privé, et faire voler en éclats tous nos tabous (évidemment l'effet de préjugés surannés et non d'un sentiment de respect devant… oui, le sacré).

Nous sommes partis au bout de dix minutes, alors que les autres couples demeuraient pétrifiés dans la pénombre, ravalant leur malaise en se répétant courageusement que tout cela était naturel et donc bon à voir. J'étais aussi perturbée que si j'avais assisté à un coït entre deux inconnus ; aussi déprimée que si je venais de voir l'agonie d'un inconnu ; et furieuse, par ailleurs, de constater que pour la première fois depuis huit mois… j'avais peur de l'accouchement.

LE 13 JUILLET 1988

L'éditeur dit que mon roman est viable ; il accepte de le mettre au monde, tout en me félicitant “en premier lieu pour l'autre… œuvre en gestation" – là aussi, les vieilles métaphores sortent toutes seules de la plume. Mais quel soulagement ! c'est toi, ce sont les pas que tu m'as aidée à faire dans ces pages-ci, jour après jour, mois après mois, qui m'ont donné la force de retourner à ce manuscrit qui étouffait sous le poids de ses propres feuilles, pour dégager la forme de l'arbre en dessous.

LE 16 JUILLET 1988

Rêve sublime de fin de grossesse : je séjournais dans des villes du Nord pour assister à la mise en scène de deux pièces de théâtre dont j'étais l'auteur. (Mes deux enfants ? l'une était déjà prête, et l'autre, en pleine… fabrication.) Or la troupe qui travaillait depuis des mois sur mes écrits était entièrement constituée de comédiens handicapés. L'un était pied-bot, l'autre était naine, etc. Cela ne venait pas comme une surprise, je trouvais ça absolument normal ; il y avait entre eux et moi une grande émotion, un grand amour.

Afin d'être en pleine forme pour la générale, ils ont pris un bain de boue collectif et je m'y suis laissée glisser avec eux, prétextant un mal de dents que la boue pourrait soulager ; j'étais dans la boue jusqu'aux seins et je m'en barbouillais la mâchoire avec délices. L'ambiance était toute de confiance réciproque et de félicité, il n'y avait réellement aucune différence entre moi et les handicapés, je n'avais aucun effort à faire pour me considérer comme "étant dans le même bain" qu'eux.

En d'autres termes : oui, nous sommes tous des handicapés, moi aussi je suis "malade", c'est-à-dire vivante, j'accepte la maternité, la matérialité, la mortalité. Ce n'est pas en luttant contre "la boue" mais en s'y laissant glisser, en en tirant tous les effets bénéfiques, guérisseurs, que l'on sera prêt à affronter "la générale", à faire face à un public et à jouer de son mieux.

LE 19 JUILLET 1988

La nuit suivant ce rêve, mon ventre (ton "bain de boue" à toi, enfant à moi) a commencé la danse lente qui te jettera bientôt dans les bras du monde. Puis il l'a interrompue... Ce n'est pas encore, c'est presque mais ce n'est pas encore.

LE 21 JUILLET 1988

Deuxième bain de boue onirique de la semaine – nettement moins jouissif que le premier : je suis dans le métro aérien d'une grande ville (qui n'est pas Paris, peut-être Chicago), j'ai les bras remplis de paquets dont le bébé fait partie et que je viens de défaire et de refaire : effets personnels ici, couches et biberons là, distribution à peu près équilibrée du poids sur mon dos, mon ventre, mes deux épaules ;

pendant ce temps, je suis en train d'hésiter sur ma destination : ne vaudrait-il pas mieux aller ici plutôt que là-bas ? Oui – j'en prends abruptement la décision et me précipite hors du wagon pour prendre le train allant en sens inverse. Mais les deux sorties de cette station sont hermétiquement fermées et on ne peut quitter le quai qu'en sautant : d'abord sur une grosse poutre, ensuite sur le sol à deux ou trois mètres en dessous. Prenant mon courage à deux mains, me répétant à part moi que depuis l'accouchement je suis de nouveau en pleine possession de mes forces, je saute et réussis à tomber d'aplomb sur la poutre ; mais, quand je touche terre après le deuxième saut, c'est pour m'enfoncer jusqu'aux aisselles dans la boue. (Jusqu'aux aisselles, c'est-à-dire – toute la partie de mon corps que la myélite avait rendue méconnaissable, le cœur et le cerveau demeurant résolument "au-dessus de tout cela"...)

Heureusement, deux jeunes gens arrivent à point nommé pour nous tirer de là, moi et mon bébé – mais, lorsqu'ils s'éloignent après nous avoir déposés sur la terre ferme, je constate avec effroi que j'ai laissé un des paquets dans le métro – justement celui qui contenait tout mon argent et mes papiers d'identité, autant dire mon identité... L'angoisse qui me secoue alors est si forte qu'elle me réveille.

LE 26 JUILLET 1988

9 h 09
9 h 16

9 h 25
9 h 35
9 h 45
9 h 50
9 h 57
10 h 07
…

Tout en me préparant à partir pour l'hôpital, je suis hantée par les derniers vers du célèbre poème de T. S. Eliot, *La Terre vaine* :

This is the way the world ends,
This is the way the world ends,
This is the way the world ends,
Not with a bang but a whimper.

et j'ai envie de les détourner pour te chanter tout doucement :

C'est ainsi que commence le monde,
C'est ainsi que commence le monde,
C'est ainsi que commence le monde,
Non par un big bang mais par un petit cri plaintif.

RÉFÉRENCES

Les numéros de début de ligne renvoient aux pages. Sauf indication contraire, le lieu de publication est Paris.

28 – “c’est dans l’homme…”, Simone de Beauvoir, *Le Deuxième Sexe*, coll. “Idées”, Gallimard, 1979, 2 vol., t. II, p. 479.
30-31 – Ovide, *Les Métamorphoses*, X, Garnier / Flammarion, 1966, p. 260-261.
31 – “Le sexe de l’homme…”, Simone de Beauvoir, *Le Deuxième Sexe, op. cit.*, t. I, p. 456.
32-33 – Elizabeth Barrett Browning, *Aurora Leigh*, V, The Women’s Press, Londres, 1978, p. 207-208.
35 – Cynthia Ozick est citée *in* Frieda Gardner, “From Masters to Muses”, *The Women’s Review of Books*, vol. IV, n° 17, avril 1987.
35 – “Le jour viendra-t-il…”, Virginia Woolf, *Journal* du 27 mars 1919.
36 – “Chaque fois que je vois…”, Elizabeth Barrett Browning, lettre à Robert Browning du 20 mars 1845 in *The Letters of Robert Browning and Elizabeth Barrett Browning*, Smith, Elder & Co., Londres, 1899, 2 vol.
36 – “Une note : désespoir…”, Virginia Woolf, *Journal* du 17 novembre 1934, Penguin, Harmondsworth, 1979-1985, 5 vol.
37 – “Tantôt je me sens un titan…”, Zelda Fitzgerald, mars 1932, *Correspondance of F. Scott Fitzgerald*, Random House, New York, 1980.

38 – “Je me suis jetée sur elle…”, Virginia Woolf, “Professions for Women” (1933), in *Women and Writing*, Harcourt Brace Jovanovich, New York, 1979, p. 59.
39 – “une pulsion meurtrière…”, Sylvia Plath, *The Journals of Sylvia Plath*, 27 décembre 1958, Ballantine Books, New York, 1982, p. 279.
39 – “Ça me fait un bien fou…”, *ibid.*, 12 décembre 1958, p. 266.
39 – “J’éprouvais pour lui une haine totale…”, Flannery O’Connor, le 17 janvier 1956, citée *in* Marie-Claire Pasquier, “Le paon comme ange gardien”, *Cahiers du GRIF*, n° 39, 1988.
39 – “Je n’ai aucun talent…”, Flannery O’Connor, “An Enduring Chill”, in *Everything That Rises Must Converge*, Faber & Faber, Londres, 1980.
44 – “Et maintenant…”, Virginia Woolf, *Journal* du 8 mars 1941.
44 – “[…] à l’instant j’ai pris…”, Sylvia Plath, *Journal* du 25 février 1957, *op. cit.*, p. 152.
47 – “L’expression…”, Scott Fitzgerald, lettre à sa sœur, citée *in* Andrew Turnbull, *Scott Fitzgerald*, Pelican, Londres, 1962.
48 – “Alabama était amoureuse…”, Zelda Fitzgerald, *Save Me the Waltz* (1932), Penguin, Harmondsworth, 1982, p. 51.
49 – “Echec…”, Scott Fitzgerald, lettre à Zelda d’avril 1919, citée *in* Nancy Milford, *Zelda*, Avon, New York, 1971, p. 66.
49 – “J’en ai par-dessus les oreilles…”, Zelda Fitzgerald, lettre à Scott de juin 1919, citée in *ibid.*, p. 72.
49 – “PRÉFÉRABLE…”, Scott Fitzgerald, télégramme à Zelda du 30 mars 1920, cité in *ibid.*, p. 86.
50 – “ne put ressaisir l’émoi…”, Andrew Turnbull, *op. cit.*, p. 108.
50 – “aide un petit peu”, *ibid.*
51 – “Scott a commencé…”, Zelda Fitzgerald, lettre à des amis de juillet 1923, citée in *ibid.*, p. 142.
52 – “J’ai épousé…”, Scott Fitzgerald, interview à *Shadowland* de janvier 1921, citée *in* Milford, *op. cit.*, p. 104.

52 – "Zelda est parfaite", interview avec un reporter new-yorkais, citée *in* Turnbull, *op. cit.*, p. 145-146.
53 – "Il me semble…", Zelda Fitzgerald, citée *in* Milford, *op. cit.*, p. 118.
53 – "il ne pouvait pas…", George Jean Nathan, "Memories of Fitzgerald, Lewis and Dreiser", *Esquire*, octobre 1958, p. 148-149 (cité in *ibid.*, p. 98).
54 – "Zelda était jalouse…", Ernest Hemingway, cité in *ibid.*, p. 148.
54 – "A Zelda…", Scott Fitzgerald, cité *in* Turnbull, *op. cit.*, p. 260.
55 – "Maman sait ce que j'ai…", Zelda Fitzgerald, lettre à Scott, citée *in* Milford, *op. cit.*, p. 209.
56 – "Les vilaines lettres…", Scott Fitzgerald, lettre à Zelda de l'été 1930, in *Correspondance, op. cit.*
56 – "Le Dr Bleuler…", Scott Fitzgerald, lettre aux parents de Zelda de décembre 1930, *ibid.*
57 – "Cesse de penser…", Zelda Fitzgerald, lettre à Scott d'août 1931, *ibid.*
57 – "réaction contre des sentiments…", Zelda Fitzgerald, lettre à Scott, citée *in* Milford, *op. cit.*, p. 234.
58 – "peur horrible, écœurante…", Zelda Fitzgerald, lettre à Scott de février 1932, in *Correspondance, op. cit.*
58 – "Je suis fière de mon roman…", Zelda Fitzgerald, lettre à Scott de mars 1932, *ibid.*
59 – "MAX – PRIÈRE…", Scott Fitzgerald, télégramme à Max Perkins du 16 mars 1932, *ibid.*
59 – "Mon Dieu…", Scott Fitzgerald, cité *in* Turnbull, *op. cit.*, p. 296.
59 – "David travaillait…", Zelda Fitzgerald, *Save Me the Waltz*, *op. cit.*, p. 95.
60 – "Est-ce que tu vis…", *ibid.*, p. 141.
60 – "Je ne peux pas…", Scott Fitzgerald, cité *in* Milford, *op. cit.*, p. 269.

61 – “Tu es déjà tellement mince…”, Zelda Fitzgerald, *Save Me the Waltz, op. cit.*, p. 163.
61 – “J’ai écrit les derniers mots…”, Virginia Woolf, *Journal* du 7 février 1931.
62 – “Ne te passe-t-il pas par la tête…”, Scott Fitzgerald, lettre à Zelda (après 1932), in *Correspondance, op. cit.*
62 *sq.* – De larges extraits de cette discussion ont été publiés *in* Matthew J. Bruccoli, *Some Sort of Epic Grandeur*, Harcourt Brace Jovanovich, New York, 1981, p. 349 *sq.*
65 – “Lui au moins…”, Scott Fitzgerald, cité in *ibid.*, p. 354-355.
66 – “certaines phases…”, Scott Fitzgerald, lettre à Zelda d’avril 1934, in *Correspondance, op. cit.*
66 – “J’ai perdu…”, Zelda Fitzgerald, citée *in* Milford, *op. cit.*, p. 356.
66 – “Je pense à ton livre…”, Zelda Fitzgerald, lettre à Scott de juin 1934, in *Correspondance, op. cit.*
66-67 – “*Epouse d’auteur…*”, Zelda Fitzgerald, lettre à Scott de juin 1934, *ibid.*
67 – “Parfois je me demande…”, Scott Fitzgerald, cité *in* Milford, *op. cit.*, p. 338.
67 – “Je t’aime…”, Zelda Fitzgerald, lettre à Scott de juin 1935, *ibid.*
68 – “Il y a tant de maisons…”, Zelda Fitzgerald, lettre à Scott de 1936-1937, *ibid.*
68-69 – “Le monde est un beau gibier…”, Zelda Fitzgerald, lettre de 1947, citée *in* Milford, *op. cit.*, p. 446.
78 – “[Raymon] exprimait…”, George Sand, *Indiana*, coll. “Folio”, Gallimard, 1984, p. 83.
79 – “Sand, quand tu l’écrivais…”, Alfred de Musset, *in* Sand et Musset, *Lettres d’amour*, Hermann, 1985, p. 22.
80 – “Vous me mettrez…”, Alfred de Musset, lettre à George Sand de juillet 1833, *ibid.*, p. 30.
80-81 – “[…] je serai bien avancé…”, Alfred de Musset, lettre à George Sand de juillet 1833, *ibid.*, p. 32.

81 – “Adieu George…”, *ibid.*
81 – “La seule passion…”, George Sand, *Elle et Lui*, Ides et Calendes, Neuchâtel (Suisse), p. 196.
81-82 – “Mon Georges chéri…”, Alfred de Musset, lettre à George Sand du 4 avril 1834, *Lettres d’amour, op. cit.*, p. 44.
82 – “Mon enfant chéri…”, George Sand, lettre à Alfred de Musset du 24 mai 1834, *ibid.*, p. 89.
83 – “Adieu mon enfant…”, Alfred de Musset, lettre à George Sand de fin mars 1834, *ibid.*, p. 38.
84 – “En respirant…”, George Sand, *Lettres d’un voyageur*, I, Lévy Frères, 1857, p. 14.
85 – “Je m’en vais faire un roman…”, Alfred de Musset, lettre à George Sand du 30 avril 1834, in *Lettres d’amour, op. cit.*, p. 68.
85 – “[…] Mon enfant…”, *ibid.*, p. 70-71.
85-86 – “Cher ange…”, George Sand, lettre à Alfred de Musset du 12 mai 1834, *ibid.*, p. 83.
86 – “de ces bonnes lettres”, *ibid.*, p. 85.
87 – “envoyé [à Buloz]…”, *ibid.*, p. 82.
87 – “*Jacques* est en train…”, *ibid.*, p. 83.
87 – “par mes propres yeux…”, George Sand, *Jacques*, Lévy Frères, 1857, p. 344.
87-88 – “J’ai commencé le roman…”, Alfred de Musset, lettre à George Sand du 10 juillet 1834, in *Lettres d’amour, op. cit.*, p. 121.
88 – “Je ne mourrai pas…”, Alfred de Musset, lettre à George Sand du 23 août 1834, *ibid.*, p. 130.
89 – “Ah Georges, quel amour !…”, Alfred de Musset, lettre à George Sand du 1er septembre 1834, *ibid.*, p. 132.
89 – “Hélas, hélas !…”, George Sand, lettre à Alfred de Musset du 7 septembre 1834, *ibid.*, p. 139.
89-90 – “Oh ces lettres que je n’ai plus…”, George Sand, *Journal intime* du 6 décembre 1834, *in* Louis Evrard, *Correspondance George Sand-Alfred de Musset et Journal intime de George Sand, 1834*, Ed. du Rocher, 1956, p. 197-198.

90 – "Je croyais que…", Alfred de Musset, lettre à George Sand de février 1835, in *Lettres d'amour, op. cit.*, p. 163.
90-91 – "Adieu – et que ta muse…", George Sand, lettre à Alfred de Musset de la fin décembre 1836, *in* Louis Evrard, *op. cit.*
91 – "Tu ne dois pas être pesé…", George Sand, *Elle et Lui, op. cit.*, p. 283-284.
91-92 – "Je ne crois pas à ces Don Juan…", George Sand, lettre à Gustave Flaubert du 30 novembre 1866, in *Correspondance Flaubert-Sand*, Flammarion, 1981, p. 104.
92 – "l'artiste (le vrai)" et la suite, *ibid.*
94 – Pour les sonnets à George Sand, voir Elizabeth Barrett Browning, *Aurora Leigh, op. cit.*, p. 391.
95 – Sur l'enfance de Robert Browning, voir André Maurois, *Ariel*, Grasset, 1955.
96 – "J'aime vos vers…", Robert Browning, lettre à Elizabeth Barrett du 10 janvier 1845, in *Letters, op. cit.*
96 – "Vous êtes «virile»…", Elizabeth Barrett, lettre à Robert Browning du 15 janvier 1845, *ibid.*
96-97 – "Votre influence et votre aide…", Elizabeth Barrett, lettre à Robert Browning du 24 mai 1845, *ibid.*
97 – "J'ai sur le cœur…", Robert Browning, lettre à Elizabeth Barrett du 10 novembre 1845, *ibid.*
97 – "détient le tonnerre", Elizabeth Barrett, lettre à Robert Browning du 13 décembre 1845, *ibid.*
98 – "bien interpréter…" et la suite, Elizabeth Barrett Browning, "The Soul's Expression".
98 – "Vous persistez…", Elizabeth Barrett, lettre à Robert Browning, citée *in* André Maurois, *Ariel, op. cit.*, p. 313.
99-100 – *"[…] et voilà le hic"*, Elizabeth Barrett Browning, *Aurora Leigh*, V, *op. cit.*, p. 196-197.
100 – "Dans tous les états…", Héloïse, lettre à Abélard, in *Abélard et Héloïse. Correspondance*, coll. "10/18", UGE, 1972, p. 160.

101 – “Quand les mères…”, Elizabeth Barrett Browning, *Aurora Leigh*, VI, *op. cit.*, p. 176.
101 – *“Elle ne pouvait soutenir…”*, *ibid.*, I, p. 39.
101 – *“Notre-Dame de la Passion…”*, *ibid.*, I, p. 42-43.
103-104 – *“[…] Pourtant l'année dernière…”*, Elizabeth Barrett Browning, “Mère et poète” (1861), in *Aurora Leigh, op. cit.*, p. 407 *sq.*
106 – “Je ne sais pourquoi…”, Virginia Woolf, *Journal* du 19 janvier 1922.
107-108 – “J'avais autrefois un médecin…”, Elizabeth Barrett, lettre à Robert Browning du 11 août 1845, in *Letters, op. cit.*
110 – “Thoby me parlait…”, Virginia Woolf, “Le vieux Bloomsbury”, in *Instants de vie*, Stock, 1986, p. 237.
111 – “Il est difficile de savoir…”, Leonard Woolf, *Growing* (t. II de son autobiographie), Hogarth Press, Londres, 1961, p. 211-212.
111 – Les lettres de Leonard Woolf à Lytton Strachey sont citées *in* George Spater et Ian Parsons, *A Marriage of True Minds*, Jonathan Cape & Hogarth Press, Londres, 1977.
112 – “Soudain la porte s'ouvrit…”, Virginia Woolf, “Le vieux Bloomsbury”, in *Instants de vie, op. cit.*, p. 246-247.
113 – “Je suis amoureux d'Aspasie…”, Leonard Woolf, cité *in* Spater et Parsons, *op. cit.*, p. 60.
114 – “un soupçon de ma maladie…”, Virginia Woolf, lettre à Ka Cox du 7 février 1912, citée *in* Quentin Bell, *Virginia Woolf*, Triad / Grenada, Londres, 1982, 2 vol., t. I, p. 182.
114 – “Son médecin…”, Leonard Woolf, *Beginning Again* (t. III de son autobiographie), Hogarth Press, Londres, 1964, p. 82. Sur la politique eugéniste des médecins consultés par Leonard Woolf, cf. Roger Poole, *The Unknown Virginia Woolf*, Cambridge University Press, Londres, 1978, p. 122-125.
115 – “Je veux tout…”, Virginia Woolf, lettre à Leonard Woolf d'avril 1912, citée *in* Bell, *op. cit.*, t. I, p. 185.
115-116 – “Pour quelle raison…”, Virginia Woolf, lettre à Ka Cox, citée *in* Bell, *op. cit.*, t. II, p. 5.

116-117 – "Il se tint au-dessus d'elle…", Leonard Woolf, *The Wise Virgins*, Edward Arnold, Londres, 1914.
117 – "Je veux vous dire la vérité…", *ibid.*, p. 315.
117-118 – "Vos femmes sont froides…", "Il ne pouvait pas s'imaginer…", *ibid.*, p. 148.
118 – "était froide…", "elle en vint…", Virginia Woolf, *La Traversée des apparences*, Flammarion, 1977, p. 108.
118 – "[…] j'écris les choses…", Virginia Woolf, lettre à Madge Vaughan de juin 1906, citée *in* Bell, *op. cit.*, t. I, p. 125.
119 – "Il se sentait coincé…", Leonard Woolf, *The Wise Virgins, op. cit.*
123 – "Après qu'elle eut fini…", Leonard Woolf, *Beginning Again, op. cit.*, p. 149.
124-125 – "Oui, mais cette scène…", Virginia Woolf, *Journal* du 15 janvier 1933.
125 – A propos de la "cure de repos" du Dr Weir Mitchell, voir Ellen L. Bassuk, "The Rest Cure : Repetition or Resolution of Victorian Women's Conflicts ?", *in* Susan Rubin Suleiman, *The Female Body in Western Culture*, Harvard University Press, Cambridge (Mass.), 1986, p. 139-151.
126 – "Nous allâmes voir Head…", Leonard Woolf, *Beginning Again, op. cit.*, p. 154-155.
127 – "Par son culte de la Mesure…", Virginia Woolf, *Mrs Dalloway*, Stock, 1982, p. 118.
127 – "Son mari était très gravement malade…", *ibid.*, p. 115.
128 – "Quand arrivait l'heure d'un repas…", Leonard Woolf, *Beginning Again, op. cit.*, p. 162-163.
129 – "Vous prescrivez le repos…", Virginia Woolf, *Mrs Dalloway, op. cit.*, p. 118.
130 – La théorie de la sublimation est résumée dans S. Freud, *Cinq leçons sur la psychanalyse* (1904), coll. "Petite Bibliothèque Payot", Payot, p. 64-65.
130 – "Les abeilles s'élancent…", Virginia Woolf, *Journal* du 13 juin 1932.

130 – "Voilà un conseil…", Virginia Woolf, *Journal* du 2 décembre 1939.
132 – "Tous ceux que je vénère…", Virginia Woolf, lettre à Ethel Smythe (1931).
132-133 – "Même à présent…", Virginia Woolf, *Mrs Dalloway, op. cit.*, p. 210.
133 – A propos des "vagues" de dépression de Virginia Woolf, voir par exemple son *Journal* du 15 septembre 1926.
133-134 – "C'est la gloire de mourir…", Virginia Woolf, *Journal* du 22 juin 1937.
134 – "Ce n'est pas en donnant la vie…", Simone de Beauvoir, *Le Deuxième Sexe, op. cit.*, t. I, p. 84.
135 – "comme un dieu déchu", *ibid.*, t. I, p. 196-197.
135 – "Sa malédiction…", *ibid.*
135 – "L'embryon glaireux…", *ibid.*
141 – "tigre" et "babouins", Virginia Woolf, *Journal* du 26 mars 1938 et du 2 juillet 1934.
146 – Flannery O'Connor, "Braves gens de la campagne", in *Les braves gens ne courent pas les rues*, Gallimard, 1963.
147 – "Vous n'étiez pas censée…", Flannery O'Connor, citée *in* Sally Fitzgerald, "Introduction" au recueil de nouvelles *A Good Man Is Hard to Find*, Women's Press, Londres, 1980, p. 3.
147 – "Pour mon père…", Simone de Beauvoir, *Mémoires d'une jeune fille rangée*, coll. "Folio", Gallimard, 1958, p. 52.
148 – "Papa disait…", *ibid.*, p. 169.
149 – "Moi je voulais…", *ibid.*, p. 202.
149 – "Je ne m'envisageais…", *ibid.*, p. 203.
150 – "Si j'avais souhaité…", *ibid.*, p. 197.
151 – "On m'enseignait…", Jean-Paul Sartre, *Les Mots*, coll. "Folio", Gallimard, 1964, p. 208.
151 – "A partir de maintenant…", Simone de Beauvoir, *Mémoires d'une jeune fille rangée, op. cit.*, p. 473.
151 – "Sartre correspondait…", *ibid.*, p. 482.
152 – "mais la véritable…", *ibid.*, p. 475.

152 – “Je ne suis plus sûre…”, *ibid.*, p. 480.
153 – “Pour moi, son existence…”, Simone de Beauvoir, *La Force de l’âge*, coll. “Folio”, Gallimard, 2 vol., t. I, p. 244.
154 – “Mon parasitisme…”, Simone de Beauvoir, *La Force de l’âge, op. cit.*, p. 7.
155 – “Il n’était plus…”, Jean-Paul Sartre, “L’enfance d’un chef”, in *Le Mur*, coll. “Folio”, Gallimard, 1939, p. 155.
155 – “«C’est un garçon…»”, Jean-Paul Sartre, *Les Mots, op. cit.*, p. 88.
155-156 – “J’avais toujours pensé…”, Jean-Paul Sartre, *Les Carnets de la drôle de guerre*, Gallimard, 1983, p. 98-99.
156 – “Quel rapport…”, Héloïse, in *Abélard et Héloïse. Correspondance, op. cit.*, p. 62-66.
157 – “Les femmes ne pourront…”, Héloïse, *ibid.*, p. 153.
157 – “Son visage…”, Jean-Paul Sartre, “L’enfance d’un chef”, in *Le Mur, op. cit.*, p. 174.
158 – “Les femmes ont pendant des siècles…”, Virginia Woolf, *A Room of One’s Own*, Triad / Panther, Frogmore (G.-B.), 1977, p. 35.
159 – “Non seulement…”, Simone de Beauvoir, *La Force de l’âge, op. cit.*, t. I, p. 29-30.
159-160 – “J’ai eu trois «amis intimes»…”, Jean-Paul Sartre, *Les Carnets de la drôle de guerre, op. cit.*, p. 328-329.
160 – “Mon amour…”, etc., Jean-Paul Sartre, *Lettres au Castor et à quelques autres*, Gallimard, 1983, *passim*.
161 – “Tout ce qui…”, Jean-Paul Sartre, “L’enfance d’un chef”, in *Le Mur, op. cit.*, p. 241.
161 – “bientôt, à eux deux…”, Jean-Paul Sartre, *La Nausée*, Gallimard, 1938, p. 153.
162 – “Je n’étais pas un grand-père…”, *ibid.*, p. 124.
164 – Sur le récit par Simone de Beauvoir de la folie de Jean-Paul Sartre, voir *La Force de l’âge, op. cit.*, t. I, p. 241-242.
165 – “femmes obscures…”, Jean-Paul Sartre, *Les Carnets de la drôle de guerre, op. cit.*, p. 83.

165 – “C’était une fois de plus…”, *ibid.*, p. 326 *sq*.
166 – “Les qualités…”, Jean-Paul Sartre interviewé par Simone de Beauvoir, in *La Cérémonie des adieux*, Gallimard, 1980, p. 383.
166 – “Par son acharnement…”, Simone de Beauvoir, *La Force de l’âge, op. cit.*, t. I. p. 276-277.
166-167 – “il était abusif…”, Simone de Beauvoir, *ibid.*, p. 299.
168 – “Et si Oreste…”, Jean-Paul Sartre, *Les Mouches*, coll. “Folio”, Gallimard, 1947, p. 170.
168 – “Nous sommes libres…”, *ibid.*, p. 207.
169 – “jouait souvent le rôle…”, Simone de Beauvoir, *Une mort très douce*, coll. “Folio”, Gallimard, 1964, p. 147.
169-170 – “Il ne fallait pas…”, Jean-Paul Sartre, *Les Mouches, op. cit.*, p. 232-235.
170 – “Son acte n’appartenait…”, Simone de Beauvoir, *L’Invitée*, coll. “Folio”, Gallimard, 1943, p. 503.
171 – Jean-Paul Sartre, *L’Etre et le Néant*, coll. “Folio”, Gallimard, 2 vol., 1943. Pour le vocabulaire de chute, voir t. I, p. 336, 447 et *passim*.
171 – “sa lucidité…”, Jean-Paul Sartre, *L’Age de raison*, coll. “Folio”, Gallimard, 1945, p. 18.
172 – “Si j’étais elle…”, *ibid.*, p. 19.
172 – “Je me dégoûte…”, *ibid.*, p. 25.
173 – “J’ai cumulé…”, Simone de Beauvoir, *La Force des choses*, coll. “Folio”, Gallimard, 1963, p. 207.
173-174 – “Ce fut particulièrement…”, *ibid.*
174 – “bouche vorace…” et la suite, Jean-Paul Sartre, *L’Etre et le Néant, op. cit.*, t. I, p. 676.
174 – “rut féminin” et la suite, Simone de Beauvoir, *Le Deuxième Sexe, op. cit.*, t. I, p. 457.
175 – “un travail fatigant…”, *ibid.*, t. I, p. 47.
175 – “de la puberté…”, *ibid.*, t. I, p. 45.
176 – “Celles qui traversent…”, *ibid.*, t. II, p. 163.

177 – “Dès sa naissance…”, *ibid.*, t. I, p. 42.
177 – “Au moment…”, *ibid.*, t. I., p. 43.
177 – “Ce n’est pas sans résistance…”, *ibid.*
177 – “Prétendras-tu…”, Jean-Paul Sartre, *Les Séquestrés d’Altona*, coll. “Folio”, Gallimard, 1960, p. 151.
178 – “La femme comme l’homme…”, Simone de Beauvoir, *Le Deuxième Sexe, op. cit.*, t. I, p. 46.
178 – “la femme se trouve délivrée…”, *ibid.*, t. I, p. 49.
183 – “Elle recèle…”, Sylvia Plath, “Dark House”, *in* “Poem for a Birthday” (1959), *The Collected Poems*, Harper & Row, New York, 1981, p. 132 (trad. fr. par Katia Wallisky).
185 – “Je ne suis pas seulement…”, *The Journals of Sylvia Plath*, septembre 1951, Ballantine Books, New York, 1982, p. 35.
186-187 – “Non, il y aura…”, *ibid.*, mai 1952, p. 42-43.
186 – “J’ai peur…”, *ibid.*, p. 59.
187 – “Arrête de penser…”, *ibid.*, p. 85.
187 – “Tu ne dois pas…”, *ibid.*, p. 98.
188 – “feu, d’épées et de puissance…”, *ibid.*, 22 novembre 1955.
188 – “Comment se fait-il…”, *ibid.*, 28 janvier 1956.
188 – “Sylvia avait décidé…”, Nancy Hunter Steiner, *A Closer Look at Ariel : A Memory of Sylvia Plath*, Faber & Faber, Londres, 1973, p. 32.
188 – “Et je pleure…”, Sylvia Plath, *Journals, op. cit.*, p. 101.
188-189 – “Mon Dieu comme j’aimerais…”, *ibid.*, p. 110.
189 – “Ah ! me donner à toi…”, *ibid.*, p. 113.
189 – “Il a dit mon nom…”, *ibid.*
190 – “C’est le seul homme…”, Sylvia Plath, *Letters Home* (février 1956), Faber & Faber, Londres, 1976.
190 – “Pour la première fois…”, *ibid.*, le 19 avril 1956.
190 – “[…] je fais griller des steaks…”, *ibid.*, le 21 avril 1956.
191 – *“Lui, piqué par la faim…”*, Sylvia Plath, “The Glutton” (1956), in *The Collected Poems, op. cit.*, p. 40.
192 – *“Un léopard…”*, Sylvia Plath, “Pursuit”, in *ibid.*, p. 22 (trad. fr. par Laure Vernière).

192 – "unique esprit partagé", Ted Hughes, *Poets in Partnership*, interview à la BBC, janvier 1961.
192-193 – "Ted est le seul homme...", Sylvia Plath, *Letters Home, op. cit.*, le 14 juillet 1956.
193 – "Je ne peux pas...", *ibid.*, le 11 septembre 1956.
193 – *"Comment sinon joyeuse..."*, Sylvia Plath, "Ode for Ted", in *The Collected Poems, op. cit.*, p. 29.
193 – "Je peux apprécier...", Sylvia Plath, *Letters Home, op. cit.*, le 8 octobre 1956.
193-194 – *"Non, le serpent n'a pas..."*, Ted Hughes, "Theology", in *Selected Poems*, 1957-1981, Faber & Faber, Londres, 1984, p. 92.
194 – "Vous avez une fois parlé...", Ekbert Faas, *Ted Hughes : The Unaccommodated Universe*, Black Sparrow Press, Santa Barbara (Californie), 1980, p. 201.
195 – "L'opposition entre une défense...", Ted Hughes, cité *in* Nancy Hunter Steiner, *A Closer Look at Ariel, op. cit.*
195 – "aussi prolifique...", Sylvia Plath, *Letters Home, op. cit.*, le 18 mai 1956.
195 – "comme des explosions...", *ibid.*
195 – "J'aime mieux...", *ibid.*, le 9 août 1957.
196 – *"[...] Un géant..."*, Sylvia Plath, "The Snowman on the Moor", in *The Collected Poems, op. cit.*, p. 58.
196-197 – "La misogynie...", Ted Hughes, cité *in* Ekbert Faas, *The Unaccommodated Universe, op. cit.*, p. 72.
198 – *"Elle ne peut pas..."*, Ted Hughes, "La chanson basse de Corbeau", in *Corbeau*, La Différence, 1980.
199 – "un cœur de femme...", Simone de Beauvoir, *Mémoires d'une jeune fille rangée, op. cit.*, p. 413.
199 – "Je serai une des rares...", Sylvia Plath, *Letters Home, op. cit.*, le 26 mai 1956.
199-200 – "[Ted] voit dans mes poèmes...", *ibid.*, le 3 mai 1956.
200 – *"Moi..."*, Sylvia Plath, "Soliloquy of the Solipsist", in *The Collected Poems, op. cit.*, p. 37.

200-201 – *"[...] Toute femme qui naît..."*, Ted Hughes, "Fall-grief's Girlfriends", in *Selected Poems, op. cit.*, p. 21 (ma traduction).
201 – "On a l'intention...", Sylvia Plath, *Letters Home, op. cit.*, 1956.
201 – "lâche son épée...", Ted Hughes, "Crow's Account of Saint George", in *Crow*, Faber & Faber, Londres, 1971, p. 31.
202 – "C'est ici – ça...", Ted Hughes, *Seneca's Oedipus*, Faber & Faber, Londres, 1969.
202 – "Le christianisme...", Ted Hughes, Introduction and Note, *A Choice of Shakespeare's Verse*, Faber & Faber, Londres, 1981.
203 – "à l'écart de moi-même...", Sylvia Plath, *Journals, op. cit.*, le 20 février 1958, p. 195.
203 – "J'ai envie de me gratter...", *ibid.*, le 14 mai 1958, p. 226.
203 – "Le danger, en partie...", *ibid.*, le 7 juillet 1958, p. 245.
204 – "A part les expériences...", Ted Hughes, *Poets in Partnership*, interview citée.
207 – "Dispute avec Ted...", Sylvia Plath, *Journals, op. cit.*, le 13 mars 1958, p. 205.
207 – "Dispute avec Ted...", *ibid.*, le 17 décembre 1958, p. 276.
208 – "Hier c'était l'horreur...", Sylvia Plath, *ibid.*, le 13 mars 1958, p. 205.
209 – "Utiliser l'imagination...", *ibid.*, le 2 septembre 1958, p. 258.
209 – "J'ai choisi une voie...", *ibid.*, le 14 septembre 1958.
209 – "vrai moi", Ted Hughes, Foreword, *ibid.*, p. XIV.
210 – "Les dons psychiques...", Ted Hughes, cité *in* Ekbert Faas, *The Unaccommodated Universe, op. cit.*, p. 56.
210 – "Si seulement je pouvais...", Sylvia Plath, *Journals, op. cit.*, le 15 septembre 1958, p. 259.
210 – "Mieux que l'électrochoc...", *ibid.*, le 12 décembre 1958, p. 265.
212 – *"Il y avait un homme..."*, Ted Hughes, "Fable revanche", in *Corbeau, op. cit.*

212-213 – "idées de la virilité…", Sylvia Plath, *Journals, op. cit.*, le 12 décembre 1958, p. 272.
214 – "Pour une femme…", Sylvia Plath, *ibid.*, le 13 juin 1959, p. 308.
214 – "Si je ne pouvais pas…", *ibid.*, le 20 juin 1959, p. 310.
215 – "diatribe de dix pages…", *ibid.*, le 29 septembre 1959, p. 316.
215 – "Terminé la nouvelle…", *ibid.*, le 4 octobre 1959, p. 317-318.
215 – *"Le mois de floraison…"* et la suite, Sylvia Plath, "Poem for a Birthday", in *The Collected Poems, op. cit.*, p. 131-136.
216 – "C'est impossible…", Sylvia Plath, *Letters Home, op. cit.*, le 11 mai 1960.
216 – "J'émerge à peine…", *ibid.*, le 21 mai 1960.
216 – "Je suis très excitée…", *ibid.*, le 17 décembre 1960.
216-217 – "Avec la naissance…", Ted Hughes, cité *in* Ekbert Faas, *The Unaccommodated Universe, op. cit.*, p. 178.
217 – *"Suis-je une pulsation…"*, Sylvia Plath, *Trois femmes* (1962), Ed. Des femmes, 1975, p. 14.
219 – *"Je perds vie après vie…"*, *ibid.*, p. 24.
219 – *"En haut – les lèvres familières…"*, Ted Hughes, "Fragment d'une tablette ancienne", in *Corbeau, op. cit.*
220 – "En ce moment…", Sylvia Plath, *Letters Home, op. cit.*, le 16 avril 1962.
221 – "Je crois que tu peux voir…", *ibid.*, le 4 mai 1962.
221-222 – "Ceci est la période…", *ibid.*, le 7 juin 1962.
222 – "Je ne peux tout simplement…", *ibid.*, le 27 août 1962.
223 – *"[…] Mon esprit tourne…"*, Sylvia Plath, "Méduse", in *Ariel*, Ed. Des femmes, 1978, p. 43.
223 – "L'Amérique est hors de question…", Sylvia Plath, *Letters Home, op. cit.*, le 9 octobre 1962.
223-224 – "Des choses formidables… nouvelle vie", *ibid.*, le 16 octobre 1962.
224 – "masques", Ted Hughes, Foreword, *The Journals of Sylvia Plath, op. cit.*, p. XIV.

224 – "La chose véritablement miraculeuse...", Ted Hughes, cité *in* Ekbert Faas, *The Unaccommodated Universe, op. cit.*, p. 179-180.
225 – *"Le jet de sang..."*, Sylvia Plath, "La bonté", in *Ariel, op. cit.*, p. 88.
225 – *"La femme est accomplie..."*, Sylvia Plath, "Le bord", *ibid.*, p. 90.
226 – "une Juive", Sylvia Plath, "Daddy", *ibid.*, p. 54 *sq*.
228-229 – "merveilleuse volonté...", Georges Bataille, "La victoire militaire et la banqueroute morale qui maudit", *Critique*, 40, 1949.
230 – "Je veux que ta vie...", Colette Peignot, lettre à Jean Bernier, *in* Jean Bernier, *L'Amour de Laure*, Flammarion, 1978, p. 92.
230 – "Mourir, ce n'est pas...", *ibid.*, p. 93.
230 – "Mourir : ma mort...", *ibid.*, p. 95.
230 – "C'est ta vérité, Jean...", *ibid.*, p. 99.
230 – "n'habitai[t] plus la vie...", Colette Peignot, "Histoire d'une petite fille", in *Ecrits de Laure*, texte établi par Jérôme Peignot et le collectif Change, Pauvert, 1977, p. 56.
231 – "Une nuit...", voir Georges Bataille, "Réminiscences" (ou "Coïncidences", selon les éditions), *Histoire de l'œil*.
232 – "[...] puisqu'elle m'accusait...", Colette Peignot, "Histoire d'une petite fille", in *Ecrits de Laure, op. cit.*, p. 72.
232-233 – "revendiquait ses droits...", Colette Peignot, *ibid*.
235 – "[...] Même si je devais dire...", Colette Peignot, lettre à Georges Bataille du 10 juillet 1934, *ibid.*, p. 245.
236 – "Nous avons souvent cru...", Georges Bataille, "Le Coupable, fragments retrouvés", *ibid.*, p. 294-295.
236-237 – *"Archange ou putain..."*, Colette Peignot, "Le Sacré", *ibid.*, p. 94.
237 – "Ce livre, je ne le supporte...", Colette Peignot, *Laure. Ecrits retrouvés*, Les Cahiers des brisants, 1987, p. 96-97.
238 – "l'amant ne désagrège...", Georges Bataille, *L'Erotisme*, Ed. de Minuit, 1957, p. 100.

239 – "le soufre est une matière...", Colette Peignot, "Le Sacré", in *Ecrits de Laure, op. cit.*, p. 100-101.
239-240 – "L'existence de l'homme...", Georges Bataille, "La Mère tragédie", in *Œuvres complètes*, Gallimard, 1970, t. I, p. 494.
241 – "Si je ne communique pas...", Colette Peignot, *Laure. Ecrits retrouvés, op. cit.*, p. 80.
241 – "L'extrême fatigue...", *ibid.*, p. 97-98.
242 – "gouffre au désespoir", "forme de suicide", Colette Peignot, "Questions", in *Ecrits de Laure, op. cit.*, p. 194.
242 – "Georges, maintenant...", Colette Peignot, lettre à Georges Bataille (non datée), *ibid.*, p. 260.
243 – "l'adultère du crémier du coin", Colette Peignot, "Histoire de Donald", *ibid.*, p. 153.
243 – "Pour t'affirmer libre...", *ibid.*
243 – "[...] J'ai tout essayé...", Colette Peignot, lettre à Michel Leiris (non datée), *ibid.*, p. 265.
244 – "Pourquoi, en allant jusqu'au bout...", Colette Peignot, *ibid.*
244 – "L'œuvre poétique...", Colette Peignot, "Le Sacré", *ibid.*, p. 89.
244-245 – "moment privilégié...", Georges Bataille, "Le Coupable, fragments retrouvés", *ibid.*, p. 294.
245 – "En vérité...", Jérôme Peignot, "Ma mère diagonale", *ibid.*, p. 47.
245 – *"[...] En haut..."*, Colette Peignot, "Je l'ai vue", *ibid.*, p. 127.
261-262 – "Son père...", Unica Zürn, *Sombre printemps*, Belfond, 1985, p. 11.
262 – "elle connaît l'attirance...", *ibid.*, p. 12.
262 – "Une aversion...", *ibid.*, p. 16.
262 – Sur la "pédagogie noire", voir Alice Miller, *C'est pour ton bien*, Auber, 1983, p. 15-113 et *passim*.
263 – "nous savions être tout...", Hans Bellmer, "Le Père", *Obliques / Bellmer*, p. 73.

264 – Sur la "pureté aryenne" de Hitler, voir Alice Miller, *C'est pour ton bien, op. cit.*, p. 169 *sq*.
265 – Sigmund Freud, "L'inquiétante étrangeté", in *Essais de psychanalyse appliquée*, coll. "Idées", Gallimard, 1993, p. 174-184.
266 – "L'homme épris d'une femme…", Hans Bellmer, *Anatomie de l'image*, Terrain Vague, 1957 (non paginé).
266-267 – "écrivains de pacotille" et la suite, Hans Bellmer, *La Poupée*, réédité in *Obliques / Bellmer, op. cit.*, p. 59 *sq*.
267 – "Si là n'était pas la promesse…", *ibid.*, p. 63.
267 – "Ne serait-ce pas le triomphe…", *ibid.*, p. 65.
268 – "l'imagination puise…", Hans Bellmer, Préface à Paul Eluard, *Jeux de la poupée*, Ed. Premières, 1949.
268 – "effeuiller les pensées retenues…", Hans Bellmer, *La Poupée, op. cit.*, p. 65.
269 – "Ce qui a probablement poussé…", *ibid*.
270 – "elle regrette d'être une fille…", Unica Zürn, *Sombre printemps, op. cit.*, p. 29.
270 – "son père s'éprend…", *ibid.*, p. 18.
271 – "tellement émue…", *ibid.*, p. 71.
272 – "Le masculin et le féminin…", Hans Bellmer, *Anatomie de l'image, op. cit*.
272 – "Dès que je serai immobilisé…", Hans Bellmer, "Lettres d'amour", in *ibid*.
273 – "Par sa forme…", Unica Zürn, *Sombre printemps, op. cit.*, p. 14.
273 – "me plongea un couteau…", Unica Zürn, *L'Homme jasmin*, Gallimard, 1970, p. 180-181.
273-274 – "Elle ne veut rien faire…", Unica Zürn, *Sombre printemps, op. cit.*, p. 75.
274 – "Longuement, tranquillement…", *ibid.*, p. 73.
274 – "Il faut rester immobile…", *ibid.*, p. 80.
274 – "une très belle jeune femme…", Ruth Henry, postface à *Sombre printemps, ibid.*, p. 109.

274 – “l’odeur vaguement maudite…”, Hans Bellmer, *Anatomie de l’image, op. cit.*
275 – “le corps est comparable…”, *ibid.*
275 – “livre pour hommes”, Unica Zürn, citée par Bellmer dans une lettre à Nora Mitrani, *Obliques / Bellmer, op. cit.*
275 – “la passion… image”, *ibid.*
275-276 – “Bellmer et elle…”, Unica Zürn, *Journal*, cité *in* Ruth Henry, postface à *Sombre printemps, op. cit.*, p. 115.
276 – “Ses petits manuscrits…”, Unica Zürn, *L’Homme jasmin, op. cit.*, p. 20.
276 – “Je me suis tournée…”, Unica Zürn, “Notes pour le journal d’une anémique”, le 31 décembre 1957, in *Approche d’Unica Zürn*, Le Nouveau Commerce, 1981 (supplément au cahier 49, non paginé).
276 – “Si j’étais un homme…”, Sylvia Plath, *Journal* du 6 mars 1956, *op. cit.*, p. 125.
277 – “Elle entend la voix…”, Unica Zürn, *L’Homme jasmin, op. cit.*, p. 31-32.
277 – “Comme une petite feuille…”, *ibid.*, p. 21.
277-278 – “Elle commence à dessiner…”, *ibid.*, p. 127.
278 – “D’après le souvenir…”, Hans Bellmer, *Anatomie de l’image, op. cit.*
279 – “figurer une femme mobile…”, *ibid.*
279 – “La voix de l’Homme jasmin…”, extrait du *Journal* d’Unica Zürn, *Obliques / La Femme surréaliste*, p. 255.
280 – “Qui, homme ou femme…”, Unica Zürn, “Remarques d’un observateur (sur Hans Bellmer)”, *ibid.*, p. 257.
280 – “sa propre spectatrice”, Unica Zürn, *L’Homme jasmin, op. cit.*, p. 89.
280 – “pour la dernière fois…”, Unica Zürn, *Sombre printemps, op. cit.*, p. 99.
280 – “monte sur le rebord… ombre”, *ibid.*
281 – “Jamais je ne l’ai vue…”, Ruth Henry, *Obliques / La Femme surréaliste, op. cit.*, p. 259.

281 – "Pendant ce temps-là…", *ibid.*
286 – "Les deux cent soixante-dix jours…", Myriam Bat-Yosef, "Peintre femme mère peintresse", *Art et thérapie*, 7, septembre 1983, p. 295.
287 – "Mon état de grossesse…", *ibid.*
291-292 – "Autrefois c'étaient les passages…", *ibid.*, p. 299.
300 – "littéraire et psychiatrique", Emma Santos, *J'ai tué Emma S.*, Ed. Des femmes, 1976, p. 33.
301 – "Je marcherai le ventre rempli…", Emma Santos, *La Malcastrée*, Ed. Des femmes, 1976, p. 12.
301 – "Tu caresses la rondeur…", *ibid.*, p. 33.
301 – "La femme s'élargit…", *ibid.*, p. 113.
301-302 – "il y a eu quelque part…", *ibid.*, p. 77.
302 – "les choses dehors étouffent…", *ibid.*
302 – "L'homme qui ne participe pas…", *ibid.*, p. 113.
302-303 – "Derrière un buisson…", *ibid.*, p. 45.
303 – "*On* se lave… interroge pas", *ibid.*, p. 28-29.
304 – "Je te préfère à l'Homme…", *ibid.*, p. 24.
304 – "J'ai l'impression…", *ibid.*, p. 23.
304 – "Cet enfant…", *ibid.*, p. 38.
304 – "Ma maman voulait…", *ibid.*, p. 52-53.
305 – "Je vois chaque partie…", *ibid.*, p. 63.
306 – "la plus dure des punitions…", *ibid.*, p. 96.
306 – "Je me tue…", *ibid.*, p. 85.
306 – "La folie…", *ibid.*, p. 107.
306 – "AUTO RUE MAISON", *ibid.*, p. 80.
307 – "Ni dehors…", *ibid.*, p. 83.
307 – "maltraite [ainsi] sa langue…", *ibid.*, p. 124.
307 – "moribonde étendue…", *ibid.*, p. 125.
308 – "Peut-être qu'un jour…", *ibid.*
308 – "Nous on a cherché…", *ibid.*, p. 15.
310 – "une mère est toujours marquée…", Julia Kristeva, "Stabat Mater" (1976), in *Histoires d'amour*, Denoël, 1983, p. 231.
311 – "Maman : presque pas…", *ibid.*, p. 242.

311 – “La femme-mère…”, *ibid.*, p. 245.
312 – “Après une nouvelle piqûre…”, Simone de Beauvoir, *Une mort très douce, op. cit.*, p. 126.
313 – *“c’est l’ardeur…”*, Monique Wittig, *Les Guérillères*, Ed de Minuit, 1968, p. 7.
313 – “les lesbiennes…”, Monique Wittig, “La pensée *straight*”, *Questions féministes*, 7, février 1980, p. 53.
314 – “les quenouilles…”, Monique Wittig, *Les Guérillères, op. cit.*, p. 102.
315 – “Elles ont mis la main…”, *ibid.*, p. 137.
315 – “Elles disent, non…”, *ibid.*, p. 182.
315 – “aux édifices des hommes…”, *ibid.*, p. 186.
315 – “Elles disent qu’il faut…”, *ibid.*, p. 192.
315 – “Ensemble elles portent…”, *ibid.*, p. 188.
316 – “Elles disent qu’étant porteuses…”, *ibid.*, p. 41-42.
316 – “Elles chantent ensemble…”, *ibid.*, p. 36-37.
317-318 – “Dans la rue…”, Monique Wittig, *Virgile, non*, Ed. de Minuit, 1985, p. 51-52.
319 – Sur les “catégories d’opposition”, voir Monique Wittig, “On ne naît pas femme”, *Questions féministes*, 8, mai 1980.
320 – “La sexualité…”, Monique Wittig, *ibid.*, p. 83.
321 – “Nous avons été re-construites…”, *ibid.*, p. 75.

REPÈRES

J'ai une dette de gratitude particulière envers Raymond Bellour, pour les entretiens en tête à tête, et le Conseil des arts du Canada, pour l'entretien du corps.

DU MÊME AUTEUR

Romans, récits, nouvelles

Les Variations Goldberg, romance, Seuil, 1981 ; Babel n° 101.
Histoire d'Omaya, Seuil, 1985 ; Babel n° 338.
Trois fois septembre, Seuil, 1989 ; Babel n° 388.
Cantique des plaines, Actes Sud / Leméac, 1993 ; Babel n° 142 ; "Les Inépuisables", 2013.
La Virevolte, Actes Sud / Leméac, 1994 ; Babel n° 212.
Instruments des ténèbres, Actes Sud / Leméac, 1996 (prix Goncourt des lycéens et prix du Livre Inter) ; Babel n° 304.
L'Empreinte de l'ange, Actes Sud / Leméac, 1998 (grand prix des lectrices de ELLE) ; Babel n° 431.
Prodige, Actes Sud / Leméac, 1999 ; Babel n° 515.
Limbes / Limbo, Actes Sud / Leméac, 2000.
Dolce agonia, Actes Sud / Leméac, 2001 ; Babel n° 548.
Une adoration, Actes Sud / Leméac, 2003 ; Babel n° 650.
Lignes de faille, Actes Sud / Leméac, 2006 (prix Femina et prix France Télévisions) ; Babel n° 841.
Infrarouge, Actes Sud / Leméac, 2010 ; Babel n° 1112.
Danse noire, Actes Sud / Leméac, 2013.
Bad Girl. Classes de littérature, Actes Sud / Leméac, 2014.

Livres pour jeune public

Véra veut la vérité, École des loisirs, 1992 (avec Léa).
Dora demande des détails, École des loisirs, 1993 (avec Léa).
Les Souliers d'or, Gallimard, "Page blanche", 1998.
Ultraviolet, Thierry Magnier, 2011.
Plus de saisons !, Thierry Magnier, 2014.

Essais

Jouer au papa et à l'amant, Ramsay, 1979.
Dire et interdire : éléments de jurologie, Payot, 1980 ; Petite bibliothèque Payot, 2002.
Mosaïque de la pornographie, Denoël, 1982 ; Payot, 2004.
À l'amour comme à la guerre, correspondance, Seuil, 1984 (avec Samuel Kinser).
Lettres parisiennes : autopsie de l'exil, Bernard Barrault, 1986 ; J'ai lu n° 5394 (avec Leïla Sebbar).
Journal de la création, Seuil, 1990.
Tombeau de Romain Gary, Actes Sud / Leméac, 1995 ; Babel n° 363.

Désirs et réalités, Leméac / Actes Sud, 1996 ; Babel n° 498.
Nord perdu suivi de *Douze France*, Actes Sud / Leméac, 1999 ; Babel n° 637.
Âmes et corps, Leméac / Actes Sud, 2004 ; Babel n° 975.
Professeurs de désespoir, Leméac / Actes Sud, 2004 ; Babel n° 715.
Passions d'Annie Leclerc, Actes Sud / Leméac, 2007.
L'Espèce fabulatrice, Actes Sud / Leméac, 2008 ; Babel n° 1009.
Reflets dans un œil d'homme, Actes Sud / Leméac, 2012 ; Babel n° 1200.

Théâtre

Angela et Marina, Actes Sud-Papiers / Leméac, 2002 (en collaboration avec Valérie Grail).
Une adoration, Leméac, 2006 (adaptation théâtrale de Lorraine Pintal).
Mascarade, Actes Sud Junior, 2008 (avec Sacha).
Jocaste reine, Actes Sud / Leméac, 2009.
Klatch avant le ciel, Actes Sud-Papiers / Leméac, 2011.

Livres en collaboration avec des artistes

Tu es mon amour depuis tant d'années, avec des dessins de Rachid Koraïchi, Thierry Magnier, 2001.
Visages de l'aube, avec des photographies de Valérie Winckler, Actes Sud / Leméac, 2001.
Le Chant du bocage, en collaboration avec Tzvetan Todorov, photographies de Jean-Jacques Cournut, Actes Sud, 2005.
Les Braconniers d'histoires, avec des dessins de Chloé Poizat, Thierry Magnier, 2007.
Lisières, avec des photographies de Mihai Mangiulea, Biro Éditeur, 2008.
Poser nue, avec des sanguines de Guy Oberson, Biro & Cohen Éditeurs, 2011.
Démons quotidiens, avec des dessins de Ralph Petty, L'Iconoclaste, 2011.
Edmund Alleyn ou le Détachement, avec des lavis d'Edmund Alleyn, Leméac / Simon Blais, 2011.
Terrestres, avec des reproductions d'œuvres de Guy Oberson, Actes Sud, 2014.

BABEL

Catalogue

443. MENYHÉRT LAKATOS
Couleur de fumée

444. ROGER PANNEQUIN
Ami si tu tombes

445. NICOLE VRAY
Monsieur Monod

446. MICHEL VINAVER
Écritures dramatiques

447. JEAN-CLAUDE GRUMBERG
La nuit tous les chats sont gris

448. VASLAV NIJINSKI
Cahiers

449. PER OLOV ENQUIST
L'Extradition des Baltes

450. ODILE GODARD
La Cuisine d'amour

451. MARTINE BARTOLOMEI / JACQUES KERMOAL
La Mafia se met à table

452. AMADOU HAMPÂTÉ BÂ
Sur les traces d'Amkoullel l'enfant peul

453. HANS-PETER MARTIN / HARALD SCHUMANN
Le Piège de la mondialisation

454. JOSIANE BALASKO ET ALII
Le père Noël est une ordure

455. FÉDOR DOSTOÏEVSKI
Premières miniatures

456. FÉDOR DOSTOÏEVSKI
Dernières miniatures

457. CH'OE YUN
Là-bas, sans bruit, tombe un pétale

458. REINALDO ARENAS
Avant la nuit

459. W. G. SEBALD
Les Émigrants

460. PAUL AUSTER
Tombouctou

461. DON DELILLO
Libra

462. ANNE BRAGANCE
Clichy sur Pacifique

463. NAGUIB MAHFOUZ
Matin de roses

464. FÉDOR DOSTOÏEVSKI
Le Bourg de Stépantchikovo et sa population

465. RUSSELL BANKS
Pourfendeur de nuages

466. MARC DE GOUVENAIN
Retour en Ethiopie

467. NICOLAS VANIER
Solitudes blanches

468. JEAN JOUBERT
L'Homme de sable

469. DANIEL DE BRUYCKER
Silex

Ouvrage réalisé
par l'Atelier graphique Actes Sud.
Achevé d'imprimer
en novembre 2014
par Normandie Roto Impression s.a.s.
61250 Lonrai
sur papier fabriqué à partir de bois provenant
de forêts gérées durablement (www.fsc.org)
pour le compte des
éditions ACTES SUD
Le Méjan
Place Nina-Berberova
13200 Arles.

Dépôt légal
1re édition : mars 2001
N° impr. : 1404585
(Imprimé en France)